JN077026

『共産党宣言』から
パンデミックへ

「歴史の終わり」の弁証法

森田 成也

柘植書房新社

『共産党宣言』からパンデミックへ◆目次

序文

本書は、理論と歴史と現在という三つの次元を往復しながらマルクス主義の古典を論じるシリーズの第三弾となる。最初が『ラディカルに学ぶ「資本論」』（二〇一六年）で、その次が『「資本論」とロシア革命』（二〇一九年）であり、本書がその三冊目である。二〇二〇年初頭に光文社古典新訳文庫から私が翻訳した『共産党宣言』が出版されたことで、『共産党宣言』の現代的意義を論じるといったテーマで話をしてほしいという要請が複数舞い込んだ。さらに、二〇二〇年はエンゲルス生誕二〇〇周年でもあり、さらにトロツキー暗殺八〇周年でもある。これらの記念に即した原稿の依頼も複数あった。本書は、新訳の『共産党宣言』に書いた解説文（執筆は二〇一九年後半）を皮切りに、二〇二一年初頭に行なった講演会までの一年ちょっとのあいだの時期における、さまざまな講演記録や発表論文を収録している。その多くは二〇二〇年という年と結びついている。

そしてこの二〇二〇年は新型コロナウイルスで明け、新型コロナウイルスで暮れた一年だった。二〇二一年からワクチン接種が世界中で始まっているので、本書が書店に並ぶころには（この序文が書かれた時期のおそらく数ヵ月後）、事態がどのようになっているか今から予想することはできない。しかし、新型コロナウイルスによる被害の規模は最終的に、一九一八～二〇年に世界的に大流行して数千万人とも言われる大量の死者を出したスペイン風邪の規模につぐものになるのは間違いない（二〇二一年五月末時点で、全世界の感染者数は一・七億人以上、死者数は三五〇万人以上）。

世界を襲った新型コロナウイルスのパンデミックはあらゆる点で現代資本主義の脆弱性を示した。新自由主義による四〇年間に、先進資本主義諸国における人口当たりの病床数やＩＣＵ病床数は半分から三分の一にまで減少し、ほとんど余裕のない状態に置かれた。感染症対策において決定的な保健所の数も、非常事態において大いに活躍すべき公務員の数もどんどん減らされた。深刻な経済的・社会的格差の存在は、新型コロナウイルスによる被害を貧困者、有色人種、女性、移民に対して不釣り合いに大きな割合でもたらした。

だが今日における資本主義の問題は感染症だけではない。地球温暖化とそれに伴う大災害もまた、資本主義成立後の二〇〇年間につくり出され累積されてきた矛盾の発現でもある。コロナパンデミックが起こる直前まで、「未来のための金曜日」として若者たちの大規模なデモや集会が毎週金曜日に世界中で行なわれていたのは、まだ記憶に新しいところだ。たとえ新型コロナパンデミックが終息したとしても、人類を待っているのは、それよりもさらに深刻な問題である。昨年だけでも、大規模な火災、台風、洪水が世界各地を襲った。本文ではカリフォルニア州での連続した大規模な山火事の話を書いたが、フィリピンでは二〇二〇年後半にあいついで大型台風が直撃し、とくに台風二二号では三〇〇万人以上が被災し、コロナパンデミックによってすでに深刻な打撃をこうむっていた人々に残酷な追い打ちをかけた。自然災害の発生件数は年々増大しており、一九七〇年代には世界で七〇〇件強だったのが、二〇〇〇年から二〇一〇年にかけて三五〇〇件もの自然災害が起きている。

資本主義は果たして人類と共存可能なのかという疑問が多くの人々の脳裏に浮かび始めている。若手のマルクス研究者である斎藤幸平氏が執筆した『人新世の資本論』（集英社新書、二〇二〇年）が発売からわずか半年ほどで二〇万部以上売れるという大ベストセラーになったのも、そうした危機感が背景にあると言ってもいいだろう。

※　※　※

本書は、人類と資本主義との原理的な共存不可能性を最初に最も力強く明らかにした著作の一つである『共産党宣言』を主軸にして、現在の諸問題と未来の可能性を論じている。『共産党宣言』は現代のマルクス主義者のあいだでは何ゆえか評価が低く、やれ生産力主義だ、やれ植民地主義だ、やれ国家集権的だ、やれ単線発展史観だとさんざんにこき下ろされている（本書ではこれらすべての非難に反論している）。そして、あたかも『共産党宣言』からいかに距離を取るか、それをいかに強く否定してみせるか、そしていかに晩年のマルクスがそれとはまったく違っていたかを強調することによって、自己の理論の真正性を証明できると考えているかのようだ。

だがマルクス自身は、最後まで『共産党宣言』を原理的に否定したことはなく、最晩年にあたる一八八二年のロシア語版序文においても、パリ・コミューンの経験に基づく留保（それも『共産党宣言』の本質に関わるものではない）を除いては、『共産党宣言』の内容に否定的なことを何も記さなかったのである（直接執筆したのはエンゲルスだが、マルクスもチェックしたうえで手を入れている）。もし『共産党宣言』で語られた内容が晩年の自分の立場と深刻に対立しているのなら、あるいは、植民地主義や単線発展史観のような致命的な誤謬が含まれていたのなら、マルクスは、どんな形であれその再版も翻訳も許さなかっただろう。

『共産党宣言』が資本主義と人類との共存可能性を否定した主な理由は、資本主義が周期的にもたらす恐慌と、資本主義が構造的にもたらす富と貧困の格差だった。この二つを、『共産党宣言』から一七〇年以上が経った現代資本主義は克服しただろうか？　『共産党宣言』が執筆されたときの恐慌はせいぜいヨーロッパ規模だったが、その一〇年後に訪れた一八五七年の恐慌はアメリカ大陸も巻き込む世界的なものだった。それ以降、一〇年前後の周期で恐慌は繰り返され、資本主義の支配領域が広がるにつれて、その規模はますます世界的で、ますます激しいものとなった。そして一九二九年には未曽有の世界恐慌となり、人類をファシズムと第二次世界大戦の悪夢へと引きずり込むに至った。

第二次大戦が八〇〇〇万人もの犠牲者を出したあげくにようやく終結して以降、西側資本主義諸国は大規模な恐慌を経験することなく、未曽有の高度経済成長を謳歌したが、それはわずか二〇～三〇年しか続かなかった。一九七〇年代には日本を除く先進資本主義諸国は深刻な経済停滞、インフレーション、大量失業に悩むようになり、このことが結局、一九八〇年以降の新自由主義的反革命へと結びつくのである。新自由主義は、人類と労働者階級が二度の世界大戦という甚大な犠牲を払って獲得した福祉・教育や労働者保護の体系を系統的に縮小・破壊していった。その一方で、西側資本主義国は東側諸国に対する大軍拡競争を仕掛け、ソ連・東欧の経済を掘りくずし疲弊させていった。それはついに一九八九～九一年におけるソ連・東欧の崩壊へとつながり、資本主義はその世界史的勝利を宣言するに至った。それは彼らにとって、ファシズムに対する勝利を上回る歴史的勝利のはずだった。

しかし、ファシズムへの勝利後に起こったこと（順調で急速な経済成長、経済的・社会的格差の確実な縮小、賃金の絶え間ない上昇、福祉と教育の充実、社会の安定化、等々）とは反対に、「共産主義」への勝利後に起こったのは、不安定で金融偏重の低成長、経済的・社会的格差の再拡大、賃金の停滞と二極分化、福祉と教育の削減、社会の絶え間ない不安定化であった。そして、その過程で蓄積された諸矛盾はついに、二〇〇八～〇九年には世界的な大金融恐慌として発現するに至った。マルクスの第一次復活が起きたのはちょうどこのころである。『共産党宣言』が予見した、資本主義の宿痾、社会的疫病としての恐慌は結局、克服されておらず、一九二九年の世界恐慌に匹敵するような恐慌を、『共産党宣言』出版の一六〇年後に引き起こしたのである。

この恐慌と並んで、新自由主義の四〇年間で露わになったのは、同じく『共産党宣言』が資本主義の構造的問題として指摘した経済格差の深刻化である。国際NGO団体のオックスファムは、コロナパンデミックが広がる直前の二〇二〇年一月二〇日に報告書を発表したが、その中で、二〇一九年時点で一〇億ドル以上の資産を持つ富裕層二一五三人の富の合計が、世界の総人口の六割にあたる約四六億人分の資産の合計を上回っていることを明らかにした。コロナパンデミックを経た後の二〇二一年一月二五日に出した報告書では、世界の超富裕層は、パンデミック初期にこうむった損失をわずか九カ月で取り戻したのに対し、貧困層はその損失を取り戻すのに一〇年以上かかるだろうと指摘している。

このような不平等と格差は日本ではいっそう顕著である。日本は一九九〇年代前半にバブル経済がはじけ、九〇年代後半から深刻な長期不況に突入したが、その間、労働者の給料は下がり続け、年収にして一〇〇万円以上の減収となり、低賃金の不安定雇用労働者、さらにウーバーイーツの労働者のように「個人事業主」扱いされている労働者も急増しつつある。その一方で、大企業は年々その利潤と内部留保を増やしており、株式市場における株価は、日銀からの大量の資金流入のおかげで高値を維持している。

この対照性を非常に鮮やかに示したのが、偶然、同じ二〇二一年二月一五日に流れた二つのニュースだ。一つ目のニュースは、内閣府の発表によるもので、二〇二〇年の日本経済がコロナパンデミックのせいで、実質成長率がマイナス四・八％となり、世界金融恐慌による二〇〇九年のマイナスに次ぐ戦後二番目の落ち込みになったと伝えている。その同じ日、東京株式市場で日経平均株価が三万八四円で取引を終え、バブル絶頂期の一九九〇年八月以来、何と三〇年半ぶりに三万円の大台を回復したというニュースが流れた。本来は実体経済の浮き沈みと連動しているはずの株価が完全に実体経済から遊離し、人為的につぎ込まれる莫大な架空資本のおかげで高値を維持し、株式の取引で利益を上げている一握りの機関投資家や外国投資家たちの懐を潤しつづけているのである。

その一方で労働者や市民はコロナパンデミックの打撃をもろにこうむり、大量の失業者が世界的に発生している。結局、資本主義は、『共産党宣言』出版後の一七〇年間もの発展にもかかわらず、貧困問題を解決することはできなかった。『共産党宣言』は古臭くなっているどころか、はるかに大きな規模で、はるかに深い意味で、その正しさを証明しているのである。

もちろん、一七〇年前の著作がその細部にわたって正しかったと考えるのは馬鹿げているだろう。われわれは教条主義とも、宗教的崇拝とも無縁である。しかし、わずか三〇年前に出されたフランシス・フクヤマの『歴史の終わり』で書かれていたことがことごとく、その後の世界史的現実によって否定されたことと比べるなら、『共産党宣言』の歴史的生命力は圧倒的である。人類が真に貧困と恐慌を免れ、本当の意味で持続可能な発展（ＧＤＰの成長としてではなく）を可能にするようなシステムは、資本主義のあれこれの形態にではなく、それを超えたところにあるということ、そして、その実現のカギを握るのは、この資本主義システムにおいて搾取され抑圧されながらその経済的・階級的重みを増していく労働者階級であるということ、『共産党宣言』におけるこの二つの基本命題は今なお真実である。その意味で『共産党宣言』

は古典であるとともに、依然として現代の書でもある。

※　※　※

冒頭で少し述べたように、本書に収録されている講演記録や発表論文は基本的に二〇一九年後半から二〇二一年二月までの時期に書かれた。分量の長いものは独立した章として収録し、短いものは、とくに関連のある章の後に「補論」として収録してある。

本書の巻頭を飾るのは、新訳の『共産党宣言』に収録した解説である。掉尾を飾るのは、二〇二一年一月にアジア連帯講座の主催で行なった講演である。本書の第6章（最終章）に収録したこの講演は「歴史の始まり」と「歴史の終わり」という概念を用いて、その歴史的変遷を『共産党宣言』以降の現代史と重ね合わせながら論じている。その意味で、それは本書を締めくくるのにふさわしいと言える。

いわば、『共産党宣言』そのものが、マルクス主義の「歴史の始まり」を画する文書だった。もちろんそれ以前にもマルクスやエンゲルスの著作・論文・未発表原稿の類は存在するのだが、その後の普及の歴史を見るなら、『共産党宣言』こそが、マルクスとエンゲルスの思想の独自性を最初に世界史に刻んだ記念すべき著作であるのは間違いない。この『共産党宣言』を出発点にして、その後、マルクス主義は世界的に広がり、それとともに『共産党宣言』も広がっていった。『共産党宣言』をロシア語に訳したプレハーノフを始祖とするロシア・マルクス主義はその後、ロシアで一大革命勢力となり、ついに一九一七年一〇月に広大なロシア帝国で権力を掌握するに至った（当のプレハーノフは革命に反対する側にいたのだが）。『共産党宣言』から始まったマルクス主義の歴史の発展曲線はその七〇年後についに、一つの決定的な結節点へと至るのである。

その後、マルクス主義はさまざまな分化を遂げながらも、ロシア革命とコミンテルンの世界史的インパクトのもと、この日本を含む世界の隅々にまで広がっていき、『共産党宣言』もまた数十カ国語に翻訳されるにいたった。『共産党宣言』は聖書に次いで最もたくさん翻訳され版を重ねた文献となった。これほどの短期間で普及した思想書は他に存在しない。しかし、ロシア革命からさらに七〇年後、すでに述べたように、ソ連・東欧が崩壊し、マルクス主義の葬送が語られるようになった。マルクス主義の発展曲線は再び大きな結節点へと至ったのである。しかし、その後の三〇年間における世界資本主義のありようは、マルクス主義とともに『共産党宣言』をも再び復活させつつある。歴史は終わらなかった。

そして現在、われわれは、資本主義とともに人類の歴史が文字通りの意味で終わってしまうのか、それとも、資本主義を克服して、マルクスがかつて展望したように「人類の本史」を開始するのかをめぐる、長く複雑で苦痛に満ちた過渡期にいる。簡単な解決策も、わかりやすい処方箋も存在しない。あるのは、さまざまなヒント、手がかり、過去の教訓、そして、よりよき未来への意志だけである。解決策は集団的英知によって探究され、集団的実践によって模索されなければならない。本書がその一つの手助けになれば幸いである。

（二〇二一年二月二八日）

第1章　未来に向けた未完の宣言

――『共産党宣言』の新訳によせて

【解題】本稿はもともと、光文社古典新訳文庫のマルクス&エンゲルス『共産党宣言』(二〇二〇年)の「解説」として執筆されたものである。本書に収録するにあたって、若干の加筆修正を行ない、若干の画像を挿入した。なお、「共産主義の原理」と『共産党宣言』からの引用はすべて、光文社古典新訳文庫版の『共産党宣言』からのもので、その頁数のみ記載する。また、『共産党宣言』に関わる手紙からの引用もすべて、この光文社古典新訳文庫版から行ない、「Ⅲ-1」のように、同文庫の手紙に付された番号で表記する。その他、この文庫からの引用はすべて頁数のみを記載する。

はじめに

一八四八年二月に『共産党宣言』がロンドンの片隅でドイツ人亡命者たちによって印刷されたとき、世界のほとんどはまだ本来の意味で資本主義化していなかった。資本主義システムはせいぜいヨーロッパの一部と北アメリカに存在していただけであった。たしかに、『共産党宣言』の一節が印象的に述べているように、欧米の資本主義帝国はその強力な武器と蒸気船を用いて、世界をその政治的・経済的支配下に収めつつあり、世界市場をつくり出しつつあったが、世界そのものはまだ資本主義化するにはほど遠く、『共産党宣言』の著者たちの祖国プロイセンでも資本主義が成長し始めたところであった。日本はというと、まだ江戸時代であり、その周辺の海にはすでに欧米列強の蒸気船が出没していたとはいえ、なお封建体制の爛熟を謳歌していた。ペリーの黒船が来航して幕末の疾風怒濤のドラマが始まるのは、まだ数年先の話である。したがって、『共産党宣言』の最後の一句で言う「万国のプロレタリアート」とは、せいぜいヨーロッパの一部と北アメリカのプロレタリアートに限定されていた。

このような時代にすでに『共産党宣言』は、資本主義の世界的制覇の必然性を予見するとともに、それと同時に、その墓掘り人としての産業プロレタリアートも成長していき、やがてそれが資本主義システムを転覆して自己自身の支配を打ち立てるとの予見を示した。それ以降、『共産党宣言』のこれらの予言は外れたのか否かということがしばしば取り沙汰されてきた。ほとんどの人々は、第一の予見（資本主義の世界的制覇の必然性）は見事に当たったが、第二の予見（プロレタリアートによる資本主義の転覆）の方は――とくにソ連・東欧の崩壊後は――まったく外れたと言うのが通常だった。ごく最近でも、スラヴォイ・ジジェクは『共産党宣言の妥当性』という著作において一〇一回目のその種の宣告を行なっている。[*1]

しかし、『共産党宣言』が書かれた当時、古典的な意味でのプロレタリアート（主として工業、鉱業、運輸、建設、農場における賃金労働者）は資本主義諸国でせいぜい数百万人程度であり、勤労者の圧倒的多数は農民・農奴か手工業労働者だったのに対し、今日ではその数は全世界で数億人に達している。そしてそこに各種サービス部門や通信部門の労働者を加えるなら、多くの資本主義国でプロレタリアートは人口の多数を占めるに至っている。また、労働者階級は、一九世紀以降、世界のあらゆる進歩的運動と革命の主要な担い手でありつづけ、後進諸国では多数派の農民と同盟して労働者革命を実現し、（さまざまな限界がありつつも、またその後崩壊したとしても）労働者政府を実現しただけでなく、先進諸国においても、福祉国家をはじめあらゆる進歩的な成果を獲得する主体となってきた。一九世紀以降、労働者およびそれと同盟した農民の闘いなしに、どれか一つでも本当の意味で進歩的な成果が獲得できた事例を挙げることができるだろうか？ＧＨＱの支配下で実行された日本の戦後改革でさえ、そもそもアメリカにおける一九三〇年代のあの巨人的な産別労働運動なしには実現されなかったし、日本の敗戦直後から嵐のように発展した戦後労働運動なしには維持しえなかった。

そう考えれば、『共産党宣言』の予見は、第一のものは当然として、第二のものも半ば実現されたと言っても過言ではない。そして今日、一方では、不可逆的に進行する地球の温暖化と世界的な巨大な経済的格差という人類的危機を前にして、資本主義が何の解決策も提示することができず、他方では、労働者階級に代わるどんな階級勢力ないし社会階層も資本主義を転覆しうるような力量を示していないし示しえないのだから、資本主義をより公正で持続可能な社会システムへと置き換えうる変革主体は、やはり労働者階級およびそれと連合した被抑圧諸階層であると考えるほかない。その意味で、『共産党宣言』は単なる過去の歴史的宣言であるだけでなく、未来に向けた未完の宣言でもあると言うことができるだろう。ギリシャの旧シリザ政権の財務大臣をつとめたヤニス・バルファキスが、マルクス生誕二〇〇周年を記念した特別版の『共産党宣言』の序文で述べているように、『宣言』は依然として「希望の源泉」であり続けている。[*2]

1、「共産主義の原理」から『共産党宣言』へ

『共産党宣言』は、ロンドンに亡命していた主としてドイツ人労働者と知識人からなる共産主義者同盟の綱領として起草され発表された。当初、綱領の初期草案として種々の文書が書かれ、同盟員に回覧され

たが、共産主義者同盟の中では、後から入ったにもかかわらず理論的に抜きん出ていたマルクスとエンゲルスに最終的に綱領の起草が委ねられた（一八四七年一一〜一二月初めの共産主義者同盟の第二回大会において）。

エンゲルスはすでに、「共産主義の原理」という草案を起草していた。これは、共産主義者同盟の指導的幹部であったシャッパーが書いたと思われる草案を下敷きにしてそれを拡張したものであり、古い教理問答（カテキズム）の形式を踏襲したものだった。「問いと答え」という問答形式で自分たちの政治的信条を表明するというやり方は、以前からしばしば行なわれていたもので、とくに有名でおそらく共産主義者同盟の人々にも直接影響を与えたと思われるのは、サン・シモンの『産業者の教理問答』である。[*3] エンゲルス起草の「共産主義の原理」が第二問で「プロレタリアートとは何か」と問うているように、サン・シモンの『産業者の教理問答』は第一問で「産業者とは何か」と問うことから始めている。

同書の初版は、フランスの王政復古期の一八二五年に発表されたものであり、貴族と聖職者への敵意という点ではフランス革命の精神を受け継ぐものだが、国王に対してはそうではなく、むしろ国王は自分の素晴らしいアイデアを取り上げて実現してくれる主体とみなされていた。とはいえ、フランス大革命において「第三身分」として想定されていた社会の中心的担い手は、ここでは「産業者」としてより実体的かつ物質的に限定されている。シェイエスが「第三身分とは何か、それはすべてである」と大胆に宣言したように、サン・シモンは「産業者とは何か」と自ら問うて、それは社会の全成員のあらゆる必要や嗜好を満たすものを作り出す者たちであるとし、社会の最も重要な部分であるとした。「第三身分」という法的・身分的概念とは違って、「産業者」という概念はすでに社会の経済的・物質的担い手を指示するものであった。しかし、「産業者」という概念には、当時におけるフランスの階級分化の未成熟さがやはり反映していて、そこには農民や手工業労働者や工業プロレタリアートだけでなく、商人や産業資本家も含まれていた。しかし、この著作が出版されて二〇年以上後の「共産主義の原理」では、社会の階級分化は十分に進んでおり、社会の物質的担い手であるのは、もはや「第三身分」でもなければ「産業者」でもなく、「プロレタリアート」としてより厳密に規定されるに至っている。そして、その訴えは国王や社会の教養層にではなく、まして や産業資本家にではなく、プロレタリアート自身に向けられていた。

マルクスとエンゲルスが共産主義者になって以来けっして変わることのなかった基本原則は、労働者階級の最終的解放は資本主義の転覆なしには不可能であり、そしてそれは他ならぬ労働者階級自身の事業であるというものである。国王や教養層に向けた啓発文書であった『産業者の教理問答』の古い形式を踏襲することは、このような根本的転換にそぐわないものであった。エンゲルスはすでに「共産主義の原理」を書き終わった直後からこのような形式の古臭さに気づき、もっとストレートに労働者階級自身に訴える「宣言」という形式がふさわしいと考えるに至った（光文社古典新訳文庫版『共産党宣言』の第Ⅲ部の手紙1。以下、Ⅲ-1、等々と略記）。この新しい線に沿って、マルクスとエンゲルスはブリュッセルで一八四七年末に新しい綱領を練り上げるのだが、エンゲルスは途中でパリに向かわざるをえなくなり、その仕上げと最終的な文章化はマルクスに委ねられた。しかし、なかなか完成品が送られてこないことに業を煮やした、ロンドン在住の中央指導部メンバー（シャッパー、モル、バウアー）はマルクスに、一八四八年一月二五日付の手紙で最後通牒を送る（Ⅲ-2）。マルクスは与えられた期限のぎりぎりになってようやく完成させ、こうしてその後、世界史を変えることになるわずか二三頁の文書がブリュッセルからロンドンに送られるのである。マルクスのある伝記作家はこう書いている。

マルクスが執筆に時間をかけたのは間違っていなかった。生み出されたものが文学的傑作と呼べるものだったからである。この作品は簡潔であるが含蓄に富み、優雅で力強く、皮肉たっぷりで、読者をみなたちまち魅了してしまう。[*4]

この「文学的傑作」が印刷された直後にフランス二月革命勃発の報がヨーロッパをかけめぐった。パリの労働者が中心的担い手となったこの革命はただちにウィーン、ベルリン、ミラノなどに波及し、やがて大陸ヨーロッパ全体を巻き込む大規模な革命となった。ロンドンに亡命していた多くの共産主義者やその他の共和主義者たちは、革命に直接参加すべく、こぞって大陸ヨーロッパへと向かった。二月革命が引き起こしたヨーロッパ規模の革命の嵐は、『共産党宣言』の各国語への翻訳と普及という当初予定されていた課題を事実上不可能にした。後年、一八七二年ドイツ語版序文の中で、『共産党宣言』が一八四八年中にフランス語、ポーランド語、デンマーク語に実際に翻訳出版されたと主張されているし（一二〇～一二一頁）、また一八八七年におけるエンゲルスのゾルゲ宛ての手紙では「フランス語、英語、フラマン語、デンマーク語などに訳された」（Ⅲ‐74）と言われ、さらに一八六〇年におけるマルクスの『フォークト君』の中でも、「この宣言は一八四八年のはじめに印刷され、後に英語、フランス語、デンマーク語、イタリア語に翻訳されて刊行された」[*5]とあるのだが、一八四八年中にそれらの翻訳が出された明確な証拠は見つかっていない。実際、『レッド・リパブリカン』に掲載された『共産党宣言』の最初の英訳に付されたジュリアン・ハーニーの「まえがき」の中では、二月革命後の激動のせいで他のヨーロッパ言語への翻訳の企図は果たされず、二種類の異なったフランス語訳の原稿が作成されたが、これらも結局出版できなかったと書かれている。[*6] かろうじて、一八四八年末におけるスウェーデン語版（『共産主義の声』という題名）の刊行が確認されているが、[*7] なぜかマルクスもエンゲルスもこのスウェーデン語版には言及していない。デンマーク語版と同一視されたのかもしれない。

2、『共産党宣言』の論理と展望

マルクスは一八五九年の『経済学批判』の序言において、自分の経済学研究にとって「導きの糸として役立った一般的結論」について簡潔にまとめている。それは後に「史的唯物論の定式」として一般に知られるようになるが、それは、社会の経済的土台として、物質的な生産諸力とそれに照応する生産諸関係とを挙げ、この両者が有機的で相互作用的な連関を持っているときには社会は順調に発展していくが、両者が矛盾に陥り、とりわけ生産関係が生産力に対する桎梏に転じるときには、危機と社会革命の時代が到来し、新たな生産力水準に照応した新しい生産関係が樹立することで初めてこの危機は解決されるとする。このような一般的な見解はすでに『共産党宣言』以前の『哲学の貧困』や有名な「アンネコフへの手紙」の中でも（表現や理論的位相の多少の違いはあれ）述べられており、したがって『共産党宣言』でも基本的に同じ枠組みのもとで書かれているとみなすことができるだろう。

そこで、ここでは『共産党宣言』の個々の内容について詳細に論じるのではなく、またあれこれの理論的限界や不十分さ（それらは当然にも各所に見出せるし、「共産主義の原理」にあってはなおさらである）についてあれこれ論じるのでもなく、この「導きの糸」が『共産党宣言』においてどのように具体化されているかについてだけ簡単に見ておこう。生産力と生産関係との矛盾はさまざまな領域、側面、位相において確認することができるが、『共産党宣言』では主に、ブルジョアジーの側におけるそれと、プロレタリアートの側におけるそれとが考察されている。

まずブルジョアジーの側における生産力と生産関係との矛盾を見ていこう。ブルジョアジーは一方では、過去のどの生産システムも想像しなかったような巨大な生産力を地中から呼び起こし、世界を無数の商業と運輸の糸で結びつけて一体化させながら（生産力的側面）、他方では、ブルジョアジーにとってこの巨大な生産力は万人の豊かさと安定した生活のためのものではなく、あくまでも利潤の獲得と私的所有の増大という狭い目的のための手段にすぎない（生産関係的側面）。この矛盾は何よりも周期的に繰り返される恐慌という先鋭な形で現象していると『共産党宣言』は（そして「共産主義の原理」も）みなしている。

この数十年来の工業と商業の歴史は、近代の生産諸関係、ブルジョアジーとその支配の存立条件である所有関係に対する、近代生産力の反逆の歴史に他ならない。周期的にブルジョア社会を襲い、ますます全ブルジョア社会の存立を脅かしている商業恐慌を挙げれば十分だろう。商業恐慌においては、生産された生産物の大部分だけでなく、すでにつくり出されていた生産力のかなりの部分もきまって破壊される。恐慌の際には、これまでのどの時代にあっても不条理と思えるような社会的疫病が発生する――過剰生産という疫病が。（六三～六四頁）

これまでのどの社会も過少生産に悩んでいたが、資本主義は過剰生産に悩むのであり、労働者の大多数が依然として貧困であるのに、生産力が（資本の蓄積欲にとって）「過剰」になり、周期的に破壊されるのである。これほど奇妙な事態があるだろうか？『共産党宣言』では、恐慌が具体的にどのようなメカニズムによって発生するのかについては書かれていないが（過剰生産恐慌を想定していたことは文脈から明らかだが）、いずれにせよ、資本主義的産業がつくり出した巨大な生産力がブルジョア的な生産・所有関係に対して繰り返し反逆している事態がこの恐慌のうちに示されているのである（マルクスは後に、恐慌と並んで「利潤率の傾向的低下」を、資本の側における生産力と生産関係との矛盾の本質的現われとみなすようになる）。

次にプロレタリアートの側におけるこの矛盾は、何よりも一方では資本主義的工業の発展とともに、それの固有の産物であるプロレタリアートもますますその数を増し、ますます広く団結し、しだいに一個の階級として行動する能力を陶冶するのにもかかわらず（生産力的側面）、他方では労働者の地位は資本主義のもとでますます不安定化し、労働量はますます増大し、労働過程はますます魅力と内容を失い、労働者自身も自立した生産者から機械の付属物へと落ちぶれ、しだいに貧困化していく（生産関係的側面）、という事態に現わされる。プロレタリアートの階級的力量の増大とその地位の社会的低下というこの相反する二重の過程こそが、労働者階級を資本主義の墓掘り人へと高めるところのものなのである。エンゲルスの「共産主義の原理」ではこの点はより明快な表現になっている。

産業革命は一方ではプロレタリアートの不満を増大させることによって、他方ではプロレタリアートの力を増大させることによって、プロレタリアートによる社会革命を準備するのである。（二七頁）

こうして、一方で、ブルジョアジーの側における生産力と生産関係との矛盾が、このシステムがけっして永久的なものではなく、それが生み出した巨大な生産力を別の生産・所有関係のもとで合理的に利用するべき切迫した必要性と可能性を生み出すとともに、他方では、プロレタリアートの側における生産力と生産関係の矛盾が、このシステムを変革しうる主体である労働者の生産的・階級的力量を高めつつ、このシステムに反逆する方向へと彼らを駆り立てるのである。この両者を踏まえて、マルクスは、「ブルジョアジーの没落とプロレタリアートの勝利はともに不可避である」との決定論的宣告を下す（七五頁）。

以上の論理と展望は、資本主義の長期的な発展曲線の基本的方向性を指し示したものとしては、けっして間違ってはいないし、だからこそ『共産党宣言』は今日でもその生命力を保っているのだが、中期的には、資本主義は、これらの矛盾によって作り出された恐慌と階級闘争そのものに駆り立てられて、これらの矛盾を媒介する諸手段、諸形態を生み出すことで生き長らえてきた。このような媒介手段、媒介形態を産出していく過程こそが、実は資本主義そのものの発展史なのであり、それがより複雑で多様で柔軟な総体的システムへと発展していく過程でもあるのである。たとえばケインズ主義は前者の矛盾（ブルジョアジーの側の矛盾）を媒介する主要な手段であったし、福祉国家は後者の矛盾（プロレタリアートの側の矛盾）を媒介する主要な手段であった。しかし、一九八〇年代から英米日で開始され、ソ連・東欧が崩壊した一九九〇年代以降に世界的に席巻するようになった新自由主義は、これらの媒介手段を部分的ないし全面的に破壊することで、再び資本主義の諸矛盾がより直接的に露呈する事態になっている。二〇〇八年の世界金融恐慌は前者の矛盾の現代的現われであり、グローバルに進行する大規模なプロレタリア化と極端な階級的不平等の出現は後者の矛盾の現代的現われである。

だが『共産党宣言』は、資本主義の全般的な発展の展望、その矛盾した運動を力強く描いているだけではない。それは、ドイツのように遅れて資本主義に参入した後発国における発展の特殊な展望をも簡潔に描き出している。

共産主義者はドイツに主な注意を向ける。なぜなら、ドイツはブルジョア革命の前夜にあり、しかもドイツが、この変革を一七世紀のイギリスや一八世紀のフランスと比べてヨーロッパ文明全体のより進んだ諸条件のもとで、そしてはるかに発達したプロレタリアートでもって遂行するので、ドイツのブルジョア革命はプロレタリア革命の直接の序曲となるほかないからである。(一一一頁)

この「予言」は実際には、当時におけるドイツ資本主義もドイツ・プロレタリアートもあまりにも未成熟であったため実現しなかったが、それでもこの短い一節は歴史的に百万言に値する価値を持っていた。これは一方では後発国の革命をその国の生産力水準に直接依拠させず、国際革命(ここではヨーロッパ革命)のうちに不可分に位置づけて理解し、したがって他方では、後発国の歴史的発展過程を先発国の歴史の単なる(時間的に遅れた)繰り返しとみなさず、歴史的飛躍を伴った独自の軌跡をたどるものと把握しているからである。後発国における革命のこの地理的・歴史的独自性の理解こそ、その後の世界史にとって決定的な意味を持つものであった。なぜならヨーロッパの一部と北アメリカを除くすべての国々は、つまり世界の国と地域の大部分は、資本主義世界システムの発展過程において必然的に大なり小なり後発国としての位置を占めるのであり、したがって大なり小なり、先発国の歴史の単なる繰り返しではない独自の軌跡をたどるしかないからである。後述するように、とりわけロシアのマルクス主義者たちはこの文言を自らの指針にするのである。

3、種々の特殊な論点——私的所有、児童労働、売買春、未来社会

『共産党宣言』はわずか二三頁の短いパンフレットにすぎないにもかかわらず、その後無数の論争や議論の的となった多くの論点を含んでいる。たとえば、「近代の国家権力は、ブルジョア階級全体の共同事務を処理する委員会にすぎない」(五八頁)という文言は、近代国家の本質をめぐる絶え間ない論争の一源泉となったし、「労働者は祖国を持っていない」(八六頁)という文言は、階級と民族をめぐる膨大な論争の一源泉となった。そうした特殊な論点のすべてをここで列挙することはできないが、いくつかだけ簡潔に触れておこう。

まず、『共産党宣言』において微妙な揺れをもって用いられている「私的所有」という概念の独特さである。それは一方では、資本主義に特有のブルジョア的私的所有、階級的所有を意味しており、つまりは他人の労働を搾取し支配する社会的権力としての特殊な私的所有(=資本)を表現している。しかし他方では、それは小ブルジョア的所有、小農民的所有をも包含する一般的な意味での私的所有をも意味している。同じような揺れは「所有」という概念そのものにも見られる。それは一方では、私的所有と共通する特殊な階級的・ブルジョア的所有を意味する特殊な概念として使用されており、それゆえ、プロレタリアー

トは「無所有」であると言われ、あるいは「賃労働、プロレタリアの労働は彼らに所有をつくり出したか？いやけっして。それがつくり出すのは資本である。すなわち、賃労働を搾取する所有……である」（七八頁）と言われている。しかし他方では、プロレタリアートが個人的な生活手段を「取得」する場合でも「所有」という用語が使われており、「直接的な生を再生産するための労働生産物の個人的な取得」（七九頁）の場合を明らかに指して「個人の所有」（「人格的所有」とも訳せる）という用語が使われている。この場合、「所有」は、こうした「個人の所有」をも包含するより一般的な意味である。このような微妙な揺れは、「私的所有」や「所有」という、それ自体としては一般的な用語を特殊な意味で用いる場合に必然的に付きまとう問題であると言える。これは、プルードンの『所有とは何か』（一八四〇年）の影響がまだ完全には払拭されていないことの表われでもあろう。「私的所有」という用語にこのような決定的な重みと総括的な意味を与えて論じるスタイルは、その後しだいになくなっていく。

『共産党宣言』は、共産主義者が家族を廃絶しようとしているというブルジョア側からの非難に答えて、いやブルジョア社会こそが労働者家族をばらばらにし、子どもを単なる安価な生産道具に変えることで家族を破壊しつつあるのだと鋭く切り返している（八三～八五頁）。当時、膨大な数の児童労働が「先進」資本主義諸国に存在していたことを考えれば、この主張はまったく正当である。その後、児童労働は先進国においては禁止されるようになり、そこでは児童労働問題は（完全にはなくなっていないとはいえ）、主要な問題ではなくなっている。しかし、世界的に見ると今なお膨大な数の児童労働が存在しており（ＩＬＯの発表によると、二〇一七年時点で全世界に一億五〇〇〇万人の児童労働者がいる）、多国籍企業は後進諸国においてこのような児童労働を大規模に利用することによって、安い商品を大量生産しているのである。したがって『共産党宣言』のこの論点は時代遅れになったどころか、マルクスの時代よりもはるかに今日的な切実さを持つに至っていると言えるだろう。

他方、先進国では、児童労働の大量利用がなくなったとはいえ、若年労働者の低賃金は依然として深刻な問題であるし、さらにこの日本では、逆の世代の大量利用が今日的問題として先鋭なものになっている。それが低賃金高齢労働者の大量利用である。マルクスの時代には労働者の平均寿命が非常に短かったため、高齢労働者の大量利用という問題はほとんど存在しなかった。だが、今日では、平均寿命の増大とともに高齢労働者の問題が年々深刻になっている。本来は悠々自適の年金生活を送っていていいはずの高齢者が、公的年金額があまりに低額であるがゆえに（しかも今後ますます減額される）、あるいは現役時代における低賃金のせいでほとんど貯金ができなかったがゆえに、六五歳を超えても低賃金で働かざるをえなくなっており（高齢ワーキングプア）、高齢者の労働災害も急速に増大している。六五歳以上の高齢労働者数は八〇〇万人を超えており、全労働者の一二％を占める（二〇一七年時点）。一五歳以下の子どもを低賃金労働者として使用することが人道に反するのなら、六五歳を超えた老人を低賃金でこき使うことも人道に反することではないのか？

『共産党宣言』は同じく、共産主義者が女性の共有制を導入しようとしているというブルジョアジーの側の非難に答えて、ブルジョアジーは女性を単なる生産用具とみなしているので、生産用具の共同利用と聞いて、女性を共有化しようとしていると勘違いしたのだと皮肉っぽく切り返している（八五頁）。それだけでなく、『共産党宣言』は（そして「共産主義の原理」も）、ブルジョア社会において普遍的に存在している売買春こそが女性の共有制ではないのかと挑発的に問いかける（八六頁）。当時における売買春は今日から見ればまだ小規模であり、またおおむね個人的なものであったが、今日ではそれはさまざまな手段を通じて企業化され、国際化され、一大グローバル産業になっている。それは、資本による特殊な搾取形態であるだけでなく、男性支配の典型的な形態でもある。[*8]

かつてマルクス主義者たちは、その創始者であるマルクス、エンゲルスから始まって、ベーベル、カウツキー、クララ・ツェトキン、コロンタイ、レーニン、トロツキーに至るまで、売買春の廃絶を当然にも社会主義の不可欠の課題とみなしていた。主要なマルクス主義者はみな性売買廃止論者（アボリショニスト）だった。たとえばトロツキーは『裏切られた革命』において、売買春が存在しているかぎり、社会主義の勝利について語ることは許されないとはっきり述べている。[*9] だが今日、奇妙なことに、一部の「マルクス主義者」は、「セックスワーク論」という理論に基づいて、性の商品化と産業化を、すなわち『共産党宣言』の言う「女性の共有制」を、女性の解放と自立化の手段として肯定するに至っている。

「共産主義の原理」は、資本主義克服後の新しい社会像についてかなり踏み込んだ記述を少なからず残しているにもかかわらず、『共産党宣言』はその点に関して「共産主義の原理」よりもはるかに禁欲的である。所有問題などに関わって、『共産党宣言』の各所で未来社会についてのヒントらしきものは書かれているが、それ以上ではない。また、「プロレタリアートは自らの政治的支配を利用して、ブルジョアジーからしだいにあらゆる資本を奪い取り、あらゆる生産用具を国家、すなわち支配階級として組織されたプロレタリアートの手に集中し、生産力の量をできるだけ急速に増大させる」（八九〜九〇頁）という原則は書かれているが、「プロレタリアートの政治的支配」とはいかなるもので、「あらゆる生産用具を国家に集中する」という場合の、国家の具体像も、集中する仕方も、集中した生産用具をどのように管理・運営するのかについても、何も述べられていない。革命の過程で共産主義者がとるべき当面する諸措置については一〇箇条にわたってかなり具体的に書かれているが、それらはあくまでも過渡的措置にすぎないし、今日ではかなり時代遅れになっている感は否めない。一部はすでに資本主義のもとでも実現されているし、相続権の問題のようにその後マルクス自身が重視しなくなった項目もある。結局、未来社会像について総括的に述べているのは、『共産党宣言』の数々の名文句の中でもその後とくに有名となった、「諸階級と階級対立をともなう古いブルジョア社会に代わって、各人の自由な発展が万人の自由な発展の一条件である協同社会（アソシエーション）が登場する」（九二頁）という一文だけである。そして後にエンゲルスがイタリア人に対して未来社会に対する金言として引用したのもこの一文だった（Ⅲ-100）。

ここの「協同社会」の原語である「**Assoziation**」はフランス語からの輸入語であり、ドイツ語で言うと「ゲマインシャフト」[*10]や「ゲノッセンシャフト」に相当する。ソ連・東欧が極端な指令経済と強権的警察国家に堕落した挙句に崩壊して以降、この「アソシエーション」という用語は、ソ連・東欧諸国とは違うより自由主義的な社会像を示唆するものとして、知識人たちのあいだで大いに重宝されるようになった。だが、いったいどのようなメカニズムをもってすれば「各人の自由な発展が万人の自由な発展の一条件」になりうるのかについては、ここでは何も述べられておらず、革命後の社会建設の実践的指針にするには、残念ながらあまりにも抽象的である。[*11]「共産主義の原理」ではもう少し具体的に書かれているが（三九頁以下）、いささか生産力主義的であり、かつ、やはり一般的にすぎる。それを何らかの指針にするためには、ソ連・東欧の経験を単なる負の歴史として清算してしまうのではなく、その功罪を十分具体的に考察したうえで、そこからできるだけ豊かで多様な教訓を引き出すことが必要だろう。

4、『共産党宣言』新版への道

一八四八〜四九年の革命は、ヨーロッパのどこにおいてもブルジョアジーの政治的臆病さゆえに最終的な勝利にまでは至らず、各地で君主制が権力に返り咲くことになった。とりわけ、一八四八年六月にフランスでプロレタリアートの蜂起が勃発したことは（六月事件）、フランスおよび周辺諸国のブルジョアジーを恐怖させた。彼らは、右側の敵たる君主制や貴族支配と闘うよりも、左側の同盟者たるプロレタリアートに対する警戒心を強めた。徹底した民主主義革命の遂行が、まさに『共産党宣言』で展望されたような「プロレタリア革命の序曲」になることを無意識のうちに恐れたブルジョアジーは、どこでも旧勢力との妥協を追求するようになった。マルクスとエンゲルスはこの経験から、『共産党宣言』の時点ではなおかろうじて残っていたブルジョアジーの「革命性」（少なくとも君主制に対するそれ）という前提を否定するようになり、永続革命という戦略的展望へと急速に接近するに至る。

フランスにおいては、古い君主制こそ復活しなかったが、一八五一年一二月にルイ・ボナパルトがクーデターを起こして、第二帝政へと移行した。マルクスは、あの偉大な二月革命と六月蜂起を実行したフランス・プロレタリアートがこのクーデターに対してまったく受動的であったことに驚き、革命の過程がけっして直線的でも単純な上昇線を描くものでもなく、前進と後退の深いジグザグを伴う息の長い過程であることを実感するようになった。これは、戦術的な意味での「永続革命」（グラムシが後に「獄中ノート」で論じた運動戦、機動戦としてそれ）からの離脱を促した。つまり、一八四八年から一八五一年末のクーデターに至る激動の数年間は、マルクスとエンゲルスを戦略的ないし歴史的な意味での永続革命に接近させるとともに、戦術的な意味での「永続革命」から遠ざけたのである。このまったく異なった位相にある二つの「永続革命」をいっしょくたにすることから、あらゆる理論的・政治的混乱が生まれうるし、実際に生まれている。[*12]

さて、一八四八〜四九年革命の敗北後、多くの革命家たちは反動の嵐が吹きすさぶ大陸ヨーロッパからイギリスやアメリカに亡命することになった。マルクスとエンゲルスもさまざまな紆余曲折を経て最終的にイギリスに落ち着いた。エンゲルスはマンチェスターに移って父親のビジネスに参加し、マルクスはロンドンに定住して本格的な経済学研究に着手することになる。そうした中で、『共産党宣言』の存在は、完全に忘れられたわけではないが、かなり後景に退くものとなった。革命情勢の存在を前提とした情熱的な革命的訴えの文書であった『共産党宣言』は、すでに反動期にあったヨーロッパの政治的雰囲気にそぐわないものになっていたからである。それでも、時おり両名の手紙で『共産党宣言』に触れられているし、またさまざまな論文の中でも言及されているが、その頻度は少なく、いつのまにかほとんど話題にされなくなってしまっている（一八五二年から六二年まで両名の手紙には登場しない。ただし一八六〇年のマルクス『フォークト君』ではかなり長く言及されている）[*13]。マルクスは、経済学の研究と、生活の糧を稼ぐための時事論文（『ニューヨーク・トリビューン』向けに書かれたもの）の執筆に忙しく、『共産党宣言』の再刊に関わっている暇がなかったからであり、また両名とも、『共産党宣言』が後に獲得するような、マルクス主義の決定的な基本文献としての位置を占めるようになるとは考えていなかったからでもあろう。とくに、マルクスのように理論的な厳格さを重んじるタイプの人間から見れば、『共産党宣言』は当時における理論的水準の不十分さや、その時点での特殊な歴史的事情に制約された側面（たとえば、「真正社会主義」の批判にかなりの紙幅を割いていること）があったせいで、再刊する気にはあまりならなかったのかもしれない。

こうして『共産党宣言』は半ば忘れられた文書となった。しかしながら、マルクス・エンゲルス自身があまり気乗りしなくても、共産主義思想ないしマルクスの思想を何とか広げたいと思っていた周囲の支持者や同志たちにとっては、『共産党宣言』は他に代えがたい魅力を持った文献だった。なぜならそれは、マルクスとエンゲルスが、資本主義の発展過程から、共産主義思想の内容、他の社会主義者との関係、そして当面する革命の展望に至るまで、基本的なポイントを網羅していて、しかもきわめて簡潔でわかりやすく書かれた文書としては唯一のものだったからである。マルクスのその他の文献は、たとえば『聖家族』や『哲学の貧困』や『フォークト君』などが典型的なのだが、難解で、文体も過度に凝っていて、やたら冗長で、また政敵への皮肉や嫌味が過剰に盛り込まれており、とうてい普及用にはならなかった。それらの文献と比べて、『共産党宣言』は、共産主義者同盟の綱領として書かれたおかげで、短くリズミカルな文章、わかりやすい言い回し、簡潔で力強い文体、そして過度な嫌みや皮肉がほとんど含まれていない、稀有のものであった。

こうして、マルクス・エンゲルス自身のあまり気乗りしない姿勢と、周囲の友人・支持者たちの熱意や客観的情勢との複雑な相互作用の結果として、両名によって（マルクスの死後はエンゲルスによって）公認された『共産党宣言』の新版および各国語版の出版に至る過程は、さまざまな紆余曲折を伴う実に長い物語となった。両名公認による最初のドイツ語新版が出されたのは、ようやく一八七二年になってからのことである（ただし一八六六年に未公認の復刻版がジークフリート・マイアーによって出されている。Ⅲ-19）。というのも、ドイツの専制的状況からして、このような危険な書物の大規模な再刊と普及はドイツ国内ではきわめて困難だったからだ。ところが、ある事件をきっかけに、同書を合法的に普及する絶好の機会が訪れた。

一八七二年に、新生ドイツ帝国は、普仏戦争に反対したドイツ社会民主労働党の指導者ベーベル、リープクネヒト、ヘプナーを反逆罪で裁判にかけた。その際、検察側は『宣言』を有罪の証拠にしようとして、裁判の審理において全文を読み上げた。それゆえそれは裁判記録の中に全文収録されることになった。この裁判記録は合法的に出版することができたので、リープクネヒトは裁判記録を分冊にして出版し、その第三分冊に『共産党宣言』を収録した。こうして本来は発禁本であった『共産党宣言』を合法的に普及する機会が訪れたのである。さらにリープクネヒトはこれを別刷りにして出すことにし、マルクスとエンゲルスにこの版のための序文の執筆を依頼した。だがこの依頼は両名の忙しさ（国際労働者協会での仕事やフランス語版『資本論』の準備）のためになかなか実現されず、一八七二年六月になってようやく果たされた。

この新版序文の執筆に至るまでの種々の手紙を見ればわかるように、マルクスもエンゲルスも新版序文の執筆にそれほど熱心ではなかったように見える。リープクネヒトが『共産党宣言』の新版の話を最初にしたのはすでに一八六九年六月のことである（Ⅲ-22）。その時は『共産党宣言』の内容を改訂する要請だったがゆえに、マルクスとエンゲルスがすぐに応えることができなかったのも無理はない。しかし、その後リープクネヒトは改訂なしに裁判記録の一部として『共産党宣言』の新版を出す計画に切り替えた。リープクネヒトは一八七一年四月上旬に『共産党宣言』の新版への序文を書いてくれるようマルクスに要請している。マルクスはそれに対して四月一三日付の手紙で「考えておこう」という前向きな返事を出しているが（Ⅲ-26）、その後、リープクネヒトからの催促に対してマルクスもエンゲルスも当面の仕事で手いっぱいであるという理由で、新版序文の執筆を先送りしている（Ⅲ－27、Ⅲ－28）。翌年の二月になって、エンゲルスはリープクネヒトにようやく「次は『宣言』だ」と約束しているが（Ⅲ－29）、その一ヵ月後のゾルゲへの手紙では再び仕事で忙しいことを理由に新版序文に取りかかれないと言い訳している（Ⅲ－30）。一八七二年四月にリープクネヒトから何度目かの催促を受けてようやくエンゲルスは、四月二三日付けの手紙で、短い序文を送ることを約束する（Ⅲ－31）。しかし、それから三週間後の手紙でもまだ「できるだけ早く取り組みたい」と言うだけで、この間、序文の執筆がいっこうに進んでいないことを告白している（Ⅲ－32）。結局、マルクスとエンゲルスが新版序文を書いたのはその年の六月になってからのことであった（執筆はエンゲルス）。最初に新版序文の執筆を要請されてから一年二ヵ月も経っていた。そしてこの新版の出版そのものも、一八四八年の初版の出版から四半世紀近くも経っていた。実際に書かれた序文を見ると、それは本当に短いもので、この程度のものを書くのに、たとえ本当に忙しかったにせよ、それだけの月日をかける必要性があったのか疑問である。

この経過からわかるのは、両名とも、『共産党宣言』の新版を出すことにあまり実践的・理論的意義を見出しておらず、明らかにその優先順位が低かったことである。しかし、歴史とは奇妙なもので、両名がさして再版に熱心でなかった『共産党宣言』は、その後急速にマルクスとエンゲルスの代表的な著作とみなされるようになり、とりわけ社会主義者取締法がドイツで廃止されて以降は、ドイツ国内で大規模に普及し、さらに各国語に次々と翻訳されて世界中に普及し、あらゆるところでマルクスの思想を信奉する人々や政治組織を生み出し、こうして文字通り世界の歴史を変える書物になるのである。

5、「最も翻訳しにくい文書」──『共産党宣言』各国語版に向けた紆余曲折

各国語版の道のりも新版と同じく厳しく、紆余曲折に満ちたものであった。かなり早い時期から、英語訳（エンゲルス自身によるもの）、スペイン語訳、イタリア語訳、フランス語訳の話が出ては立ち消えになっている（Ⅲ-3、Ⅲ-8、Ⅲ-9、Ⅲ-20）。ようやく、一八五〇年にヘレン・マクファーレンの訳によってイギリスの『レッド・リパブリカン』という雑誌に英訳が掲載されることになり（全訳ではない）、この英訳については、マルクスとエンゲルスは何度か話題にしている（Ⅲ-10、Ⅲ-12、Ⅲ-13）。さらにそれから二〇年以上経った一八七一年末にアメリカの『ウッドハル&クラフリンズ・ウィークリー』にも英訳が掲載され（Ⅲ-30）、それにもとづいたフランス語訳が一八七二年に雑誌に掲載され、さらにそれにもとづいたスペイン語訳が同じ年に出ている（Ⅲ-34、Ⅲ-35）。また、それらとはまったく別にロシア語訳（バクーニンによるとされている）が一八六九年に出版されており、翌年にマルクスとエンゲルスはそれを入手している（Ⅲ-25）。

しかし、これらはいずれもマルクスとエンゲルスの序文のない非公認のものであった。マルクスとエンゲルスの序文が付された最初の外国語訳は、一八八二年のロシア語版である。それは、マルクス主義者になる直前のゲオルグ・プレハーノフによるもので、「ロシア社会革命叢書」の一環として出版された。エンゲルスは、『共産党宣言』の翻訳に関して、自分が協力したものではないものに満足を表明することはなかったが、この翻訳だけは例外であった（Ⅲ-59）。

一八八二年ロシア語版への序文執筆の依頼は、マルクスとエンゲルスの親しい友人であったナロードニキのラヴロフを通じてなされた。この時点で訳者のプレハーノフはまだかろうじてナロードニキだったの

で、ラヴロフを通じて序文執筆の依頼がなされたのだろう。マルクスとエンゲルスはナロードニキのラヴロフから依頼されたとあって、その序文の中で、ロシアの革命がヨーロッパ革命によって補完されるならば、ロシアの農村共同体は共産主義の出発点になりうるという親ナロードニキ的命題を擁護している。この序文はただちに革命的ナロードニキの機関誌『ナロードナヤ・ヴォーリャ』に転載され（Ⅲ-47）、ナロードニキたちを大いに喜ばせた。最初の草稿はエンゲルスによって書かれ、最晩年のマルクスは、その草稿にわずかな修正を施したうえで、自分の署名を書き加えた。こうして、マルクス・エンゲルス公認の最初の外国語版『共産党宣言』が出版されたのである。

しかし皮肉なことに、プレハーノフはすでにこの時点でナロードニキの立場からマルクス主義の立場に移りつつあり、自ら訳したこの『共産党宣言』を通じて完全にマルクス主義者となり、ナロードニキに対する最も激烈な批判者となるのである。すでにこのロシア語版『共産党宣言』に付した「まえがき」の中で、プレハーノフは次のように述べている。

わが国には、ロシアの社会主義者の任務は西ヨーロッパの同志たちの課題とは本質的に異なっているという確信がいまだかなり強固に流布している。しかしながら、最終目標が万国の社会主義者にとって同一であるということは、もはや言うまでもない。ロシアの経済体制の特殊性に対してわが国の社会主義者たちが合理的な態度を取りうるのは、西ヨーロッパの社会発展を正しく理解する場合のみである。マルクスとエンゲルスのこの著作は、西欧の社会関係を研究するうえで、何ものにも代えがたい源泉である。（一三二～一三三頁）

このようにプレハーノフはすでにこの「まえがき」の中で、「ロシアの社会主義者の任務は西ヨーロッパの同志たちの課題とは本質的に異なっている」という立場、つまり資本主義を経ることなく共産主義に到達することができるという極端な立場（ナロードニキ）を否定して、ロシアの特殊性に対するより「合理的な態度」を確立する必要性があり、この『共産党宣言』がそのための「何ものにも代えがたい源泉」であるとみなしている。プレハーノフはロシアの特殊性を絶対視する立場から距離を置き、ロシアの特殊性と西ヨーロッパとの共通性との弁証法的な総合へと移行しつつあったのである。そして、この「総合」の基軸となったのは、指導的な変革主体を、マルクスが期待した革命的インテリゲンツィアや共同体農民ではなく、ロシアの産業労働者階級に明確に設定したことであった。

プレハーノフはその後、一八八二年ロシア語版序文の親ナロードニキ的命題ではなく、『共産党宣言』の本文の中にある、後発国ドイツにおけるブルジョア革命が「プロレタリア革命の直接の序曲となる」（一一二頁）という命題に重大なヒントを見出し、マルクス主義者として書いた最初の著作『社会主義と政治闘争』（一八八三年）において、その命題のロシア・バージョンを展開した。ただし、それは『共産党宣言』の命題の単なる当てはめではなく、ロシア社会の現実の具体的分析に基づく新しい展望だった。ツァーリ専制政府の転覆からただちに社会主義革命が起こるという展望を非現実的として退けつつ、ロシア専制政府の崩壊後に訪れるブルジョア社会は西欧社会のように長期化するのではなく、西欧社会がすでに社会主義革命に向けて成熟しつつあることから、ブルジョア革命の実現とプロレタリア革命の到来とは歴史的にきわめて近接したものになるだろうとみなした。

このプレハーノフの初期理論から、ロシア・マルクス主義の全体が、したがってまたレーニンとトロツキーの理論が生まれ、この両名の指導のもとでロシア革命が起こるのである。一八八二年ロシア語版序文ではマルクスとともにナロードニキを支持していたエンゲルスも、その後しだいにナロードニキの議論の非現実性を理解するようになり（より正確に言えば再認識するようになり）、プレハーノフの見解へとますます接近するようになった。それは、本書の第Ⅲ部に収録した一八九三年二月のダニエリソン宛ての手紙にも示されている（Ⅲ-95）。マルクスがもう少し長生きしていたら、やはり晩年のエンゲルスと同じ軌跡をたどっていただろう。

残念ながらマルクスは、ロシア語版が出版された翌年の一八八三年三月に亡くなっており、以後、エンゲルス一人に『共産党宣言』のその後のドイツ語再版と各国語版の責任がかかることになった。とくに難航したのは英語版である。すでに述べたように、エンゲルスは、共産主義者同盟の決定にもとづいて、一八四八年の早い時期に自ら英訳を開始したが（Ⅲ-3）、それは結局完成されなかったようで、その後一度もこの英訳については両名の話題に上っていない。またその後、『レッド・リパブリカン』などいくつかの雑誌に分割掲載されたりしたが、独立した冊子としての英語版はなかなか出なかった（Ⅲ-10、Ⅲ-38）。エンゲルス自身、一八四八年の手紙で、英語に翻訳するのは「思っていたよりも難しい」と吐露していたのだが（Ⅲ-3）、その難しさは格別だったようで、実際にエンゲルス公認の英語版が出版されるまで結局、まる四〇年もかかることになる。

著者公認の英語版の出版が本格的に取り沙汰されるようになるのは、ようやく一八七六年のことである。アメリカにいた盟友のゾルゲが、一八七六年三月一七日の手紙の中で、こっちでは運動が盛り上がりつつあるので、普及用の英語版『共産党宣言』が必要であり、以前に手渡したヘルマン・マイアーの英訳を改訂して早急に英語版を完成させてほしいと訴えている（Ⅲ－38）。「できることでいいからしてくれたまえ、ただし急いで！」――このような熱烈な訴えにもかかわらず、英訳の準備は遅々として進まなかった。翌四月にはマルクスは英訳のチェックに取りかかるとゾルゲに約束しているが（Ⅲ－39）、それは一年以上も放置され、翌年の九月の手紙でマルクスは再びゾルゲに対して、エンゲルスといっしょに英訳の校訂をするとの約束を行なっている（Ⅲ－40）。しかし、これまたマルクスのいつものパターンで、一〇月の手紙ではすでに多くの仕事で時間がとられているとの言い訳が書かれ（Ⅲ－41）、そのまま再び二年間も放置した挙句、一八七九年九月の手紙ではまたしても、自分やエンゲルスに「時間がなかった」という言い訳をゾルゲに宛てて書いている（Ⅲ－42）。それでも「いずれ急いでやらなければならない」とアリバイ気味に書いているのだが、その「いずれ」はいっこうに到来しなかった。それから、何年も英語版『共産党宣言』の話は手紙にさえ登場しなくなる。

次にようやく英語版の話が手紙に登場するのは、一八八二年六月二〇日付けのエンゲルスのゾルゲ宛ての手紙である（Ⅲ－50）。しかもそれは、一八七六年にとっくにマルクス、エンゲルスの手に渡っていたマイアーの英訳がまったく役立たない代物だという悲しい事実を伝えるものだった。六年もの歳月をかけた挙句の結論がこれでは、ゾルゲもさぞがっかりしたことだろう。だが、ゾルゲはマイアーの英訳を完全にはあきらめていなかったようで、数年後にもう一度その話を蒸し返している（Ⅲ－72）。しかし結局、マルクス存命中は、この新しい英語版の準備作業はまったく進捗しなかった。

マルクスが亡くなった後になっても、著者公認の英語版の準備はなかなか進まなかった。その一因は、英訳そのものの難しさと、それをなしうる人材の不足にあった。エンゲルスは一八八三年六月の手紙の中で、『共産党宣言』を適切な英語に翻訳しうる人材の不在を嘆いている（Ⅲ-59）。

『宣言』の〔英語への〕翻訳が改めて示したように、われわれのドイツ語を少なくとも文章的に読みやすく、文法的に正しい英語に訳せる人物がそちらにはいないようだからだ。そのためには両方の言葉に文筆家として熟達している必要があるが、それだけでなく、〔無味乾燥な〕新聞口調に熟達しているだけではだめなのだ。『宣言』を翻訳することはおそろしく難しい。（二一六頁）

この一文に続けて、ロシア語訳への絶賛が書かれているのだが、いずれにせよ、エンゲルスは『共産党宣言』を英語に訳すことの特別の難しさを認識していたようである。それが単なる言い訳だと言うことはできないだろう。ドイツ語が持つ独特の重厚さと哲学的概念性がそのような伝統のない英語やフランス語には移しかえづらいというのは、その通りなのだろう（マルクスも『資本論』をフランス語に置き換えるときに同じような困難に直面し、ドイツ語原著にあった哲学的ないしターム的な言い回しのほとんどを結局、別のより平板な言葉に置き換えるか、削除している）。

このような不満は他の手紙にも見出される。エンゲルスは『共産党宣言』のフランス語訳をめぐってマルクスの娘のラウラ・ラファルグと何度も手紙を交わしているが、その中の一つで「本当のところを言うと、『宣言』の翻訳を見ると僕はいつも少しぞっとする。この最も翻訳しにくい文書をめぐって、さんざん苦労した挙句、結局無駄に終わったことが思い起こされるからだ」と述べている（Ⅲ-68）。「さんざん苦労した挙句、結局無駄に終わった」ものとして彼が念頭に置いていたのは、マイアーの英訳（Ⅲ‐50）やポール・ラファルグのフランス語訳であっただろう（Ⅲ‐20、Ⅲ‐21）。

何よりも、マルクスのドイツ語をちゃんとした英語に訳せる人物を探すことが肝要だった。『資本論』の英訳も担当したサミュエル・ムーアこそが、ついにその発見された適任者であった。『共産党宣言』の英語版の準備作業が軌道に乗るのは、ムーアが英訳を引き受けて以降のことである。一八八七年三月の手紙の中で、エンゲルスはゾルゲに答えて次のように書いている（Ⅲ‐73）。

W〔ウィシュネウェツキ〕夫人には『宣言』を〔英語に〕訳すのは無理だ。それができるのはただ一人、すなわちサム・ムーアだけで、ちょうど今それをやっているところだ。第Ⅰ章の原稿はすでに僕の手元にある。（二二七頁）

それ以降、とんとん拍子とまではいかないが、明らかにそれまでの数十年間にほとんど進まなかった『共産党宣言』の英訳作業は着実に進むことになる。同年五月にはゾルゲに宛てて、ムーアによる英訳が「すでにすんでいる」との知らせを送り、後は自分（エンゲルス）が目を通すだけだと述べている（Ⅲ‐74）。一八八八年一月にはムーアがエンゲルスのもとにやって来て、いっしょに最終的な校訂作業を行ない（Ⅲ‐75）、二月には英訳作業が終わったと友人に伝えることができるようになった（Ⅲ‐76）。そして校正刷りのチェックを経て、ついにエンゲルスは、一八七六年以来、著者公認の英語版の出版を待ち望み続けたゾルゲに宛てて次のような手紙を送ることができたのである（Ⅲ‐79）。

君の長年来の望みは少なくともこの数日中に満たされる。『宣言』がこちら〔ロンドン〕のリーヴス書店から英語で出版される。翻訳はS・ムーア、校訂は彼と僕の二人、序文は僕だ。初校はもう読んだ。僕が何部か受け取ったらすぐに、君に二部送る。(二三一頁)

この英語版の完成はエンゲルスにとって非常に喜ばしいことだったようで、同時期にあちこちに英語版の完成を伝える手紙を書き送っている(Ⅲ-80〜83)。この著者認定の英語版は単なる英訳ではなかった。エンゲルスはそこに、英語圏における初心者の読者のために多くの解説的な追加注を入れるとともに、表現にも多くの修正をほどこした。明らかにそれは単なる翻訳の域を出るものであって、英語による「再現」と言うべきものであった。これは、マルクスとエンゲルスによる歴史的文書にエンゲルスが勝手に手を加えたと見るべきではないだろう。エンゲルスはラウラ・ラファルグに宛てた手紙の中で、自分の翻訳観について興味深いことを語っている(Ⅲ-68)。

終わりに近づくにつれて、あなたの翻訳の腕前はなおいっそう完全なものになっていくだろう。そしてますます、単に翻訳するのではなくて、別の言語で内容を再現するものになっていくだろう。(二二四頁)

原文を忠実に日本語に移しかえることが正しい翻訳だと信じ込んでいる大多数の日本の知識人にはたぶ

んこのような翻訳観は受け入れられないだろう。どちらが正しくてどちらが間違いというわけではない。エンゲルス校訂の英語版がこうした翻訳観にもとづく「翻訳」（別の言語での内容の再現）であるということである。とくにエンゲルスは著者の一人なのだから、単なる翻訳者よりも自由度はいっそう大きいだろうし、そうする権利もあった。マルクス自身も、『資本論』のフランス語版をほとんど別の作品に仕立て上げたのだから。

英語圏では、この最も権威あるエンゲルス校訂訳が存在するため、ほとんどの出版社はこの英語版だけを再版しつづけている。そのため、英語圏の読者は、ドイツ語原著とかなり表現の異なるこの英語版だけを読んで、これが『共産党宣言』そのものだとみなしている。最近では英語圏でもドイツ語版により忠実な新訳がいくつか出されるようになっているが[*14]、依然としてエンゲルス校訂版が圧倒的シェアを誇っている。

著者認定の英語版の作成に相当の努力を傾注したエンゲルスだったが、その後、この英語版の出版のおかげもあって、『共産党宣言』はみるみるうちに世界中に普及するようになった。一八四八年に出版されて以来、一八八〇年代になるまでほとんど普及することのなかった『共産党宣言』は、一八八〇年代後半以降、猛烈な勢いで普及しはじめ、ヨーロッパの（やがては世界中の）無数の言語に翻訳されるようになり、それとともに世界各地から各国訳の校訂やそれへの序文の依頼がエンゲルスのもとに舞い込むようになった。晩年のエンゲルスは、『資本論』第三巻の編集という大事業に従事するかたわら、自分やマルクスのさまざまな著作の訳の校訂や序文の執筆を引き受けており、それらをこなすだけでほとんど読書さえできないというありさまになった。

最初のうちエンゲルスはそうした要請に何とか応えようと努力し、ポーランド語版の序文（Ⅲ-91）とイタリア語版の序文（Ⅲ-93、94）とを（文句を言いながらも）かろうじて執筆したのだが、それ以降、翻訳の出版を歓迎しつつも、そうした依頼に断りを入れるパターンも目立つようになる（Ⅲ-101、104）。ところで、ポーランド語版の序文において、ポーランドの民族独立が、ポーランドの貴族やブルジョアジーによってではなく、何よりポーランド・プロレタリアートによって獲得されるだろうとの展望が示されているのは興味深い（一五九頁）。これは明らかに、ポーランドにおける永続革命（戦略的意味でのそれ）の展望を示唆するものである。

エンゲルスによって校訂された外国語訳は、ラウラ・ラファルグが翻訳したフランス語版が結局最後となる。このフランス語版の翻訳についても、英語版に優るとも劣らない長い紆余曲折があったのだが、ここではもう取り上げないでおこう。それをめぐる一連の手紙では、フランス人の理論的能力やドイツ語読解力に対するエンゲルスの根深い不信が示されており、このことも英語版以上に著者認定のフランス語版の出版が遅れた理由である。また、エンゲルスはラウラ・ラファルグに宛てて、どのドイツ語をどのようなフランス語に置き換えるのがいいかの具体的指示を与えており（Ⅲ-103）、これもなかなか興味深いものである。エンゲルスはこの著者認定フランス語版に自ら序文を書くつもりだったが（Ⅲ-70、Ⅲ-105）、結局それは書かれることなく、エンゲルスは一八九五年八月にその偉大な生涯を終える。フランス語版は結局、エンゲルスによる独自の序文なしで出版された。もしエンゲルスがフランス語版序文を書いていたら、それは大変興味深いものになっただろう。

6、『共産党宣言』と日本

エンゲルス死後も、『共産党宣言』の各国語への翻訳と普及はとどまるところを知らず増大しつづけたのはよく知られている事実である。エンゲルスがポーランド語版序文で述べたように、ある国での『共産党宣言』の普及度は、その国の大工業の発展度と労働運動の発展度を測る指標でもあった。そしてこの翻訳と普及の波は二〇世紀になると、日本という東端の小さな島国にまで達するのである。

日本における『共産党宣言』の翻訳は、よく知られているように、一九〇四年に堺利彦と幸徳秋水によって英語版にもとづいてなされたのが最初である。格調高い文語調で翻訳されたこの最初の日本語訳は、北東アジアでの最初の『宣言』訳でもあったので、その後、そこでの訳語が初期の中国語訳でも参考にされた。最後の有名な一句、「万国の労働者団結せよ！」ないし「万国のプロレタリア団結せよ！」は基本的に戦後日本における各種翻訳にもそのまま踏襲されている。この最初の翻訳は、第Ⅲ章を割愛したうえで『平民新聞』に掲載されたのだが、その号はただちに発禁となり、翻訳者も逮捕・起訴され、罰金刑が科された。しかし、その裁判での判決文に、「古の文書はいかにその記載事項が不穏の文字なりとするも、……単に歴史上の事実とし、または学術研究の資料として新聞雑誌に掲載するは、……社会の秩序を壊乱するといふ能はざるのみならず、むしろ正当なる行為といふべし」という一文があったことを逆手にとって、堺利彦は一九〇六年に、第Ⅲ章の訳を追加したうえで「学術研究の資料」として『社会主義研究』第一号に全訳を掲載した。しかしこの号もその後、大逆事件後の反動化の中で発禁となった。

その後、河上肇や櫛田民蔵による部分訳が研究の一環として出されたり、またこの堺・幸徳訳の『共産

党宣言』も一九二一年に改めてドイツ語から口語訳にされて秘密出版されたりしたが、日本国内における全訳の合法的な出版は戦前には結局不可能だった。たとえば、ロシアの優れたマルクス研究者リャザノフの詳細な解説が掲載された特別版の『共産党宣言』が翻訳されたこともあったが、それもただちに発禁となり、すぐに出版社を変えて再刊されたが、それもすぐに発禁処分となった。一九三〇年には櫛田民蔵が「長谷川早太」という偽名でドイツ語からの全訳を大阪の出版社から出したり、一九三一年には堺利彦が『共産主義とは何ぞや』（白揚社）という別の表題で出版したりしたが、いずれもただちに発禁処分となっている。

あるいは、『共産党宣言』そのものではなく、その一部が、テーマ別の論文集に収録されたこともあったが（たとえば、浅野研真が編集した『マルクス主義の宗教批判』[*15]には、『共産党宣言』における宗教批判の箇所が収録されている）、そうした抜粋を掲載しただけの著作もただちに発禁処分となった。

戦前に世界初となる『マルクス・エンゲルス全集』が日本独自に編集されたときも、『共産党宣言』は収録されなかった。全集全体が発禁になる可能性があったからである。その他のマルクス、エンゲルスの諸論文・諸著作、レーニンやスターリンやブハーリンやトロツキーの諸著作などは、伏字付きとはいえ、一九二〇年代から一九三〇年代半ばにかけて大量に翻訳出版されたにもかかわらず、『共産党宣言』はタブーであり続けた。あまたのマルクス主義文献の中で日本の官憲当局が最も危険視したのが、この『共産党宣言』であった。

一九四五年八月一五日、ついにアジア・太平洋戦争が終結し、治安維持法が廃止されると、戦前の訳にもとづいた『共産党宣言』の全訳が次々と出版された。同年一二月にはすでに堺・幸徳訳の『共産党宣言』が彰考書院から出され、翌年にはさらに数種類の『共産党宣言』が、東京の出版社だけでなく、各地方組織からも出されている。私の手元には、日本共産党北海道地方委員会刊行と書かれた『共産党宣言』がある（幸徳・堺訳で、一九四六年四月二五日発行）。『共産党宣言』のこの一斉発行こそまさに戦前の体制が崩壊したこと、新しい日本が始まったことを象徴的かつ最も雄弁に物語るものだった。

粗末な紙で戦後次々と出版された『共産党宣言』はその後何十万部も発行され、労働者階級と知識人のあいだに急速に普及していき、戦後における日本労働運動とマルクス主義の興隆の礎となった。さらに戦前の訳や文体では物足りないと感じた多くの知識人が新訳を次々と出していった。近年になっても、『共産党宣言』の新訳は出されつづけており、日本は世界で最も多くの種類の『共産党宣言』の翻訳が存在する国となった。その一覧として、橋本直樹氏の『「共産党宣言」普及史序説』の巻末表を参照してほしい。[*16] 同じ訳者でも版が異なればこの一覧に加えられているが、異なった訳者によるものだけに限定しても、三〇種類以上の翻訳が出ていることが、この表からわかる。

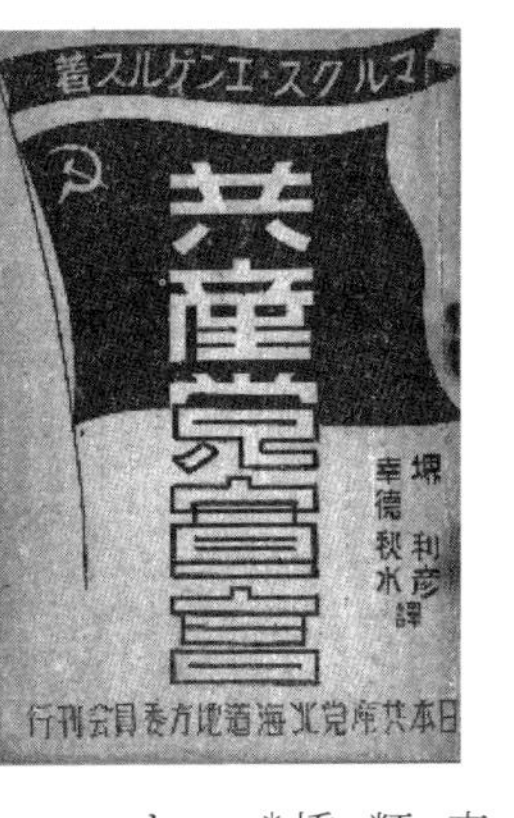

ホブズボームはその最後の著作である『いかに世界を変革するか』

の中で、各国における『共産党宣言』の普及度について書いているが、日本に関しては一九一七年以前に三つの版の訳が出たことを伝えるのみである（これは翻訳の種類ではなく、あくまでも版の種類。この三つの版はすべて幸徳・堺訳であると思われる）[*17]。二〇〇二年に『共産党宣言』の英語版に長大な序文を書いたステッドマン・ジョーンズは、その中で、『共産党宣言』が日本語やイディッシュ語やエスペラント語やタタール語にまで翻訳されたと（いささか驚きを込めて）書いているが[*18]、彼にとっては日本語への翻訳はタタール語への翻訳と同じぐらい特異なことだったのである。実は日本には『共産党宣言』だけで三〇種類の翻訳と九〇以上の版があることを知ったら、彼はいったいどんな反応をするだろうか？

日本ではこのように今日でも多くの種類の『共産党宣言』が出され続けているが、それに応じて労働運動が盛り上がっているわけではない。エンゲルスが言うように『共産党宣言』の普及はたしかに労働運動の発展の一指標ではあるが、それはある限界内においてである。日本では、マルクス主義文献学の発展と労働運動の発展とが乖離する傾向が戦前から一定見られたが、今日ではその乖離はいっそう深刻で危機的なものになっている。しかし、このような乖離がいつまでも続くわけではない。労働運動がやがて日本でも盛り上がるか、さもなくばマルクス主義文献学も衰退するかである。前者の兆候はほとんど見当たらないが、すでに後者の過程は急速に進行しつつある。中期的には後者の形で乖離が収束する可能性は大である。

しかし、日本資本主義の混迷はその深刻さの度合いをますます強めつつある。賃金はこの二〇年間、ほとんど上がらないかむしろ下がっている。周知のように、非正規労働者の割合はますます増大し、今や全労働者の四割近くを占めるに至っている。深刻な人手不足にもかかわらず、これらの非正規労働者の賃上げも地位向上もほとんどなされず、代わりに最低賃金レベルの（しばしばそれさえ下回る）外国人労働者と高齢労働者が穴埋めに動員されている。日本の労働時間は依然として欧米先進国に比べて圧倒的に長く、深刻な過労死や過労自殺がいまだ後を絶たない。福祉と教育に関わる予算はますます削減ないし過度に抑制され、一握りの金持ち以外の税・保険料負担はますます上がっている。毎年深刻な災害が日本を襲い、人々の生活を根こそぎにしているのに、政府は災害対策よりも無駄な軍事費に巨額の予算を使うのに熱心である。それにもかかわらず、与党は野党と比べて圧倒的に高い支持率をずっと保持している。世界的に見て日本の異常さは際立っている。日本はまるで、労働者の大規模な反抗を作り出すことなく労働者に対する搾取といじめがどこまで遂行可能であるかの壮大な社会的実験を行なっているようなものだ。

だがこのような社会的実験はいずれ破綻する運命にある。世界で最も従順な日本の労働者階級といえども、必ずや立ち上がる時が来るだろう。その時には、『共産党宣言』をはじめ、マルクス、エンゲルス、ローザ・ルクセンブルク、トロツキー、グラムシらの革命的遺産も新たに、そして何よりも若い人々によって(もちろん批判的かつ発展的に)読まれ、学ばれ、実践に生かされることだろう。

『共産党宣言』の最後の一句は今日においても、いや今日においてこそ決定的な意義を持つ。なぜなら、冒頭で述べたように、一八四八年当時の「万国」はヨーロッパの一部と北アメリカを意味するにすぎなかったが、今では本当の意味で「万国」が対象となっているからである――「万国のプロレタリア、団結せよ!」。彼らが獲得するものは文字通り全世界である。

注

＊1　Slavoj Žižek, *The Relevence of the Communist Manifesto*, Polity Press, 2019.

＊2　Karl Marx & Friedrich Engels, *The Communist Manifesto*, With an introduction by Yanis Varoufakis, Vintage, 2018.

＊3　サン・シモンの『産業者の教理問答』岩波文庫、二〇〇一年。

＊4　ジョナサン・スパーバー『マルクス——ある十九世紀人の生涯』上、白水社、二〇一五年、二六四頁。

＊5　マルクス「フォークト君」、邦訳『マルクス・エンゲルス全集』第一四巻、大月書店、四二〇頁。

＊6　Karl Marx/Friedrich Engels, *Manifesto of the German Communist Party*, Übersetzung aus dem Deutschen von Helen Macfarlane mit Vorbemerkung von George Julian Harney, MEGA/I-10, S. 605

＊7　マルテイン・フント『「共産党宣言」はいかに成立したか』八朔社、二〇〇二年、一九三〜一九四頁。

＊8　以下の拙書を参照。森田成也『マルクス主義、フェミニズム、セックスワーク論』慶応大学出版会、二〇二一年。

＊9　トロツキー『裏切られた革命』岩波文庫、一九九二年、一九二頁。

＊10　エンゲルスは「共産主義の原理」で両者を基本的に同じ意味で使っている（三四頁）。

＊11　この問題については、本書の第4章でより詳細に論じた。

＊12　本書の第3章では、「三つの永続革命論」として分類し直して論じている。

＊13　前掲マルクス「フォークト君」、邦訳『マルクス・エンゲルス全集』第一四巻、四三〇〜四三七頁。

＊14　たとえばハル・ドレイパーやテレル・カーヴァーによるもの。Hal Draper, *The Adventures of the Communist Manifesto, Center for Socialist History*, 1994; Terrell Carver & James Far eds., *The Cambridge Companion to The Communist Manifesto*, Cambridge University Press, 2015. ただしこれらの訳がエンゲルス版より必ずしも優れているわけではない。

＊15　マルクス、エンゲルス、レーニン、プレハノフ、ブハリン（浅野研眞編訳）『マルクス主義の宗教批判』大東出版社、一九三一年。同じ浅野編で、『共産党宣言』の一部が収録された次の文献も同時期に出版されている。マルクス、エンゲルス、レーニン、ルナチャルスキー他（浅野研眞譯編）『マルクス主義と教育問題』自由社、一九三〇年。後者はすぐに発禁処分になり、翌年に改訂版が出されている。

＊16　橋本直樹『「共産党宣言」普及史序説』八朔社、二〇一六年、三九八頁以下。この一覧には、私が本文で紹介したも

のを含め、なおいくつかの文献が抜け落ちている。

＊17　エリック・ホブズボーム『いかに世界を変革するか』作品社、二〇一七年。

＊18　Karl Marx & Friedrich Engels, *The Communist Manifesto*, With an introduction by Gareth Stedman Jones, Penguin Books, 2002, p. 17.

第2章

「社会主義か野蛮か」の起源とその現代性

――『共産党宣言』からパンデミックへ

【解題】 以下の論稿は、もともと二〇二〇年六月一四日に、『共産党宣言』の新訳出版を記念して江東区で行なわれた学習講演会での原稿にもとづいており、それにかなりの加筆修正を施した上で、「『社会主義か野蛮か』の起源とその現代性――『共産党宣言』から現代まで」という表題で『季刊自治体労働運動研究』第七四号（二〇二〇年九月）に掲載された。この論文は、やや短縮し修正したうえで英語化して、オーストラリアの左翼オンライン雑誌 *Links International Journal of Socialist Renewal* に投稿し、同誌の二〇二〇年七月二一日号に掲載された（http://links.org.au/origins-socialism-or-barbarism-contemporary-significance-communist-manifesto-present-day）。本書に収録するにあたって、両バージョンを統合しつつ、さらに多少の加筆修正を施した。

はじめに

日本は『共産党宣言』が戦前から大量に翻訳されてきた国です。戦前はもちろん、出版されるたびに即日発禁処分になっていましたが、それでもその発禁をかいくぐって、それなりの部数が市中に出回りました。戦後になると、軍国主義体制の崩壊を象徴するかのように、いっせいに『共産党宣言』が日本各地で出版されるようになります。当時は東京や大阪が大空襲で焼け野原だったので、各地方から伏字なしの『共産党宣言』が出版されました。その後、『共産党宣言』はさまざまな訳本が出されつづけており、『共産党宣言』の専門的研究者によりますと、三〇種類以上の『共産党宣言』の翻訳が出版されているそうです。[*1]
そうした中で、さらにもう一冊の『共産党宣言』を出すことに意義があるのかと感じる方も当然いると思うのですが、今回は、読みやすさを追求しつつ、奇をてらった訳語はできるだけ避け、誰でも素直に読めるものにしたという点があります。たとえば、非共産党系の翻訳者に見られる、『共産主義者宣言』とか『コミュニスト宣言』のように「共産党」という言葉を異様に避けた訳語にすることもしませんでしたし、また逆に共産党系の翻訳者に見られる、「暴力」を意味のよく分からない「強力」と訳するようなこともしていません。そうした政治的に偏った党派的な訳語選定はできるだけせず、どの政治的立場の人でもそれなりに読めるものにしました。

それと同時に、『共産党宣言』に関わるマルクス、エンゲルスの手紙を付録としてまとめることで、一定の独自性を出しました。今回調べてみて、これらの手紙が一〇〇通以上もあることがわかりました。これらをできるだけ網羅的に収録することで、新訳としての新味を出しました。末尾の解説では、これらの手紙を用いて、一八四八年に出版された『共産党宣言』がその後たどった数奇な運命についてわかりやすく説明しています。

『共産党宣言』をはじめとする古典の魅力というのは、それを読むたびごとに新しい発見があることです。その新たな発見は、自分自身の知的関心の変化や政治的経験の積み重ねの結果である場合もあれば、その時の歴史的・時勢的状況による場合もあります。いずれにせよ、優れた古典ほど、われわれはそれを読むたびに新しいことを学び、新しいことを知り、新しい発想、インスピレーションを得ることができるのです。その中でも、『共産党宣言』はそうした知的刺激の源泉として最善のものの一つです。私は、『共産党宣言』を翻訳したにもかかわらず、今回、この学習会のために改めて読み直してみて、いろいろと新鮮な発見をしました。

前置きはこれぐらいにして、今日の本題に入りましょう。今日のお話は『共産党宣言』のアクチュアリティ、現代性、現実性をテーマにしています。このテーマについてはさまざまな観点から論じることができます。たとえば、『共産党宣言』は資本によってつくり出されたグローバリゼーションについて非常に生き生きと論じていますから、現代におけるグローバリゼーションの話を展開してもいいわけです。しかし、今日は、もっと深刻で、そしてある意味で最もアクチュアルな問題であり、そして『共産党宣言』のみならず、マルクスとエンゲルスの思想を貫いている根本思想の一つを基軸にして、『共産党宣言』の現代性についてお話ししようと思います。

その根本思想とは、「資本主義は社会主義へと前進するか、さもなくば野蛮へと（何度も）逆戻りする」という思想、すなわち「社会主義か野蛮か」というものです。この思想を最も先鋭な時期に、最も先鋭な形で提起したのが、ローザ・ルクセンブルクであったため、「社会主義か野蛮か」というスローガンは通常、彼女の名前と結びついています。しかし、これは実際には、マルクスとエンゲルスの『共産党宣言』や同時期の作品にまでさかのぼることのできる、マルクス主義の根本思想であり、その後も、多くの優れたマルクス主義者によって受け継がれ、繰り返されてきました。そして、この歴史的な二者択一こそ、現代という時代の根本特徴をも鮮やかに照らし出すものであり、『共産党宣言』の、あるいはマルクス主義のアクチュアリティをはっきりと示すものでもあります。

1、ローザ・ルクセンブルクにおける「社会主義か野蛮か」とその起源

私は「社会主義か野蛮か」というローザ・ルクセンブルクの定式化のもつアクチュアリティについて、これまで何度も語ってきました。私が去年出版した『「資本論」とロシア革命』に収録されている講演の中でも、この二者択一のことに触れられています。[*2] しかし、あることがきっかけとなって、私は去年末にこの問題に改めて関心を持つようになりました。それは、『思想』の二〇一九年一二月号のローザ・ルクセンブルク没後一〇〇年記念特集における酒井隆史氏の論稿「赤いローザと黒いローザ」を読んだことです。

その中で、イアン・アンガスというカナダのトロツキスト理論家でエコ社会主義者でもある人物のネット論文「ローザ・ルクセンブルクの『社会主義か野蛮か』の起源」のことが紹介されていました。[*3] アンガスのこの論文は、二〇一四年の論文ですから五年以上も前の論文なのですが、私は知りませんでした。アンガスのこの論文は、ローザ・ルクセンブルクのあの有名なスローガンの起源は本当は何なのかという問題を探求しています。まず、件（くだん）のスローガンが出てくる箇所を引用しておきましょう。一九一五年にローザ・ルクセンブルクが獄中で執筆した「ドイツ社会民主党の危機」という論文の一節です。

フリードリッヒ・エンゲルスはかつて言った。ブルジョア社会は、社会主義への移行か、野蛮への逆転か、というディレンマに立っている、と。今日の、この高度なヨーロッパ文明において、「野蛮への逆転」とは、何を意味するか？　われわれは、これまで、これらの言葉の恐るべき厳しさを

> 予測することもなく、それを慢然と繰り返してきた。しかし、現在の瞬間、われわれの周囲を一瞥すれば、ブルジョア社会の野蛮への逆転が何を意味するかは明らかである。この世界戦争――これこそが、野蛮への逆転である。帝国主義の勝利は文化の破壊をもたらす――それは、ただ一つの近代的戦争の中では散発的にしか起こらないにしても、現在開始された世界戦争が妨げられることなく最後まで徹底的にその歩みを進めるならば、決定的となる。それゆえ、今日、われわれは、一時代、四〇年前に、フリードリッヒ・エンゲルスが予言したように、帝国主義の勝利と、古代ローマにおけるがごとき、あらゆる文化の没落、人口絶滅、荒廃、退化、一大墳墓か、さもなければ、社会主義の勝利、すなわち、帝国主義とその手段である戦争に対する国際プロレタリアートの意識的な戦闘行為か、という選択の前に立たされているのである。これは、世界史のディレンマであり、岐路である。[*4]

このように、ローザははっきりと、一九一五年時点の四〇年ほど前にエンゲルスが、社会主義への移行か野蛮への逆転かという二者択一を予言したと書いています。一九一五年の四〇年前と言えば、一八七〇年代半ばです。もっとも「四〇年」といっても厳密な数字ではなく、だいたい三〇~四〇年の幅で考えても問題ないでしょう。そうすると、一八七〇年代後半から一八八〇年代後半までぐらいに、エンゲルスがこの趣旨のことをどこかで書いたことになります。しかし、多くの研究者がその時期のエンゲルスの論文や著作を探したのに、それにずばり該当するような文章を見つけ出すことができませんでした。

実は私も以前、それに類する文章をエンゲルスの文献の中に見つけ出そうと努力したことがあります。

数年前、今は亡き『トロツキー研究』でノーマン・ジラスの名著『ローザ・ルクセンブルクの遺産』[*5]を一部訳したのですが、その中で、ジラスは、この二者択一論がエンゲルスの『反デューリング論』（一八七六〜七八年に『フォアヴェルツ』に連載されたので、四〇年前というローザの年代設定にぴったり当てはまる）に由来すると書いていたので、[*6]『反デューリング論』を読み直して、それに最も近いと思われる部分を注の中で引用しておきました。それは次のような一文です。

> ブルジョアジー自身の生産力が成長して彼らに制御できないものとなり、それは、自然必然性であるかのように、ブルジョア社会全体を、**破滅かさもなければ変革という二者択一**へと駆り立てている。[*7]

ここでは、ブルジョア社会の発展に伴って、「破滅か変革か」という「二者択一」が必然的に提起されるとしており、ローザ・ルクセンブルクがこの部分を念頭に置いていた可能性は大いにあります。同じく、『反デューリング論』には次のような記述もあります。

> ……この同じ大工業は、他方にブルジョアジーという形で、いっさいの生産用具と生活手段を独占してはいるが、自分たちの手に負えないほど大きくなった生産力を引き続き制御してゆくだけの能力を失ってしまったことを……恐慌のたびに証明している一階級、その指導のもとにある社会が……破滅に向かって真っすぐ突き進んでいる一階級をつくり出した。言いかえれば、その原因は、

近代の資本主義的生産様式によって生み出された生産力と、この生産様式によってつくり出された財貨分配制度とが、この生産様式そのものとの激しい矛盾に陥ったことにある。しかも、その矛盾の激しさは、近代社会全体を滅亡させまいとすれば、いっさいの階級差別を廃止する変革が生産様式と分配様式とのうちに起こらなければならないほどのものである。[*8]

この二箇所は明らかに、ブルジョア社会は社会主義ないし革命に進むか、さもなくば破滅ないし滅亡に至ると書いているわけですから、ローザ・ルクセンブルクがこれらの箇所を念頭に置いて、獄中で四〇年前のエンゲルスを挙げた可能性は高いでしょう。とはいえ、獄中における「社会主義か野蛮か」という表現からはまだ少し距離がありますし、そこでローザがとくに重視していた世界戦争との関連は出てきません。

アンガスは論文の中で、このスローガンの起源をめぐるいくつかの説を紹介しています。その一つが、すでに述べたノーマン・ジラスに代表される『反デューリング論』起源説です。もう一つの有力な説は『共産党宣言』起源説です。他にも、ミシェル・レヴィによる、ローザ・ルクセンブルクによるオリジナル説というのもあるようです。『共産党宣言』に関しては後で詳しく触れることにしますが、いずれにせよアンガスはこれらの説がいずれも十分には成り立たないとして退けています。その証明の仕方は後でも触れるようにいささか乱暴なのですが、今は置いておきましょう。

さてアンガスは、これらの説がすべて成り立たないとしたうえで、真の起源として、カウツキーの一八九二年出版の有名な著作『エルフルト綱領解説』を取り上げ、その中にほぼ同じ文章があることを指摘しています。

「エルフルト綱領」とは、かつてマルクスから厳しく批判されたラサール主義的なゴータ綱領に代わって、一八九一年のエルフルト党大会で採択された新綱領のことです。多くの人は、エンゲルスの「エルフルト綱領批判」という文章を通じてその名を知っていると思います。起草者がカウツキーであったので、その内容について詳細な解説を書くよう党から要請され、カウツキーがエルフルト大会の翌年に出版したのが、この『エルフルト綱領解説』です。[*9] 資本主義経済の発展過程から、未来社会の展望、階級闘争の歩み、社会民主党の戦術と戦略などを網羅的に論じたかなり体系的な解説書であり、当時のドイツ社会民主党にとって『共産党宣言』のバージョンアップ版のような地位を持つに至りました。おかげで、カウツキーのこの著作は、第二インターナショナル時代には最も基本的なマルクス主義文献としてマルクス主義者の間で広く受容され、大いに版を重ねました。日本でも戦前にすでに数種類の版が出ており、戦後も一九五五年に翻訳が出されています。[*10] しかし、その後はほぼ無視されており、欧米でも日本でも現代のマルクス主義者にはほとんど読まれていないのが実情です。実を言うと、私も、このアンガス論文を読むまで読んだことがなく、読もうと思ったことさえありませんでした。しかし、実際に読んでみると、なかなか優れたマルクス主義の解説書であることがわかります。

さて、その『エルフルト綱領解説』ですが、その中に次のような一節があることをアンガスは「発見」しました。

本当に社会主義社会が不可能だとすれば、その時には人類はさらなる経済的発展をすべて断ち切

> られることになるだろう。その場合、ほぼ二〇〇〇年前にローマ帝国がそうなったように、近代社会は衰退し、ついには*野蛮状態に陥るだろう*。資本主義文明はこのまま存続することはできない。すなわち、*社会主義へと前進するか、野蛮へと後戻りするか*である。[*11]

見られるように、ローザの文章と同じく、「社会主義に前進するか、野蛮に逆戻り（後戻り）するか」という二者択一が明確に示されているだけでなく、野蛮と衰退に陥った歴史的経験として古代ローマの事例が持ち出されています。明らかにこの一文には、ローザ・ルクセンブルクの二者択一論と同じ思想が共鳴しており、表現も非常によく似ています。これで一見落着のように見えますし、実際アンガスもこれで問題が解決したと考えているようです。そしてこの論文を紹介した酒井氏も同じ意見のようです。[*12]

2、アンガス説の諸問題

しかし、残念ながら、この説にはいくつか重要な問題があります。何よりも、ローザ・ルクセンブルク自身が、「社会主義か野蛮か」という定式の起源としてはっきりとエンゲルスの名前を出しており、それが四〇年前であると言っていることです。どちらも、カウツキーの一八九二年の著作とは合致しません。ちなみに、アンガスが依拠したローザの著作の英語版では、「四〇年前」ではなく、「一世代前」と英訳されています。この表現の曖昧さのおかげもあって、アンガスは「一八九二年」の著作を起源にすることができました。

もちろんアンガスも、ローザ・ルクセンブルクがエンゲルスの名前を出していることは重々承知しているので、この問題に対する一定の回答を与えようとしています。まず第一に、ローザ・ルクセンブルクは獄中にいたので正しい典拠を確認することができなかった、第二に、カウツキーの著作はあまりにも普及していたので、無意識の中に刷り込まれ、やがてカウツキーとの関連さえ忘れるに至った、というものです。つまり単なる勘違いないし記憶違いであるという説です。

しかし、いずれもあまり説得的ではありません。まず「一」についてですが、実はローザは獄中を出た後もこのスローガンに言及しているのですが、その時は獄中の時と違って、『共産党宣言』に由来すると言っており、やはりカウツキーについては一言も触れていません。しかしアンガスはこの事実についてまったく触れていません。

次に「二」についてですが、ここで『共産党宣言』が持ち出されていることの意味については、後で再論します。カウツキーの著作がそれほど普及していたなら、むしろ忘れたり思い違いをしたりするはずがないのであって、普及しすぎたので忘れたという説はかなり苦しいものです。また、獄中におけるローザ・ルクセンブルクの「社会主義か野蛮か」論は何よりも、ヨーロッパ戦争ないし世界戦争との関連で提起されており、『エルフルト綱領解説』におけるカウツキーの議論の中にはこのような論点は皆無です。

ローザ・ルクセンブルクがカウツキーのこの著作をよく知っていたのは間違いないし、その中に「社会主義への前進か、それとも野蛮への逆戻りか」という趣旨の一文があったことも覚えていたのは間違いありません。そのことは実は、カウツキーの名前を出してはいませんが、先に引用したローザ・ルクセンブルクの文章そのものの中に暗示されているのです。ローザはその中でこう言っています。「われわれは、これまで、これらの言葉の恐るべき厳しさを予測することもなく、それを慢然と繰り返してきた」。彼女がこう語ったとき、いったい何を、あるいは誰を念頭に置いていたのでしょうか。本当の厳しさを真に予測することもなく、漫然とこの二者択一を繰り返している最たる例は、明らかにカウツキーの『エルフルト綱領解説』であり、そしてそれを読んで学んできたドイツ社会民主党の幹部たちのことでしょう。つまり、ローザ・ルクセンブルクはカウツキーのことを忘却していたのではなく、ちゃんと覚えていて、それをはっきり念頭に置きつつ、なおかつ、この二者択一論の起源としてカウツキーではなく、エンゲルスの名前を挙げたということになります。

では、その理由は何でしょうか？　考えられる仮説は次の二つです。一、獄中のローザが当時批判していた対象が他ならぬカウツキーを含むドイツ社会民主党の指導者連中あったので、カウツキーの名前を肯定的な文脈で出すことができなかった（つまり、アンガスが言うように「記憶違い」ではなく、意図的であった）。二、『エルフルト綱領解説』はたしかにカウツキーによって書かれているのだが、あの「二者択一」論は実はカウツキーの創発ではなく、エンゲルスからの示唆ないし影響のもとに書かれたものであり、そのことをローザ・ルクセンブルクが十分自覚していたので、カウツキーの名前を出す必要がなかった。

以上の新たな仮説のうち、第一の仮説に対してはただちに反駁することができます。なぜなら、ローザ自身が同じ『ドイツ社会民主党の危機』の中でカウツキーを肯定的に引用している箇所があるからです。[*13] また、カウツキーを批判することにおいて最も激しかったボレーニンでさえ、革命的であった頃のカウツキーを持ち出して、それを現在のカウツキーに対置するということをしょっちゅうやっていました。その代表例はまさに、私が最近『科学的社会主義』という雑誌で取り上げたレーニンの『左翼小児病』です。[*14]

その冒頭で、レーニンはカウツキーの論文「スラブ人と革命」を長々と肯定的に引用しています。[*15]

残るは第二の仮説であり、そして私はこちらの仮説を強く主張したいと思います。実はアンガスが証明したのは、少なくとも一八九二年のカウツキーの著作に「社会主義への前進か、野蛮への逆戻りか」という文言が存在するということ、したがって少なくとも起源をそこにまで遡ることができるということだけであり、それが最初の「起源」であるということは何ら証明されていないのです。[*16] アンガスがあっさりと退けた『反デューリング論』の一節は明らかに「破滅か革命か」という二者択一を提起しているのですから、それを「起源」から排除するのは明らかに行きすぎです。ローザ・ルクセンブルクがこの文言を念頭に置いていた可能性は否定できません。しかし、それだけはまだ、ローザがエンゲルスを起源として指示した理由としては十分説得的ではありません。

3、エンゲルスのヨーロッパ戦争論における「全般的野蛮化」論

先ほど述べたように、ローザ・ルクセンブルクのスローガンは何よりもヨーロッパ戦争ないし世界戦争との関連で提起されています。これは、すでに述べたように、カウツキーの『エルフルト綱領解説』の一節と大きく異なる点です。そしてこの点では、エンゲルスの『反デューリング論』の例の一節でも同じです。したがって別の起源を探す必要があります。

実はエンゲルスは、一八七〇年代末からヨーロッパ戦争の可能性についてかなり切迫した問題意識を持っていて、まさにヨーロッパが社会主義へと前進しなければ、ヨーロッパ戦争ないし世界戦争という極

端な野蛮状態に陥ることを予測し、そのことに繰り返し警告してきました。たとえば、弟子の一人であるベーベルに宛てた一八七九年の手紙には、次のような一節があります。

ところが世界史はこのような智恵と中庸の俗物どもを気にかけず進んでいる。ロシアではもう数カ月経てば、いざ〔革命〕ということになるだろう。絶対主義が倒れるか、そうなればこの反動の巨大な予備軍の崩壊の後、ヨーロッパに別の風が吹くことになるだろう。それとも、ヨーロッパ戦争が起こることになるかだ。そうなれば各国民が民族的存立をかけた不可避的な闘争のもとに、現在のドイツの党をも葬ることになるだろう。そのような戦争はわれわれにとって最大の不幸になるだろう。それは運動を二〇年も後戻りさせるにちがいない。しかし結局そこから生まれて来るに違いない新しい党は、ヨーロッパのあらゆる国で、現在至るところで運動を妨げているあらゆる逡巡や些事から解放されていることだろう。[*17]

ここでは、ロシア革命を通じてヨーロッパ全体に「別の風」（すなわち社会主義への前進に向けた巨大な運動）が起こるか、さもなくばヨーロッパ戦争が起こり、ドイツの党を葬り去ることになるが、しかし「そこから生まれて来るに違いない新しい党は、ヨーロッパのあらゆる国で、現在至るところで運動を妨げているあらゆる逡巡や些事から解放されていることだろう」と予見しています。実に慧眼な予見であり、まるで第一次世界大戦におけるヨーロッパ社会民主主義の崩壊とその後のロシア革命による共産主義勢力の台頭を予言しているようにさえ思えます。

さらにその八年後の一八八七年には、ボルクハイムの著作への序文の中で、いっそう切迫した調子で、世界戦争によるヨーロッパ全体の野蛮への回帰について、次のように語っています。

プロイセン＝ドイツにとっては、世界戦争、しかもこれまで一度も夢想だにされなかったような広がりと激しさをもつ世界戦争以外の戦争はありえない。八〇〇万ないし一〇〇〇万の兵士たちが、たがいに殺し合い、そのさい、イナゴの大軍もこれまでやったことがないほどすっかりヨーロッパ全体を食いつくすであろう。三〇年戦争の荒廃が三年ないし四年に凝縮して、大陸全体に広がり、飢謹、伝染病、急激な窮乏によって軍隊と国民大衆の全般的な野蛮化が生じ、われわれの商業、工業、信用の精巧な機構が、救いようのないほど混乱し、これまでの諸国家とその伝統的な国家的英知が崩壊し、王冠が幾ダースも敷石のうえにころがっても拾い手のないほどになる。すべてがどういう結果になるのか、誰が戦争の勝利者になるのか、予想することは絶対に不可能であろう。ただ一つの結果だけは絶対に確実である。すなわち、全般的な疲弊と、労働者階級の最終的勝利の諸条件が成立することがそれである。——これこそ、とことんまで押し進められた軍備拡張競争の体制が、ついにその不可避的な果実を実らせる場合の見通しである。[*18]

ここでは「野蛮（Barbarei）」という用語そのものは使われていませんが、それと類義語の「野蛮化（Verwilderung）」[*19]、しかも「全般的な野蛮化（allgemeine Verwilderung）」という用語が将来の世界戦争との関連で使われています。この文章は、その（四〇年後ではないにせよ）約三〇年後に第一次世界大戦によって生じた事態に対する予言として驚くほど正確です。実際に、一〇〇〇万人以上の兵士や市民が戦争で亡くなり、三〇年戦争を上回る荒廃が三～四年で生み出され、その過程で多くの王冠が転げ落ち（ロシア、ドイツ、オーストリア＝ハンガリー、その他）、ヨーロッパは文字通り全般的な野蛮状態に突き落とされました。そして、社会主義の陣地の多くが実際に奪われましたが、その後、ロシア革命を通じてはるかに急進的な形で復活を遂げました。ここで語られている世界戦争の黙示録的な様相は、ローザ・ルクセンブルクが「社会主義か野蛮か」と獄中で描いて見せたあのヨーロッパ文明の崩壊の様相そのものであります。ローザ・ルクセンブルクが獄中であの文章を書いたときに、念頭に置いていたのは（少なくともその一つは）、エンゲルスのこれらのヨーロッパ戦争論ないし世界戦争論であったのは間違いないと思われます。

また、エンゲルスのこの文章に、文明世界全体の「全般的な野蛮化」の一要因として「伝染病」が挙げられているのは、さすがだと思います。この間のコロナパンデミックのおかげで感染症の大流行が歴史において重要な役割を果たしたことが新聞記事やネット記事などを通じて大いに流布したので、みなさんも、単発の大流行としては世界で最も多くの人命を奪ったいわゆる「スペイン風邪」が第一次世界大戦の帰趨に重要な役割を果たしたことはご存知だと思います。スペイン風邪という名のインフルエンザは、戦争中に英仏側にもドイツ・オーストリア側にも大いに蔓延しました。当時の主要な戦争形態であった塹壕戦（ちなみにグラムシはこの塹壕戦から例の「陣地戦」のイメージを汲み出しました）という環境は、感染症が爆発的に蔓延する絶好の環境をつくり出しました。いずれにせよ、この伝染病は、エンゲルスが予測した通り、戦争の悲惨さをいっそうひどくし、文明国のとてつもない野蛮化をもたらし、戦争の継続をも困難にし、最も打撃を受けたドイツを敗北に追い込みました。エンゲルスの先見の明は本当に素晴らしいものです。

話が少し脱線しましたが、「全般的野蛮化」に関するエンゲルスの驚くほど正確で黙示録的な予測が、当時、ローザ・ルクセンブルクのみならずカウツキーにも非常に強い感銘を与えたのはまちがいありません。その決定的な証拠が、第一次世界大戦後の一九二〇年に出版されたカウツキーの名著『権力への道』第三版序文にある以下の箇所です。

すでに一八八七年にエンゲルスはボルクハイムの『狂信的愛国者』への序文の中で、来たるべき戦争とその結果について雄大な描写を与えたことがある。そこで彼はとりわけ、「急激な窮乏によって生じる軍隊と国民大衆の全般的な野蛮化」に言及した。[*20]

このようにカウツキーははっきりと、ボルクハイムの著作へのエンゲルスの序文における「全般的な野蛮化」という言葉に着目し、その部分を直接引用しているのです。エンゲルスがこの言葉を記した五年後の一八九二年にカウツキーが『エルフルト綱領解説』で「社会主義への前進か、野蛮への逆戻りか」と書いたとき、このエンゲルスの言葉が念頭にあったのはほぼ間違いないと思われます。ただしカウツキーは、それをヨーロッパ戦争という先鋭な文脈から切り離して、より一般的な形で論じたのです。

エンゲルスのこの種の発言は他にもたくさんあります。たとえば、翌一八八八年一月七日のゾルゲへの手紙において、エンゲルスはヨーロッパ戦争の結果、ヨーロッパが農業国へと「逆戻りするか、社会変革のいずれかを選ぶ二者択一の前に立たされる」という議論を展開しています。

戦争によっても国内に運動が起こらず、戦争が最後まで戦い抜かれるとすれば、ヨーロッパが二〇〇年来体験したことのないような疲弊が生じるだろう。そうなるとアメリカの工業が全線で勝利して、われわれをみな国内消費（アメリカの穀物がこれ以外の用途を許さない）のための純然たる農業国へと逆戻りさせるか、社会変革かのいずれかを選ぶという二者択一の前に立たせるだろう。[*21]

ヨーロッパが単なる農業国に逆戻りするというのはいささか極端であったとしても、ヨーロッパ戦争の結果として、アメリカ工業が全線で勝利して、それがヨーロッパに対して君臨するようになると驚くほど正確に予言されています。さらに、カウツキーの『エルフルト綱領解説』が書かれるまさに前年に、エンゲルスは「ドイツにおける社会主義」という文章を発表しており、これはもちろんカウツキーにも熱心に読まれたものですが、その中に次のような一文があります。

だが、それにもかかわらず戦争が勃発したら、一つのことだけは確実である。すなわち、一五〇〇万から二〇〇〇万の武装した人々がお互いに殺し合い、ヨーロッパをかつてないほど荒廃させるこの戦争は社会主義の即時の勝利をもたらすか、さもなくば、旧秩序をひどく覆し、いたるところにひどい廃墟の堆積を残すため、古い資本主義社会はこれまでにないほど不可能になり、社会革命は一〇年か一五年遅らされて、もっと徹底的な、もっと急速な歩みをとるか、そのどちらかであるにちがいない。[*22]

このように、ここでも、社会主義の即時勝利かヨーロッパ戦争による荒廃かという二者択一が言われています。

いずれにせよ、ローザ・ルクセンブルクはこのような流れを当然にも知っていたので、獄中でこの「二者択一」論を展開した時、カウツキーではなく、エンゲルスの名前を出したと考えるのが自然でしょう。すなわち、四〇年前の『反デューリング論』における「破滅か革命か」という「二者択一論」から始まって、世界戦争の切迫性を念頭に置いた「全般的な野蛮化」論や「農業国への逆戻りか社会変革か」という「二者択一論」という、エンゲルスによってドイツの弟子たちに繰り返されてきた一連の警告が、カウツキーの『エルフルト綱領解説』の以前に確固として存在していたのであり、ローザ・ルクセンブルクはまさにこの流れの全体を念頭に置いてエンゲルスを「起源」として持ち出したと考えられます。

もちろん、カウツキーの『エルフルト綱領解説』における定式化がまったく無意味だと言っているわけではありません。エンゲルスの主張をより簡潔な表現へと昇華させたのは、明らかにカウツキーの功績です。とはいえ、カウツキーは、せっかくエンゲルスから学んだこの二者択一論を一八九二年という平時にその教科書的文献で提示しておきながら、まさにこの二者択一が歴史上最も先鋭な形で実践的に問われた第一次世界大戦において忘れはて、ドイツの戦争努力を支持し、あるいはカウツキー自身の表現にもとづくなら「中立的立場」[*23]（！）を取ったのに対して、ローザ・ルクセンブルクはまさに世界戦争という歴史的に決定的な瞬間において、最も先鋭な実践的課題としてこの革命的二者択一論を再提起し、獄中から出るやいなや、この二者択一をまさに社会主義の方向で解決するために文字通り命を賭して闘ったのです。この実践的に対極的な振る舞いは、言葉の上でのいかなる類似性をも圧倒的に凌駕するものであると言えます。[*24]

4、『共産党宣言』における「野蛮への逆戻り」論

しかしこれで問題はすっかり解決とはいきません。なぜなら、ローザは獄中から出た後、すでに述べたように、もう一度このスローガンに触れ、それが『共産党宣言』にもとづくものだと言っているからです。それは、ローザ・ルクセンブルクが起草したスパルタクス・ブント（後のドイツ共産党）の綱領「スパルタクス・ブントは何を望むか」の一節であり、その中で次のように述べています（このことが日本ではあまり知られていないのは、この文書が戦後翻訳されていないからです）。

> 社会主義は現在、人類にとって唯一の救済手段である。資本主義社会の崩れ落ちつつある城壁の上で、『共産党宣言』の言葉は灼熱の凶兆のように燃え上がっている。
> **社会主義か、それとも野蛮への没落か！**
> (*Sozialismus oder Untergang in der Barbarei!*)[*25]

ローザ・ルクセンブルクの燃えるような情熱と危機感がひしひしと伝わってくる一文ですが、[*26] 問題は、これが『共産党宣言』のどこの部分を念頭に置いたものなのか、です。ローザ自身は明記していないので、推測が必要になります。アンガスは、ローザ・ルクセンブルクの論文集[*27]を編集したピーター・ヒューディ

スとケヴィン・アンダーソンの解釈を取り上げています。その論文集を見ると、「ドイツ社会民主党の危機」の当該箇所にも、また「スパルタクス・ブントは何を望むか」の当該箇所にも、注がつけられていて、『共産党宣言』のある箇所が指示されています。問題はその指示箇所の妥当性です。ヒューディスとアンダーソンは、『共産党宣言』の冒頭に近い部分にある「この闘争は、いつでも社会全体の革命的改造に終わるか、あるいは、あいたたかう階級の共倒れに終わった[*28]」という一文を挙げているのです[*29]。しかし、これは明らかに「社会主義か野蛮か」からはかなり遠い表現であり、したがってアンガスも簡単に退けることができました。しかし、『共産党宣言』にはこれよりもはるかにローザ・ルクセンブルクが念頭に置いていた可能性が高いと思われる個所が存在するのです。それは以下の箇所です。

商業恐慌においては、生産された生産物の大部分だけでなく、すでにつくり出されていた生産力のかなりの部分もきまって破壊される。恐慌の際には、これまでのどの時代にあっても不条理と思えるような社会的疫病が発生する――過剰生産という疫病が。社会は突如として一時的に野蛮状態へと逆戻りする（Barbarei zuruckversetzt）。まるで飢饉や全般的な破壊的戦争によってすべての生活手段の供給が断ち切られ、工業も商業も壊滅してしまったかのようになる[*30]。

つまり、資本主義社会は社会主義へと進まないかぎり、周期的に恐慌ないし「過剰生産という社会的疫病」が発生し（ここでも「疫病」）、社会は「野蛮」へと逆戻りするのだと、ここでマルクスは力説しています。これはまさに、「社会主義へと前進するか、さもなくば野蛮に逆戻りするか」というジレンマ（二者択一）

を表現したものに他なりません。ちなみに、この『共産党宣言』の原型になった「共産主義の原理」にはこの「野蛮への逆戻り」という議論は存在しませんが、後で見るように、若きエンゲルスにも資本主義そのものが「野蛮」を絶えず生み出すことを指摘した文章が存在します。

ちなみにアンガスは『共産党宣言』に関して、ローザ・ルクセンブルクが念頭に置いていただろうと思われるこの箇所を指摘していないだけでなく、エンゲルスの『反デューリング論』に関しても、ローザ・ルクセンブルクが念頭に置いていたであろうすでに引用した箇所ではなく、以下のようなややずれた個所を紹介しています。

このわずかな例外というのは、より野蛮な征服者が一国の人口を根絶やしにするか、または駆逐してしまい、彼ら自身ではどう扱ってよいのかわからない生産力を荒廃させるか、または滅びるのにまかせてしまった、そういう個々の征服の場合である。[*31]

見られるように、この箇所では、たしかに「野蛮」という言葉は存在しますが、そもそも資本主義の話をしていないし、ましてや資本主義の内在的問題としての「社会主義への前進か、野蛮への逆戻りか」という二者択一についてはまったく触れられていません。ローザがこのような箇所を念頭に置いていたとはとうてい思われません。このことはさすがに、アンガス論文を読んだ他の同僚たちにも気づかれていて、アンガス論文へのコメントの中で、より適切な部分（私が先に引用した部分）を指摘しています。

5、マルクスとエンゲルスの根本思想としての「社会主義か野蛮か」

では、『共産党宣言』にも「野蛮への逆戻り」論があるとすると、結局、「社会主義か野蛮か」の起源はどちらなのか、『共産党宣言』なのか、三〇～四〇年前のエンゲルスなのか、という問題が生じます。これは実は問題の設定が間違っています。「起源」は別に一つである必要はないのです。

資本主義というのはその中から必然的に「野蛮」をつくり出すシステムであり、社会主義へと移行しないかぎり、その野蛮は（その具体的なあり方は時代によって大きく異なりますが）、何度も繰り返され、また、ますます大規模に、ますます深刻になっていくということ、この思想こそ、共産主義者になって以降のマルクスとエンゲルスが最初からずっと抱いていたものでした。もし資本主義が単なる改良によってそのような野蛮を根絶することができるのだとすれば、そもそもどうして社会主義や共産主義を目ざさなければならないのか、という話になります。したがって、「社会主義か野蛮か」という二者択一は彼らの根本思想なのであって、それがそれぞれの歴史的状況の中でさまざまなバリエーションとして繰り返され、時により先鋭に、時により一般的な形で表現されますが、けっしてなくなることなく貫かれていたのです。

たとえば、共産主義者としてのエンゲルスの最初期の文献にあたる『イギリスにおける労働者階級の状態』を見ると、そこには何箇所も資本主義そのものが工場の中で生み出す「野蛮」についての話が登場します。たとえば以下の箇所がそうです。

> 他の工場主たちは、もっと野蛮にふるまい、多数の労働者を三〇時間ないし四〇時間もぶっとお

しで働かせ、しかも毎週何回もこれをやらせたのである。それというのも、彼らの補充部隊には欠員があって、絶えず労働者の一部を交替させ、これらの労働者に二、三時間の睡眠しか許さないという目的だけしか持っていなかったからである。このような野蛮な行為とその結果に関する委員会の報告は、私がこの分野で知っているその他いっさいのことを凌駕している。[*32]

さらに『共産党宣言』と同時期のマルクスのいくつかの文献にも登場します。以下に引用する一つ目は「賃労働と資本」からの一節で、二つ目は「賃金」という準備草稿からの一節です。

> しかし、資本は労働を食らって生きているだけではない。高貴であり野蛮でもある主人として、資本は、自己の奴隷たちの死体をも、すなわち、恐慌で破滅した労働者のいけにえたちも、自分といっしょに墓穴の中に引きずり込むだろう。[*33]

> 文明の内部での足踏み車の復活。野蛮が再び姿を現わすのだが、それは文明そのものの胎内から生み出され、その一部なのである。したがって、業病としての野蛮であって、野蛮は文明の業病なのである。労役所は労働者のバスティーユであり、夫婦は引き離される。[*34]

二つ目の引用文でマルクスは、資本主義のもとで過去の「野蛮」が復活すると述べており、それが偶然ではなく、「文明」、すなわち資本主義の「業病」（不治の病のこと）だと言っています。ブルジョア的な文明観においては、歴史的に中世は「野蛮」だが、近代は「文明」であり、地理的には、欧米は「文明」だが、アジアやアフリカは「野蛮」であるとされ、「野蛮」は歴史的にも地理的にも完全に他者化されています。しかし、マルクスはブルジョア的文明こそが、過去の「野蛮」を必然的に復活させ、それをいっそうひどくするのであり、野蛮は文明の必然的な産物だというのです。これこそ**文明と野蛮の弁証法**であり、後でトロツキーがそのファシズム論においてもよりヴィヴィッドな形で繰り返す非常に重要な観点です。

さらに、後期マルクスの主著『資本論』の中でも繰り返し、資本主義そのものが作り出す「野蛮」について語られています。たとえば、「生産過程のために労働者があるのであって労働者のために生産過程があるのではないという」生産の「資本主義的形態」(それは資本主義の本質そのものです)を「自然必然的に野蛮な」形態としていますし、[*35] またエンゲルスの『イギリスにおける労働者階級の状態』での議論を受け継ぎながら、「受給貧民の取り扱い方の野蛮さ(**Barbarei**)」についても語られています。[*36] さらに、イギリスの発達した資本主義が必然的に生み出す深刻な住宅危機を論じる中で、マルクスは『公衆衛生報告書』の次の一節を引用して読者に紹介しています。

> ニューカースル・アポン・タインは、わが国民のうちの最も優良な種族の一つが住居や街路の外的な環境のために、しばしば**野蛮に近い退化状態**に陥っていることの見本を示している。[*37]

このように、マルクスとエンゲルスは、若い頃から晩年に至るまで、自分たちの根本思想をさまざまな状況に応じて、さまざまなバージョンで言いかえていたことがわかります。したがって、直接の典拠はけっして一つである必要はないということです。『共産党宣言』の一節も、『反デューリング論』の一節も、エンゲルスの一連の世界戦争論も、その諸バージョンなのです。そしてもちろん、彼らの弟子たちの場合もそうであって、カウツキーの『エルフルト綱領解説』の例の一節は、自分の師であるマルクスとエンゲルスの基本思想を――とりわけエンゲルスのそれを――簡潔な形で書き表わしたものとして位置づけることができます。

このことを知っていたからこそ、ローザ・ルクセンブルクは、自己の定式化の起源としてカウツキーの『エルフルト綱領解説』ではなく、より根本的な起源としての「四〇年前のエンゲルス」や『共産党宣言』を持ち出したのです。

6、トロツキーのファシズム批判における「野蛮の生理学」

以上で「起源」の問題はおおむね決着がつきましたが、この二者択一論のアクチュアリティの話はまだ続きます。「社会主義か野蛮か」という革命的二者択一の歴史は獄中のローザで終わったわけではありません。何よりそれは、第一次世界大戦という野蛮から抜け出すために起こった一九一七年のロシア革命によって、一つの実践的回答が与えられました。ロシア革命こそが、「社会主義か野蛮か」というスローガンの正しさを実践的に証明したのです。その意味で、ロシア革命は、獄中のローザ・ルクセンブルクの定式化と密接に結びついているのであり、その理論的・実践的延長上にあると言えます。

実際、一九一九年結成の第三インターナショナルの創立大会で採択された「世界の労働者への共産主義インターナショナルの宣言」（起草したのはトロツキー）は、二〇世紀の『共産党宣言』とでも呼ぶべき歴史的文書ですが、その中ではっきりと次のように述べられています。

> 戦争の結果、人類は飢えの苦しみ、寒さによる疲労、伝染病、道徳的野蛮状態という形で資本主義制度の矛盾に直面した。このことは、窮乏化論や資本主義から社会主義への漸進的移行の理論について社会主義運動の内部で続けられていたアカデミックな論争を一挙に解決した。[*38]

このように、まさに「野蛮」という言葉を使って、世界資本主義が直面している問題が鮮やかに指摘されています。さらにこの宣言は自分たちがローザ・ルクセンブルクとリープクネヒトの後継者であると自己規定しています。[*39] そしてこの宣言は最後に、『共産党宣言』を彷彿とさせながら、次の一句で締めくくられています——「労働者ソヴィエトの旗のもとに、権力とプロレタリアート独裁をめざす革命的闘争の旗のもとに、第三インターナショナルの旗のもとに——万国の労働者、団結せよ！」[*40]。この宣言が、『共産党宣言』とローザ・ルクセンブルクの「社会主義か野蛮か」の精神を受け継ぐものであるのは明らかです。

しかし、この革命的定式が作り出された当のドイツでは、一九一八年一一月のドイツ革命にもかかわらず、それは社会主義革命にまで発展せず、何よりもドイツ社会民主党の裏切りによって中途で挫折させられました。その過程で、誰もがよく知っているように、「社会主義か野蛮か」と提起したローザ・ルクセンブルク自身が出獄後、盟友のカール・リープクネヒトとともに、ドイツ軍兵士によって虐殺されるという最悪の野蛮の犠牲になりました（虐殺を命じたのはドイツ社会民主党の幹部たち）。彼らはこの勇敢な革命の闘士の遺体を無造作に川に投げこみました。

しかし、話はまだ終わりません。ドイツ革命の挫折は、ドイツとロシアに二つの非常によく似ているとともに、社会体制としては正反対の全体主義的「野蛮」の体制をつくり出しました。スターリニズムとファシズムです。[*41]ロシア労働者国家のスターリニズム的変質の原因はきわめて多様ですが、その最大の要因の一つはドイツ革命の挫折による、ロシア労働者国家の孤立であるのは間違いないところです。ロシアの革命家たちは何よりも自分たちの運命をドイツ革命に結びつけていました。それが一九二三年に最終的に敗北に終わったのち、ソ連国内ではしだいに一国社会主義の後ろ向きのユートピアが力を持つようになっていきました。また、ドイツ・ファシズム成立の要因もきわめて多様ですが、それがヨーロッパ資本主義そのものの帝国主義的腐敗の一帰結というだけでなく、ドイツ革命の敗北によってかろうじて生き残ったドイツ資本主義の極端な腐朽から生じてきたものであるのは明らかです。こうしてドイツ革命の敗北、ドイツ共産主義の精華の虐殺は、ドイツ・ファシズムとロシア・スターリニズムを生み出すことによって、文字通り地球の半分を極端な野蛮状態へと叩き込むに至ります。

私がトロツキー研究所の事務局員として三〇年近く関わってきたトロツキーは、この二つの全体主義的「野蛮」といかなる妥協もなく戦った闘士であることは言うまでもありません。スターリニズムに対するトロツキーの批判はよく知られているのでここでは割愛して、ドイツ・ファシズム批判における彼の「野蛮の生理学」論を見ておきましょう。

トロツキーはファシズムに関して多くの論文・著作を書いていますが、光文社古典新訳文庫の関連で言うと、その中の『ニーチェからスターリンまで――トロツキー人物論』に収録されている「国家社会主義とは何か」という論稿が重要です。その中でトロツキーは何よりもファシズムの本質について次のように述べています。

> 蒙昧、無知、**野蛮**の何という無尽蔵の蓄えがあることだろう！　絶望がこれらを立ち上がらせ、ファシズムがそれに旗を与えた。社会が順調に発展しているときには文化の排泄物として民族の有機体から排出されるはずのものがすべて、今や喉からあふれ出している。**資本主義文明は未消化の野蛮を吐き出している**。これが国家社会主義の生理学である。[*42]

何という生き生きとしたファシズムの描写でしょうか。これはまさに古い野蛮と新しい野蛮の弁証法です。資本主義は独自の野蛮をつくり出しますが、無から作り出すわけではありません。それは、過去から受け継いだ無数の古い野蛮を体内に吸収し、それを資本主義の胃液でドロドロに溶かします。しかし、すでに衰退し変調を来たしているドイツ帝国主義はそれを消化しきれずに、腐った未消化の形で喉からあふれ出したものが、国家社会主義、すなわちドイツ・ファシズムであるとトロツキーは述べています。こういう野蛮は今日でもいくらでも見いだすことができます。

　このファシズムがやがて第二次世界大戦を引き起こし、この第二の世界戦争は、おおむねヨーロッパの範囲にとどまっていた第一次世界大戦をはるかに上回る巨大な野蛮を世界中で生み出しました。ユダヤ人の大虐殺（ホロコースト）、南京大虐殺、カチンの森事件、大都市への無差別空爆、そして広島と長崎への原爆投下、です。野蛮のあらゆる歴史的実験が凌駕され、大量虐殺のあらゆる世界記録が大幅に塗り替えられました。「蒙昧、無知、野蛮の何という無尽蔵の蓄えがあることだろう！」。トロツキーは、第二次世界大戦の本格的な帰結を目にする前に、スターリンが放ったスパイによって、背後から脳天をピッケルで貫かれて殺されました。彼がもし世界大戦のあらゆる野蛮を目撃していたとしたら、何と言ったでしょうか。

7、新自由主義下のコロナ危機と現代の野蛮

今日のコロナパンデミックで明らかとなったのは、他ならぬ現代の野蛮です。歴史のどの時期よりも巨大な生産力と文字通り天文学的な額の金融資産が存在するにもかかわらず、先進国であるはずのイタリアやスペイン、イギリス、そして世界の最富裕国であるアメリカでさえ、ＩＣＵベッドや人工呼吸器が足りず、助かりそうにない老人たちからそれを外して、より若い重症患者に譲らざるをえなくなりました。ニューヨーク市のある患者は死に瀕しながら、「そのお金（人工呼吸器の代金）は誰が支払うのか」と言いました。その時の看護師は患者のこの最後の言葉が忘れられないと証言しています。[*43] 世界最富裕国の病院でこういうことが日々起こっているのです。これこそまさに現代の野蛮そのものです。

新自由主義の四〇年間は、社会の公的福祉とセーフティネットをずたずたにし、ひたすら縮小させていった四〇年間でありました。日本でも欧米諸国でも、医療や社会福祉がどんどん削られていき、ますます市場原理に委ねられ、病院は減らされ、ベッド数、とりわけＩＣＵ病床がどんどん削られていきました。平時においてまるで有事のように、社会的予備資源や物質的余裕がぎりぎりの水準へと引き下げられていた

ので、本当に非常事態が発生したときに対処できなくなったのです。多くの論者がすでに指摘しているように、本当に脅威なのは感染症そのものよりも（もちろんそれも脅威ですが）、それに対する社会の応答の仕方にあります。社会が人々の命や安全よりも短期的な利潤を重視し、普遍的な人権や平等よりも一握りの金持ちと権力者の特権を保護するように設計されているとき、大規模な感染症は本当の意味で社会にとって、とりわけその中で不利な立場に置かれている人々にとって大打撃となるのです。

コロナ危機に直面して各国政府は財政支出の大判振る舞いをしていますが、その大半は、貧困者を助けるよりも、大富豪を助けています。じゃぶじゃぶと無尽蔵につぎ込まれた公的資金のおかげで株価が急速に回復しており、多国籍企業の株主やネット関係のビリオネアたちはその資産額を、数千万人の失業者が発生しているのを尻目に、何百兆円も増大させています。そして、この巨額の財政支出は巨額の財政赤字となり、その尻拭いは最終的に大増税やさらなる社会支出の切り捨てを通じて一般庶民に押しつけられるでしょう。

この数十年間、第一世界の社会は名目的にますます豊かになりましたが、その豊かさの大半は一握りの多国籍大企業とプラットフォーム企業と金融資産家の手中に集中されました。第三世界の一般民衆と、第一世界の（とりわけ日本の）一般労働者は貧しいままであり、その公的福祉が減った分、むしろいっそう貧しくなりました。旧第二世界であるいわゆる「社会主義圏」では、中国の一人勝ちを別とすれば、資本主義へと逆戻りした国のほとんどで経済が崩壊し、犯罪が急増し、多くの若い女性たちや少女たちが性奴隷ないしそれに近い境遇で欧米諸国に何十万人も連れ去られていきました。麻薬取引と人身売買が横行し、極右の独裁者たちが次々と政権に就いています。

このパンデミックの最中に、アメリカのミネアポリスで白人警官が黒人男性の首を膝で押さえつけて窒息死させるという事件が生じ、全米的な人種反乱が起こっています。それはアメリカからヨーロッパ各地へ、そして全世界に飛び火しています。今なお解決されず、それどころか新自由主義の四〇年間にむしろ深刻化したこの人種差別もまた、現代の野蛮の一つです。そして、人種問題の陰に隠れていますが、現在、世界で毎年八万人以上もの女性が男性によって殺されており、加害者の多くはパートナーや家族、近親者です。二一世紀にもなって、私たちはごく基本的な人種的平等も女性の生存権も実現しえていないのです。

コロナパンデミックが起こる直前には「未来のための金曜日」運動が世界的に盛り上がり、毎週金曜日には世界各地で数万から数十万人の若者たちがデモ行進に立ち上がりました。二〇一九年は地球温暖化問題に対する闘いの転換の年になりましたが、それだけ地球温暖化は抜き差しならぬところまで来ているということです。たとえば、オーストラリアで去年の九月から巨大な山火事が発生し、それが何カ月も続いて、野生動物が一〇億匹以上も犠牲となりました（二月の大雨でようやく鎮火）。

コロナ対策でもその無能さをいかんなく発揮したブラジルの極右政治家ボルソナロは、多国籍資本によるアマゾンの森林伐採や開発を大いに推進し、そのことがアマゾンでの大規模火災を繰り返しもたらしています。次から次へと、「過去最大」とか、「数十年ぶりの」という形容詞で表現される大災害が毎年、日本でも世界でも起こっています。たとえパンデミックが終息しても、それ以上の大災厄である地球温暖化の過酷な現実が私たちを待ちかまえています。資本主義はますますもって文明とも人類の生存とも両立しえない存在になっています。

以上の意味で、今日、「社会主義か野蛮か」というスローガンは、歴史上かつてなく先鋭なものになっていると言えます。『共産党宣言』の、そしてマルクス主義の今日性、現実性の一つはまさにこの点にあると私は考えるものです。

（二〇二〇年六月一四日講演）

注

＊1 橋本直樹『「共産党宣言」普及史序説』八朔社、二〇一六年。

＊2 森田成也『「資本論」とロシア革命』柘植書房新社、二〇一九年、六七頁。

＊3 Ian Angus, "The origin of Rosa-Luxemburg's slogan 'socialism or barbarism'", October 21, 2014, https://johnriddell.com /2014/10/21/the-origin-of-rosa-luxemburgs-slogan-socialism-or-barbarism/

＊4 ローザ・ルクセンブルク「社会民主党の危機」、『ローザ・ルクセンブルク選集』第三巻、現代思潮社、一九六九年、一六二～一六三頁。訳文は英語訳をも参考にしつつ、若干修正してある。ローザ・ルクセンブルクはその後もこの命題を繰り返している。たとえば一九一七年四月発行の『スパルタクス書簡』に掲載された諸論文の中で次のように述べられている――「資本主義諸国はもはや自らの意志にもとづいて、猛威をふるう帝国主義的大混乱に歯止めをもたらすことはできない。……ブルジョア社会は自ら、ますます野蛮なアナーキー、廃墟、野獣性を生産する他はない。ただ一つの権力のみが、社会がアナーキーと荒廃の奈落に狂気のように墜落するのを妨げることができるであろうし、また歴史によってそのように託されている。それは国際的社会主義プロレタリアートである。国際プロレタリアートが権力のための闘争へ革命的に立ち上がる以外には戦争から脱け出す道はもはやない」（ローザ・ルクセンブルク「社会主義の新しいワーテルロー」『スパルタクス書簡』鹿砦社、一九七一年、一一六～一一七頁）、「ブルジョア政府が戦争を遂行するのと同じように講和を結び、そして戦争がどのような結果になろうと帝国主義が支配権を保持し、不可

避的にますます新しい軍備、戦争、破滅、反動、野蛮に向って突き進むか、それとも労働者諸君が革命的大衆的高揚、政治権力の獲得のための闘争に向って奮起し、諸君の講和を内外に命ずるか、そのいずれかである。帝国主義とやがて訪れる社会の破滅か、それとも唯一の救済としての社会主義のための闘争か。第三の道、中間の道はない」（「ウイルソンの社会主義」、同前、一三一頁）。後で見るように、獄中から出た後もローザ・ルクセンブルクは同じ思想を繰り返している。

＊5 Norman Geras, *The Legacy of Rosa Luxemburg*, Verso, 1976.

＊6 ノーマン・ジラス「『ローザ・ルクセンブルクの遺産』第一章」、『トロツキー研究』第六三号、二〇一三年、六二頁。

＊7 エンゲルス「反デューリング論」、邦訳『マルクス・エンゲルス全集』第二〇巻、大月書店、一七一頁。

＊8 同前、一六七頁。

＊9 **Karl Kautsky, *Das Erfurter Programm in seinem grundsätzlichen Teil erläutert*, Dietz, 1892.**

＊10 カール・カウツキー『社會民主黨綱領——エルフルト綱領』大鐙閣、一九二三年（三輪壽壯訳）。カール・カウツキー『エルフルト綱領解説』改造文庫、一九三〇年（三輪壽壯訳）。カウツキー「エルフルト綱領解説」、『世界大思想全集』第一四巻、河出書房、一九五五年（都留大治郎訳）。ちなみに、この著作の英語版（一八九九年出版）は、片山潜の研究者によると、片山が社会改良主義から社会革命主義へと発展する上で大きな役割を果たした。大田英昭『日本社会民主主義の形成——片山潜とその時代』日本評論社、二〇一三年、三九〇〜三九一頁、四二二頁。

＊11 前掲カウツキー「エルフルト綱領解説」、『世界大思想全集』第一四巻、九三頁。

＊12 アンガスが一カ月後に書いた「追記」（https://johnriddell.com/2014/11/21/following-up-on-luxemburg-and-socialism-or-barbarism）を見ると、彼の同僚たち（ミシェル・レヴィやラーズ・リーなど）もそれで納得したようだ。

＊13 前掲ローザ・ルクセンブルク「ドイツ社会民主党の危機」、『ローザ・ルクセンブルク選集』第三巻、二五五〜二五六頁。

＊14 森田成也「レーニンの『共産主義の「左翼」小児病』を読み直す——出版一〇〇年によせて」、『科学的社会主義』六月号、二〇二〇年。

＊15 邦訳『レーニン全集』第三一巻、大月書店、七頁。ちなみにラーズ・リーはわざわざ、一九一四年以降におけるレーニンによるカウツキーからの引用の一覧を作成している。Lars Lih, Kautsky Post-1914 Data Base Updated, 2011update, https://www.academia.edu/42997900/

＊16 もっと言うと、この事実を最初に指摘した功績も実はアンガスにはない。この論文へのコメントの中で触れられているように、それよりもずっと前にまったく同じ事実が別の論者（アンガスとは対立する派の「トロツキスト」）によって指摘されていた。以下を参照。Paul Hampton, "Who will win green socialism: workers, or a vague alliance?", 9 September 2009, *Workers Liberty: Reason in Revolt*, https://www.workersliberty.org/story/2009/09/09/who-will-win-green-socialism-workers-or-vague-alliance

＊17 「エンゲルスからベーベルへ（一八七九年一二月一六日）」、邦訳『マルクス・エンゲルス全集』第三四巻、大月書店、三五四頁。

＊18 エンゲルス「ジーギスムント・ボルクハイムの小冊子『ドイツの狂信的愛国者たちを回想して。一八〇六～一八〇七年』への序文」、邦訳『マルクス・エンゲルス全集』第二一巻、三五七頁。

＊19 英語版の『マルクス・エンゲルス全集』では、以下のように英訳されている。'universal lapse into barbarism', *Marx & Engels Collected Works*, Vol. 21, Lawrence & Wishart e-Book, 2010, p. 451.

＊20 カウツキー「『権力への道』第三版序文」、前掲『世界大思想全集』第一四巻、一八一頁。Karl Kautsky, *Der Weg zur Macht*, Dritten Auflage, Berlin, 1920, S. 11.

＊21 「エンゲルスからゾルゲへ（一八八八年一月七日）」、邦訳『マルクス・エンゲルス全集』第三七巻、一〇頁。ちなみに、この手紙は一九〇六年に他の手紙類といっしょにディーツ社から出版されているので、ローザ・ルクセンブルクが一九一五年以前にこの手紙のことを知っていたことは間違いない。またこれらの重要なエンゲルスの手紙は一八九二年以前のカウツキーにも知られていた可能性は大いにある。

＊22 エンゲルス「ドイツにおける社会主義」、邦訳『マルクス・エンゲルス全集』第二二巻、二六一～二六二頁。

＊23 カウツキー「自伝」、前掲『世界大思想全集』第一四巻、二九六頁。

＊24 トロツキーもまた、第一次世界大戦勃発のわずか数カ月後に亡命先のスイスにおいて『戦争とインターナショナル』をドイツ語で出版し、その最終章において「永続戦争か、さもなくば〔プロレタリア〕革命」という二者択一を提起している（トロツキー『戦争とインターナショナル』柘植書房、一九九一年、一八二頁）。言葉の上での起源よりもはるかに重要な、ローザとトロツキーとのこの本質的一致と、カウツキーとの対照性こそが、第二インターナショナルと第三インターナショナルとを分かつものだ。

＊25 Rosa Luxemburg, "Was will der Spartakusbund?", https://www.marxists.org/deutsch/archiv/luxemburg/ 1918/ 12/waswill.htm ちなみに英訳では、最後のセリフも「社会主義か野蛮か！（Socialism or Barbarism!）」というようにより簡潔な表現になっている。

＊26 この時期、ローザ・ルクセンブルクはドイツ革命の真っただ中で同じ思想をさまざまな言葉で表現している。たとえば以下を参照。「人類は今、資本主義のアナーキーのなかでの崩壊と没落か、あるいは社会革命による復活かという二者択一の前に立たされている。そのいずれを選ぶか、決定の刻限はすでに来ている」（「万国のプロレタリアに」、『ローザ・ルクセンブルク著作集』第四巻、現代思潮社、一九七〇年、八二頁）、「今日、人類が直面しているディレンマ（二者択一）は、アナーキーへの没落か社会主義による救済かというディレンマである」（「綱領について」、同前、一三七頁）。

＊27 Peter Hudis & Kevin Anderson eds, *The Rosa Luxemburg Reader*, Monthly Review Press, 2004.

＊28 マルクス＆エンゲルス「共産党宣言」、『共産党宣言』光文社古典新訳文庫、二〇二〇年、五五頁。

＊29 *The Rosa Luxemburg Reader*, p. 425, p. 426.

＊30 前掲マルクス＆エンゲルス「共産党宣言」、『共産党宣言』、六四頁。

＊31 前掲エンゲルス「反デューリング論」、邦訳『マルクス・エンゲルス全集』第二〇巻、一八九頁。

＊32 エンゲルス「イギリスにおける労働者階級の状態」、邦訳『マルクス・エンゲルス全集』第二巻、大月書店、三八五頁。

＊33 マルクス「賃労働と資本」、マルクス『賃労働と資本／賃金・価格・利潤』光文社古典新訳文庫、二〇一四年、六四頁。

＊34 マルクス「賃金」、同前、三八五頁。

＊35　マルクス『資本論』第一巻、邦訳『マルクス・エンゲルス全集』第二三巻、大月書店、六三八頁。

＊36　同前、八五三頁。

＊37　同前、八六三頁。

＊38　トロツキー「世界労働者への共産主義インターナショナルの宣言」（一九一九年三月六日）、『コミンテルン最初の五カ年』上、二八頁。この文章に伝染病についても触れられているが、この点については本書の第3章を参照。

＊39　同前、三八頁。

＊40　同前、三九頁。

＊41　きわめて慧眼なことに、トロツキーはすでに一九〇五年一二月の時点で、ヨーロッパ革命によって支えられないロシアの労働者国家が「階級の解体と国全体の野蛮状態への没入」に至る可能性を示唆していた（トロツキー『わが第一革命』現代思潮社、一九七〇年、二七三頁）。そして実際にそうなったのである。

＊42　トロツキー「国家社会主義とは何か」、『ニーチェからスターリンへ――トロツキー人物論』光文社古典新訳文庫、二〇一〇年、三三三頁。ちなみにこの論文はもともと英語で発表されており、そこには、「racism」という言葉がナチズムを特徴づけるものとして何度も使用されている。この論文は、当時あまり使用されていなかった「racism」を人種主義の意味で欧米社会に普及する上で大きな役割を果たした。

＊43　Alaa Elassar, "A nurse revealed the tragic last words of his coronavirus patient: Who's going to pay for it ?" CNN, 11 April 2020, https://www.cnn.com/2020/04/11/health/nurse-last-words-coronavirus-patient-trnd/

補論1

マルクスにおける反植民地主義的転換?

——ドラポー論文への異論

【解題】本稿はもともと自分のフェイスブックに投稿したものを後に論文化したものである。最初、英語論文として、オーストラリアの左派のネット雑誌 *Links International Journal of Socialist Renewal* に投稿して、二〇二〇年一〇月三一日号に掲載された（http://links.org.au/crises-twenty-first-century-leon-trotsky）。その後、日本語論文として『情況』二〇二一年冬号に掲載された。今回、収録するにあたって、若干の加筆修正を施した。

二〇一九年一月に『ジャコバン』のウェブ版に掲載されたティエリー・ドラポーの論文「マルクスの反植民地主義のルーツ」[*1]は、チャーチスト左派のアーネスト・ジョーンズが一八五〇年代におけるマルクスの反植民地主義的思考の進化に与えた影響を考察しており、非常に啓発的なものであったが、いくつかの疑問点もあった。

マルクスにおける「進歩と野蛮の弁証法」

筆者は、『共産党宣言』が、「西洋の帝国主義を、未発達の社会をブルジョア文明へと引き上げる、進歩的で有益な勢力とみなしていた」と書いているが、『共産党宣言』にはそんな単純なことは書かれていない。ブルジョアジーが世界中に根を張って、自己の姿に似せて世界を作りかえるダイナミズムを明らかにしているのであって、帝国主義（そういう言葉はまだ存在していなかったが）を単純に「進歩的で有益な勢力」とみなす素朴な観点を表現しているのではない。[*2]

筆者はあたかもマルクスが、反植民地主義に立ったのはアーネスト・ジョーンズと交流し始めた一八五〇年以降とみなしているが、まったく一面的である。一八四七年一一月におけるマルクスとエンゲルスの有名な「ポーランドに関する演説」を読んだだけで、そのことは明らかであり、マルクスは、労働者階級による闘争の前提として被抑圧民族の解放の必要性を語っているし、エンゲルスはこの時すでに後にレーニンが愛用する有名な命題、すなわち「どの民族も他民族を抑圧しつづけながら同時に自由になることはできない」という命題を唱えている。[*3] また、それ以前にもエンゲルスは、『イギリスにおける労働者階級の状態』の中で、アイルランド人移民がイギリスにおける階級闘争の発展に果たした（あるいは果たしうる）重要な役割について力説しており、労働者階級が人種的・民族的に多様で混交的であることが運動にとってマイナスになるのではなくプラスになりうることを先駆的に指摘している。[*4] マルクスも、一八四七年の『哲学の貧困』の中で、近代資本主義が奴隷制度や植民地と一体であり、「直接的奴隷制は機械や信用と同じくブルジョア的産業の枢軸」であるとまで述べている。[*5]

さらに言うと、一八五〇年以降にマルクスが自己の観点を一八〇度転換して反植民地主義になったという筆者の主張も一面的である。マルクスが一八五〇年以降（特にその半ば以降）に、イギリス帝国主義による犯罪性をより具体的に糾弾するようになったことはその通りであるとしても（そしてそこにアーネスト・ジョーンズを影響があったことも、おそらくその通りであるとしても）、世界システムとしての資本主義が世界大に広がることが、世界システムとして共産主義の物質的前提条件をつくり出すものでもあるという観点をマルクスがなくしたわけではない。

たとえば、ドラポーは、マルクスの反植民地主義への転換を示すものとして、一八五三年八月の『ニューヨーク・トリビューン』掲載の論文「イギリスのインド支配の将来の結果」において、マルクスが、「ブルジョア文明のもつ深い偽善と固有の野蛮性」[*6]という言葉を使ってイギリスのインド支配を批判したことを持ち出しているが、この論文には同時に次のように、イギリスのインド支配の（結果としての）歴史的進歩性を指摘する一文があることを無視している。

全ヨーロッパほど広く、面積一億五〇〇〇万エーカーもある国、このインドについて見るとき、イギリス工業が与えた破壊的な影響は手に取るように明らかであり、また深刻である。しかし、それは今ある生産制度全体から有機的に出てくる結果にすぎないことを、われわれは忘れてはならない。この生産は、資本の至上の支配に基礎を置いている。資本の集中は、資本が独立の権力として存在するのに不可欠なものである。この集中が世界市場に及ぼしている破壊的な影響は、いまあらゆる文明都市で貫かれている経済学の固有の有機的諸法則を最も大規模に現わしたものにすぎない。歴史のブルジョア時代は、新世界の物質的基礎をつくり出さなければならない。一方では、人類の相互依存にもとづく世界的交通とこの交通の手段、他方では、人間の生産力の発展と、物質的生産を自然力の科学的支配に転化すること、これがその基礎である。このような新世界の物質的諸条件を、ブルジョア商工業は、地質上の革命が地表をつくり出したのと同じように、つくり出しているのである。将来、偉大な社会革命が、このブルジョア時代の成果である世界市場と近代的生産力とをわがものとし、これらを最も先進的な諸国人民の共同管理のもとに置いたとき、そのときはじめて人類の進歩は、美酒（ネクタール）を死人の頭蓋骨からだけ飲もうとする、あのいとうべき異教の偶像に似ることを、やめるであろう。[*7]

このように、マルクスは一方ではイギリス帝国の野蛮さと偽善とを厳しく糾弾しつつ、他方ではそれがより高度な文明の「物質的基礎」をつくり出す役割を果たしていることも指摘している。その帝国主義的存在形態を含めた資本主義に対するマルクスの観点は常に二面的であり、そして深く弁証法的である。資本主義は新社会の物質的諸条件を創出し（客観的条件）、その墓堀人たる労働者階級を創出し強化し団結させる（主体的条件）という意味では「進歩的」だが、資本主義というシステムはその歴史的「進歩性」を最も野蛮で暴力的で搾取的な形態でしか遂行できないのである。ここに資本主義の（より一般的には階級支配の）本質がある。マルクスはすでに一八四七年の『哲学の貧困』において、そのことをはっきりと語っている。

……文明の始まるまさにその時から、生産は諸職分の、諸身分の、諸階級の敵対関係の上に、要するに、蓄積された労働と直接労働との敵対関係の上にその基礎を置いて始まる。敵対関係なくしては進歩はない。これは、今日まで文明が従ってきた法則である。現在にいたるまで、生産諸力は、このような諸階級の敵対する体制のおかげで発展してきたのである。だから、すべての労働者のあらゆる欲望が満たされたから、人間はより高級な生産物の創造に、より複雑な産業に従事することができた、などといまどき主張しようとするのは、諸階級の敵対関係の存在を無視し、歴史的発展のすべてを覆すことだろう。……ローマの民衆はパンを買うのに必要なものにも事欠いていたのに、ローマの貴族はウツボの餌にする奴隷に事欠かなかったのである。[*8]

資本主義および階級社会一般においては、あらゆる文明と進歩は諸階級の敵対関係の上に成り立つのであり、したがってその敵対関係に伴うあらゆる野蛮（奴隷をウツボの餌にすること！）とともに存在する。この観点はマルクスの生涯を貫くものだ。たとえば、成熟期マルクスの主著である『資本論』は、一方では、労働者に対する資本の最も野蛮で暴力的な搾取と収奪とを徹底的に暴露して糾弾すると同時に、それが新社会の客観的・主体的前提条件をつくり出すものであることを指摘している。同じことは、その資本主義的中枢部においてだけでなく、先に引用した文章からも明らかなように、中枢と周辺との関係に関してもあてはまるとマルクスは考えていたのである。

この「進歩と野蛮の弁証法」は、資本の側の運動のうちに見出せるだけでなく、それと対抗する側にも見出せる。労働者やあるいは被抑圧民族はどうして資本主義や帝国主義と闘ってよりよい社会をつくろうとするのだろうか？　マルクスを初めとする立派な革命的文献を読んで目覚めるからだろうか？　もちろん先進的部分はそうだろう。だがそうした先進層が広範な大衆をつかんで実際に民衆自身が大規模に決起するのは、まさに資本主義と帝国主義がつくり出す野蛮に対する怒りと闘争を通じてである。

実際、一八五〇年代のマルクスの諸文献は、イギリス帝国主義の野蛮な植民地政策が潜在的に進歩的な物質的諸条件をつくり出すことを指摘しつつも、インドや中国人民に従順さや受動性を説くのではなく、インド人民と中国人民のあらゆる闘争――そこにしばしば「野蛮な」手段も含まれていた――を常にある種の共感をもって叙述している。[*9] むしろ逆なのだ。より高度な文明のための主体的条件をつくり出すものこそ、こうした資本主義的・帝国主義的野蛮に対する被抑圧人民の怒りと激しい闘争なのである。

ちょうど、資本主義が、未来社会の物質的・主体的諸条件を野蛮の普遍化を通じてしか形成できないように、労働者階級と被抑圧民族の側もまた、「普遍的野蛮」との熾烈な闘いを通じてしかそれらの諸条件を真に現実のものにすることができないのである。

二つの変化

では、この問題に関してマルクスの主張に何ら変化がなかったのかと言えば、もちろんそんなことはない。二つの点で大きな変化があった。

一つは力点の変化である。「進歩と野蛮の弁証法」において、資本主義ないし帝国主義の側の運動に関しては、進歩の方に力点を置いて語るか、野蛮の方に力点を置いて語るかで、読む人の印象は大きく変わる。マルクスはしだいに、イギリスの植民地支配の（結果としての）「進歩性」に力点を置く書き方から、その（現在進行形での）野蛮性に力点を置く書き方に変わったのであって、植民地主義への支持から反植民地主義に変わったのではない。

第二に、以下のような認識変化が生じた。たとえ資本主義が常に進歩と野蛮の両方を併せ持つにしても、両者の質的あり方や量的割合は多様でありうること、すなわち最も野蛮な形態からより人道的な形態までさまざまでありうるのであり、労働者および被抑圧民族の闘争を通じて、前者から後者へと変えることは、資本主義のシステムの内部でも十分に可能であるということである。

たとえば、新社会の物質的条件をつくり出すうえで、大量の過労死をもたらすような無制限の労働者搾取しかありえないわけではない。労働日の制限を通じて、よりましな資本主義に変革することは可能であり[*10]、そのような資本主義こそが新社会の本来の物質的条件を可能とするのである。つまり、資本主義はそれ自身の自由に委ねられる場合には、新社会のための物質的条件を（先進国の内部であれ周辺国においてであれ）、最も貧弱で最も歪んだ形でしか準備しないのであり、ただ労働者と被抑圧民族の闘争の結果としてのみ、資本主義はよりまともな物質的条件を成立させることができるのである。そして、そのような部分的勝利とそれをめざす階級闘争を通じて、労働者階級の変革能力もまたしだいに陶冶されていくのであり、それこそが新社会のためのより高度な主体的条件になるのだ。このようにマルクスは考えるようになったのである。過剰搾取と窮乏化の一方的進行から労働者階級の爆発的な革命的決起を期待していた前期マルクスの認識からの、これは重大な変化である。

それと同じく、資本主義が周辺国に導入されるあり方は、イギリス帝国がインドや中国に対して行なったような恥知らずな植民地主義的方法しかなかったわけではない。むしろイギリスはインド支配を効率的に行なうために、インドにおける封建的支配関係を強化することさえしている。野蛮な植民地主義は、その国にきわめて歪んだ、半封建的な資本主義しかもたらさない。植民地主義に対する被抑圧民族の闘い（そしてこの闘いは、帝国主義が後進国に持ち込む資本主義から形成された労働者階級によって担われて初めて真に本格的なものになる）こそが、先に述べたように主体的条件を成立させるというだけでなく、植民地諸国における物質的諸条件をもよりまともなものにするのである。[*11]

したがって、マルクスは基本的に、資本主義における「進歩と野蛮の弁証法」という基本的立場を堅持しつつも、その力点を変えるとともに、その弁証法の具体的なありようへの認識を深めた。この二つの変化が相互に関連していることは明らかである。物質的・主体的諸条件をつくり出す方法が一定の幅を持った多様なものである以上、イギリス帝国の実際の支配の仕方に対して、その（現在の）野蛮性の批判に力点が置かれるようになるのも当然である。マルクスのこの批判は、新社会の物質的条件の準備という資本主義の歴史的「進歩性」を否定するものではなく、その反対に、それが真の準備、真の物質的条件の形成となるための集団的努力の一部をなすのである。

マルクス晩年のロシア論の意味

最後に一つだけ追加しておくと、マルクスは最晩年になると、そのロシア認識の変化に見られるように、東方世界に関しては、そもそも資本主義をかの地にもたらすことが不可避であるかどうか（あるいはそもそもそれが進歩性を持っているかどうか）にさえ疑問を呈するようになっている。これも、新社会のための物質的・主体的諸条件をつくり出す方法は多様であるという認識の発展の延長上に位置づけることができる。

マルクスは最晩年、ロシアのミール共同体（農村共同体）はそのままでは共産主義の前提にはならないが、ロシアの（ブルジョア民主主義）革命が、すでに新社会の（物質的・主体的）前提条件をつくりだしているヨーロッパにおける（プロレタリア社会主義）革命によって補完されるならば、ロシアの農村共同体は共産主義の出発点になりうると考えるようになった（ザスーリチへの手紙や一八八二年ロシア語版『共産党宣言』の序文など）。

私の考えでは、これは多様性の範囲を広げすぎた誤った推論であった。現実のロシアの発展過程はそのような予想を裏切り、一九〇〇年代初頭にはすでに一〇〇〇万人もの労働者を生み出すまでにロシアにおいて資本主義を定着・発展させた（この一〇〇〇万人という数は、『資本論』執筆当時の最も発達した資本主義国であったイギリスの労働者の数と同等かそれを上回る）。そして、この膨大で、そして同時代のヨーロッパ以上に大工場に集中的に組織された労働者こそが一九〇五年と一九一七年のロシア革命を担うことになるのである。[*12]

結局、ロシアの民主主義的・社会主義的変革は、ロシアの革命的インテリ（ナロードニキ）にもヨーロッパの労働者によっても代行することはできないのであって、ロシアの労働者階級（とその同盟者である農民）によって主体的に遂行されなければならないし、それ以外ではありえない。これは「労働者階級の解放は労働者階級自身の事業である」というマルクスとエンゲルスの若いころからの根本思想にかかわる原則であって、多様性の幅をいかに広げようと、この原則を侵犯することはできない。とくにロシアのような大国にあってはなおさらである。

とはいえ、これも単純な転換なのではなく[*13]、一八五〇年代以降に徐々に生じていた、新社会のための物質的・主体的諸条件の創出の仕方は多様でありうるというマルクスの認識の進展の（この場合はいささか行きすぎた）結果であったと考えるべきである。

（二〇二〇年九月七日）

注

＊1 https://jacobinmag.com/2019/01/karl-marx-anti-colonialism-ernest-jones 翻訳は以下。http://www.ibunsha.co.jp/contents/drapeau01/

＊2 同じような単純な見方は、ケヴィン・アンダーソンにも見出せる。ケヴィン・アンダーソン『周縁のマルクス――ナショナリズム、エスニシティおよび非西洋社会について』社会評論社、二〇一五年、三六頁。

＊3 マルクス&エンゲルス「ポーランドに関する演説」、邦訳『マルクス・エンゲルス全集』第四巻、大月書店、四三一頁。

＊4 「激しやすく熱烈なアイルランド人気質が、平静で、忍耐強く、理性的なイギリス人の気質と入り混じることは、結局は双方にとってよいことで、不利益なことは少しもない。もしも浪費的といっていいほど気まえがよく、ひどく感情に支配されやすいアイルランド人的性向がやってきて、一面では人種の混合によって、他面では日常の交際によって、

分別くさい冷静なイギリス人の性格をやわらげなかったならば、おそらくイギリス・ブルジョアジーの冷酷な利己主義は、今よりはるかに多く労働者階級のあいだに残っていたことであろう」(エンゲルス「イギリスにおける労働者階級の状態」、邦訳『マルクス・エンゲルス全集』第二巻、三五六頁)。

＊5 マルクス「哲学の貧困」、邦訳『マルクス・エンゲルス全集』第四巻、一三五頁。アメリカの奴隷制に対するマルクス認識を論じたものとして、以下を参照。Kevin B. Anderson, What Marx Understood About Slavery, *Jacobin*, 5 September 2019, https://www.jacobinmag.com/2019/09/slavery-united-states-civil-war-marx

＊6 マルクス「イギリスのインド支配の将来の結果」、邦訳『マルクス・エンゲルス全集』第九巻、二一七頁。

＊7 同前、二一七〜二一八頁。

＊8 マルクス「哲学の貧困」、邦訳『マルクス・エンゲルス全集』第四巻、八九〜九〇頁。

＊9 多くの箇所が引用可能だが、たとえば、イギリス帝国の中国侵略に対する中国人民の闘争について書いた一八五七年の論文の以下の箇所を参照せよ。マルクス「ペルシアと中国」、邦訳『マルクス・エンゲルス全集』第一二巻、二〇一〜二〇二頁。

＊10 もちろんそれは永遠に続くわけではなく、資本主義は野蛮へと絶えず逆戻りしようとする。この点については、本書の第2章を参照。

＊11 言うまでもなく、一九一七年の十月革命の成功とそれによるソヴィエト労働者国家の成立は、こうした被抑圧民族(とその中の労働者)の闘争が永続革命の軌道をたどることを可能にした。

＊12 この論点に関して、以下の拙書を参照。森田成也『「資本論」とロシア革命』柘植書房新社、二〇一九年。また以下も参照。森田成也「永続革命としてのロシア革命」Ⅲ、『トロツキー研究』第七一号、二〇一八年。

＊13 もちろん、マルクスのロシア認識に限定すれば、これは大きな転換であった。この点につき、以下の拙論を参照。「『資本論』とロシア革命における経済法則と階級闘争」、前掲『「資本論」とロシア革命』所収。

第3章

『共産党宣言』と現代世界

——疫病、グローバリゼーション、永続革命

【解題】本稿は、二〇二〇年八月一八日にＡＴＴＡＣ Ｊａｐａｎ主催の学習会で行なった講演に加筆修正をしたものである。本書が初出。当初は対面式で四月に開催される予定だったが、コロナパンデミックのせいで開催できなくなり、八月になってからオンラインで開催された。当初、「4」は単なる補論として話さない予定だったが、今回、改めて「4」の部分を書き下ろして収録しておいた。

なお、この講演の「1、マルクス&エンゲルスと疫病の政治経済学」は、後に、独立論文の体裁に修正したうえで、『科学的社会主義』二〇二〇年一〇月号の「エンゲルス生誕二〇〇周年」特集に「マルクスの先導者としてのエンゲルス――疫病、都市、住宅」として寄稿した。この章でも、「共産主義の原理」と『共産党宣言』からの引用はすべて、光文社古典新訳文庫版からのものであり、簡略化のために頁数のみを記載する。

はじめに――四つのテーマ、二つのポイント

今日の講演は、コロナパンデミックのせいで、対面式ではなく、インターネットを使ったオンラインでの開催になりました。このような形式は、遠方の人も参加できるというメリットがあるものの、長時間にわたって画面をずっと見ているのはかなり大変だという声があり、休憩を入れながら、ある程度独立した四つのテーマで話すことにします。すなわち、「1、マルクス&エンゲルスと疫病の政治経済学」、「2、『共産党宣言』と資本のグローバリゼーション」、「3、『共産党宣言』と三つの永続革命論」、「4、『共産党宣

言』と「プロレタリアートの変革能力」の四つです。

本論に入る前に、今日の講演の全体を貫く二つのポイントについてご説明します。まず一つ目ですが、光文社古典新訳文庫の『共産党宣言』には、「共産主義の原理」と『共産党宣言』の二つがセットで入っています。「共産主義の原理」というのは、二人が属していた共産主義者同盟の綱領として最初エンゲルスが書いたものであり、マルクスはそれを最も重要な材料にして、『共産党宣言』を執筆しました。ですから、『共産党宣言』自体はマルクスが書いているのですが、エンゲルスの「共産主義の原理」を下敷きにして書いているので、マルクスとエンゲルスの両名が執筆者とされています。しかしながら、書いたのはマルクスですから、『共産党宣言』と「共産主義の原理」とのあいだにはいろいろと相違があります。基本線としての論旨は同じなのですが、細部においては微妙な差異があります。この差異をまずは話の「横糸」にしてお話しします。

それにプラスして二つ目のポイントですが、昨今では、マルクスと現代について語る場合、マルクスのあれこれの記述から、途中の歴史をすっ飛ばして、いきなり現代の話をするというパターンが数多く見られます。しかし、マルクスと現在とを直結させることはあまりにも歴史を無視するものですので、マルクス&エンゲルス以降の歴史や理論の発展というものを媒介項にして、それとつなげつつ現代の問題に至るというように話していきます。つまりいわば、そうした歴史と理論の発展というものを話の「縦糸」にして、『共産党宣言』の現代的意義を探っていきたいと思います。

1、マルクス&エンゲルスと疫病の政治経済学

ATTACの今回の企画の紹介文にも新型コロナウイルスの話が書かれていましたし、現時点ですでに世界で二〇〇〇万人以上の感染者が出て、八〇万人近い死者が出ているわけですから（二〇二〇年八月一七日時点）[*1]、最初の切り口として、やはりこの問題を最初のテーマにしました。

近代的疫病の三つの条件と「原理」と『宣言』

実を言うと、『共産党宣言』にも「共産主義の原理」にも疫病ないし伝染病の話は出てきません。ただし、『共産党宣言』に、資本主義社会（ブルジョア社会）における恐慌というのは「社会的疫病」であると表現している部分があり（六四頁）、当時において疫病というものがいかに恐ろしいものであると認識されていたかがわかります。[*2]そしてそれを比喩にして恐慌の恐ろしさ、その野蛮さを強調しているわけです。

しかし、当時は非常に伝染病が流行っていて、そのことがマルクスとエンゲルスの文献にも、とりわけエンゲルスの文献に強く反映しています。そして実は、このことが「共産主義の原理」と『共産党宣言』との微妙な差異という話に関連しています。近代的疫病がどのように発生し蔓延したかというと、そこには三つの根本的条件がありました。

一つ目は産業革命です。産業革命によって作り出された、大気の汚染、飲み水の汚染、汚水や有毒物の垂れ流しによる川や土壌の汚染、あるいはきわめて有害で密閉された労働環境、こうしたものがまずもって疫病の発生と蔓延の条件をつくり出しました。二つ目は、この産業革命によってきわめて無計画で無政

府的な形で近代的な大都市群が形成されたことです。大規模な工場群が無秩序に狭い都市空間に林立し、その周囲にそこで働く労働者やその家族が住み着くようになり、これらの需要を目当てにした商人たちも住み着くようになります。このような近代的な大都市、膨大な数の人々が特定の場所に集中して住むようになったという環境が、近代的疫病が蔓延するもう一つの条件になっています。三つ目は、今の言葉で言うなら、「三密」できわめて不衛生な労働者住宅です。都市へと殺到した労働者たちは、まともな住宅に住むことができず、後で見るようなきわめて劣悪な住宅にぎゅうぎゅう詰めにされることになったのです。

この三つが近代的疫病の重大な原因になっているわけですけれども、この三つについて「共産主義の原理」ではすべて書かれています。「産業革命」という言葉自体が一二回登場していますし、二六頁に大都市の形成の話が出てきています。さらに三七頁に、革命の過渡的措置について項目ごとに列挙している箇所があるのですが、その中に、これも後で見ますが、住宅問題の項目が二つ含まれています。

しかしながら、『共産党宣言』にはこれらのことについてほとんど書かれていません。そもそも「産業革命」という言葉自体が登場しません。もちろん近代ブルジョア階級が大工場や機械制大工業をつくり出し、巨大な生産力を生み出したという話はちゃんと書かれているのですが、「産業革命」という言葉自体は登場していないのです。エンゲルスが非常に多用したのに対して、『共産党宣言』でのマルクスはそういう言葉を使っていません。これはかなり特徴的な相違ではないかと思います。

さらに、大都市の形成についてですが、これはさすがに『共産党宣言』に書いてありますが（六二頁）、これは資本の観点からのみ書かれています。「資本の観点からのみ」というのがどういう意味なのかについては、引用を実際検討するときにお話しします。住宅問題についてはどうかと言うと、マルクスは『共産党宣言』で、エンゲルスの一二項目を一〇項目にまとめたときに、この住宅に関わる叙述をすべて削っています。

以上の点を実際の引用文で確認しておきたいと思います。まず、最後の住宅問題から見ておきましょう。「共産主義の原理」の中でエンゲルスはプロレタリア革命における過渡的要求の九番目と一〇番目に次のように記しています。

九、市民のさまざまな自治団体のための共同の居住施設として国有地に大規模な住宅群を建設すること。これらの自治団体は工業だけでなく農業も経営し、都市生活と農村生活のそれぞれの長所を結びつけ、両生活様式に見られる一面性と不利益とを免れるようにする。

一〇、不衛生で不適切に建設されたあらゆる住宅と居住区を取り壊すこと。(三七頁)

このようにエンゲルスは「共産主義の原理」の項目の九番目で、取るべき過渡的措置の一つとして、「市民のさまざまな自治団体のための共同の居住施設」として、「国有地に大規模な住宅群を建設すること」を提起しています。さらに一〇番目に「不衛生で不適切に建設されたあらゆる住宅と居住区を取り壊すこと」を掲げています。この「不衛生な住宅」こそ伝染病の源泉の一つになっていたわけです。しかしブルジョアジーはただそれを破壊するだけで、住宅を失った労働者は結局、他の場所で、同じように不衛生な住宅街(ドヤ街)を形成せざるをえないし、しかもいっそう貧困で惨めな条件の下で、そうせざるをえませんから、何の解決にもなりません。

エンゲルスは、「共産主義の原理」で、国有地にちゃんとした衛生的な住宅を計画的かつ大規模に建設することを求めており、それとセットで、既存の不衛生で貧弱な住宅を撤去するという過渡的措置を提起しているわけです。しかし、『共産党宣言』はどうかと言いますと、先ほど述べたように、この二つの項目はどちらも取り除かれています。しかも、「共産主義の原理」の「九」の後半にあった「これらの自治団体は工業だけでなく農業も経営し、都市生活と農村生活のそれぞれの長所を結びつけ、両生活様式に見られる一面性と不利益とを免れるようにする」という部分は、少し表現を変えて『共産党宣言』にも記述されているのに、住宅に関する部分だけ除かれているのです。理由は定かではありませんが、細かすぎる要求だと考えたのかもしれません。いずれにせよ、マルクスにとっては労働者の住宅問題は、「子どもへの無償教育」の要求よりも緊急性の低いものとみなされていたことになります。

次に大都市についてですが、たしかにマルクスは『共産党宣言』で大都市の形成について述べているけれども、それは資本の観点からのみだと先ほど言いました。その点を引用文で確認しておきましょう。まず「共産主義の原理」の方から見ていきます。

> 産業革命はブルジョアもプロレタリアも大都市に密集させ——工業は大都市において最も儲けの上がる商売ができる——、そして膨大な大衆をこのように一つの場所に集合させることを通じて、プロレタリアに自分たちの強さを意識させる。（二一六頁）

このようにエンゲルスは、産業革命によって大都市が形成されるという話に続いて、「膨大な大衆をこのように一つの場所に集合させることを通じて、プロレタリアに自分たちの強さを意識させる」と書いています。つまり、大都市の形成こそが労働者階級の階級的団結と自覚化の最も重大な地理的条件であって、都市こそがプロレタリアートの階級闘争の舞台であるということです。では『共産党宣言』はどうかというと、以下のようになっています。

ブルジョアジーは農村を都市の支配に従わせた。彼らは巨大都市をつくり出し、都市の人口を農村よりもはるかに増大させ、住民のかなりの部分を農村生活の蒙昧さから引きずり出した。農村を都市に依存させ……た。（六二頁）

このように、『共産党宣言』には、ブルジョアジーが「巨大都市をつくり出し」たという話はありますが、それがプロレタリアートに自分たちの強さを意識させるというような、プロレタリアートの観点から都市を捉えなおすという視点はありません。ただし、それとよく似た文章は存在します。たとえば以下の箇所です。

工業の発展とともにプロレタリアの人数が増えるだけではない。彼らは巨大な集合体へと結合し、その力は増大し、ますますそれを自覚するようになる。（六八〜六九頁）

しかしながら、この「巨大な集合体」の地理的結節点となる大都市についてては直接触れられていないので、ここでは大工場に集積された労働者のことを言っているようにも読めます。

エンゲルス『労働者階級の状態』における都市、住宅、伝染病

このような差はどこから来るのか。実を言うと、エンゲルスは「共産主義の原理」を書く以前に、『イギリスにおける労働者階級の状態』という大部の著作を一八四四年から四五年にかけて書いていて、その中に「大都市」という章がまるまる一つ置かれています。そしてその中で、都市がプロレタリアートの階級的団結と闘争の生誕地であること、[*3]不衛生で三密状態の労働者住宅の悲惨な状況、そしてそれが原因となって伝染病が労働者の中で広がったということについて非常に詳しく書かれています。まさに、伝染病の蔓延というのは、エンゲルスが『労働者階級の状態』の中で明らかにした労働者の悲惨な状況の非常に重要な一部をなすものでした。

ちなみに、マイク・デイヴィスというアメリカの優れた学者で労働者出身のマルクス主義者がいるんですが、その彼が最近『マルクス　古き神々と新しき謎』という著作を書いて、その翻訳がつい最近出ましたけれども、その中でもデイヴィスは、エンゲルスが『労働者階級の状態』の中で大都市論を詳細に検討したことを非常に高く評価し、その一方でマルクスには都市論が皆無だと述べています。[*4]そういう意味では、エンゲルスが『労働者階級の状態』の中で、詳しく都市論、労働者の住宅、そして疫病の問題を書いたというのは、非常に先見の明があったし、すぐれた業績だと思います。

その点を示すいくつかの文章を紹介します。この問題に関するエンゲルスの叙述はあまりにも膨大なので、紹介するのはごく一部です。たとえば、当時の労働者住宅がどれほど「三密」であったか、そしてそ

れがいかに伝染病の温床になったかについて、エンゲルスは、当時の政府委員としてグラスゴーに関する報告書を書いたサイモンズの次の記述を引用しています。

これらの家は、文字どおり居住者でいっぱいになっており、三つないし四つの家族——おそらく二〇人もの人間——を各階に収容している。そして各階が宿泊所に賃貸しされることもあるので、一五人ないし二〇人もの人間がたった一室に重なりあって詰めこまれるが、これを宿泊などとはとうてい言えるものではない。これらの地域は、……あの恐ろしい熱病性伝染病の源泉と考えるべきで、ここから発生した伝染病が広がって、全グラスゴー市を荒廃させてしまうのである。[*5]

つまり一つの家に一つの家族ではなく、三つ、四つの家族が詰め込まれているわけです。当時、イギリスの工業地帯では、急速に工業化されて膨大な労働者が農村からどっと押し寄せたわけですから、貧困な労働者街ではとうてい住宅が足りなくて、このように複数の家族が一つの家に住むということがよくありました。このような究極の三密状態とそれが伝染病蔓延の源泉になっていることについて、エンゲルスはこの著作のあちこちで繰り返し述べています。たとえば以下の箇所です。

労働者の生活している境遇のことを思い起こすなら、また労働者の住宅がどんなに密集しているか、あらゆる片隅にどれほどたくさんの人間が詰めこまれているか、病人と健康な者がどのように同じ一つの部屋、同じ一つの寝床に寝るか、ということを考えてみるならば、それこそ、この熱病のような伝染病がもっと広く蔓延しないことのほうが、むしろ不思議に思われるだろう。[*6]

さらに貧しい労働者はしばしば、地上に建てられた家ではなく、薄暗く風通しの悪い地下室に住んでいるパターンも頻繁に見られました。たとえば、エンゲルスはリヴァプールにおける次のような状態について報告しています。

リヴァプールも、そのすばらしい商業や、美観や、富裕にもかかわらず、その労働者の扱い方は同じように野蛮である。その人口のまるまる五分一、すなわち四万五〇〇〇人以上の人たちが、狭くて薄暗く、じめじめした、風通しの悪い地下室に住んでいる。このような地下室は、この都市に七八六二もある。[*7]

マルクスも『賃労働と資本』の中で、イギリスの労働者は「地階の住居」に住んでいると書いています。[*8]この文字通りの「三密」状態の中から、さまざまな伝染病が広がることになります。当時の伝染病としては、天然痘、肺結核、チフス、猩紅熱、コレラ、等々ですが、こうしたさまざまな伝染病がこうした不潔で三密な労働者街を中心に広がっていくわけです。当時の死亡率ですが、これもエンゲルスが特定の地域に限定してですが、いくつか記録しています。たとえば、一八四三年のグラスゴーにおけるチフスの蔓延がもたらしたきわめて高い死亡率について、次のように報告しています。

病気の激烈さという点では、一八四二年の恐慌後のチフスの発生にくらべると、それ以前のあらゆる時期のそれは、まるで、児戯に類するようにみえる。全スコットランドのすべての貧民の六分の一が熱病にかかり、この病気は放浪する乞食によって急速に各地に広がった。熱病は社会の中流および上流階級には広がらなかった。二カ月のうちに、それ以前の一二年間に発生したよりも多くの熱病患者が出た。グラスゴーでは、一八四三年に人口の一二%、すなわち三万二〇〇〇人が熱病にかかり、そのうちの三二%が死亡した。[*9]

現在の新型コロナウイルスの死亡率が一~三%であることを考えると、この死亡率三割というのは実にすさまじい数字です。そのような状況が各地に存在し、しかも頻繁にあったわけです。当時エンゲルスが、労働者階級がいつまでも悲惨な状態に甘んじているはずがなく、必ずや反乱と革命に立ち上がるだろうと考えた重要な根拠の一つが、まさにこの伝染病の蔓延だったと言えるのではないでしょうか。

新型コロナウイルスの感染爆発のおかげで、「世界史を変えた伝染病」みたいなテーマの記事や著作がいろいろと出ていますが、その関連で言うと、一九世紀初頭において、産業革命によって生み出された疫病の蔓延は、恐慌という社会的疫病と並んで、エンゲルスやマルクスに対して革命的に作用し、資本主義がこのままやっていけるはずがないとの確信を抱かせ、早期のプロレタリア革命という展望を抱かせたと言うことができるかもしれません。

ではマルクスはどうだったかというと、すでに述べたように『共産党宣言』にはそうした議論はありませんし、同時期の他の諸著作にもありません。やはり、イギリスの主要な諸都市を丹念に歩いて調査したエンゲルスと違って、マルクスは、エンゲルスとともにイギリス視察旅行をしたことはあるのですが、エンゲルスほど丹念にやったわけではないということがあるでしょう。

しかしマルクスも、いつまでもそうした問題に対する詳細な分析をしなかったかというと、実はそうではなく、『資本論』になりますと、その点で大きな変化が見られます。『資本論』第一巻の「資本の蓄積過程」編に「第二三章第五節　資本主義的蓄積の一般的法則の例解」という節があります。これは非常に興味深い（そしてきわめて長い）節ですが、資本主義的蓄積の結果としてもたらされるさまざまな具体的事実の列挙や資料の引用が大量にあるだけであるように見えるので、理論志向の研究者というのは、だいたいこういう箇所にはあまり興味を持ちませんし、理論的に深めません。学者というのは、価値形態論とか物神性論のような抽象的な理論的分析には大いに関心を寄せ、熱心に論じますが、こういう生きた具体的な現実分析にはあまり関心を寄せません。しかし、この部分をよくよく読みますと、多くの興味深い問題、とりわけ、これまでマルクスが十分に論じてこなかった都市論、労働者の住宅問題、そして伝染病の問題などが、相当詳しく論じられていることがわかります。

この点で言いますと、さっき紹介した『マルクス　古き神々と新しき謎』の中でデイヴィスは、マルクスは「住宅危機」についてほとんど論じていないとも言っているんですが[*10]、彼は『資本論』第一巻第二三章第五節を読んでいないのではないか、あるいは以前読んだけどほとんど忘れてしまったのではないかと思われます。というのも、同節を読みますと、労働者の住宅問題の深刻さ（住宅危機）について延々と何頁にも渡って論じているからです。マルクスがこれらの問題についてこの「例解」であれほど詳しく論じたのは、明らかにエンゲルスから学んだ結果であり、またエンゲルスが『労働者階級の状態』で解明したことを、その後の資料で補うものでもありました。

この問題については、私は実は数年前に、『ラディカルに学ぶ「資本論」』（柘植書房新社、二〇一六年）の第六章において、マルクスが『資本論』を仕上げていく過程で、エンゲルスの『イギリスにおける労働者階級の状態』を何度か読み返していて、そのことが『資本論』を単に抽象的な理論書にとどまらせず、具体的な現実に関する詳細な叙述によって豊かに肉付けしていく方向をとらせたのだという議論をしましたが、この住宅問題にしても、また伝染病の問題にしても、この命題が当てはまるのではないかと思います。念のため、最も特徴的な部分だけ引用しておきます。マルクスは「例解」の中で労働者の住宅危機の問題について論じ始める冒頭で次のように述べています。

最も勤勉な労働者層の飢餓的苦痛と、資本主義的蓄積にもとづく富者の粗野ないし優美な奢侈的消費との内的な関連は、経済的諸法則を知ることによってはじめて明らかにされる。住居の状態についてはそうではない。偏見のない観察者ならば誰でも認めるように、生産手段の集中が大量であればあるほど、それに応じて同じ空間での労働者の密集もますますはなはだしく、したがって、資本主義的蓄積が急速であればあるほど、労働者の住居の状態はますますみじめになる。富の進展に伴って、不良建築地区の取り払い、銀行や大商店などの巨大な建造物の建築、取引上の往来やぜいたくな馬車のための道路の拡張、鉄道馬車の開設、等々による諸都市の「改良」（現代の言葉で言えばジェントリフィケーション！」が行なわれ、そのために目に見えて貧民はますます悪い、ますますぎっしり詰まった片すみに追いやられる。……資本主義的蓄積の、したがってまた資本主義的所有関係一般の敵対的な性格は、ここではあまりにも明白であ……る。[*11]

この叙述の中で労働者住宅の貧弱さと「三密」ぶりがはっきりと指摘されています。そして、この文章に続いて、伝染病の問題にも触れられています。

> 産業の発達や資本の蓄積や都市の成長と「美化」とに伴って同じ勢いで弊害もまた大きくなってきたので、どんな「名声」にも遠慮しない伝染病に対する恐怖だけからでも、一八四七年から一八六四年までに両手の指でも足りないほどの保健所関係の法律が生み出され、また、リヴァプールやグラスゴーなどのようないくつかの都市では、不安に駆られたブルジョアジーはそれぞれの市当局を通じて干渉した。[*12]

以上の引用はあくまでも一例であって、その先もかなりの頁に渡って労働者の住宅問題の深刻さと伝染病のことが論じられています。紙幅の都合上、追加として一つだけ紹介しておきます。労働移動民について述べた個所で、マルクスはこれらの移動民が同時に伝染病を広げる役割も果たしたことを次のように述べています。

移動労働はいろいろな建築工事や排水工事や煉瓦製造や石灰焼や鉄道建設などに利用される。それは疫病の遊撃隊で、それが陣を敷く場所の近隣に天然痘やチフスやコレラや猩紅熱などを持ち込んでくる。[*13]

このような移動労働者が一時的に住む家屋は、定住労働者の場合よりもさらに悲惨であって、マルクスは先の文章に続けてこう述べています。

鉄道建設などのような投資額の大きい企業では、たいていは企業者自身が自分の軍隊に木造小屋の類をあてがうのだが、それは衛生設備など何もない急造の部落であって、これには地方官庁の取締りも及ばず、請負人のだんなには非常に有利なもので、彼は労働者たちを産業兵士として搾取すると同時に、借家人としても二重に搾取するのである。木造小屋に穴部屋が一つあるか二つあるか三つあるかによって、借家人の土方たちは毎週二シリングか三シリングか四シリングかを支払わなければならない。[*14]

この「二重の搾取」論は理論的にも重要で、資本家は生産過程で搾取するだけでなく、労働者の生活過程においても、このような劣悪な住居をあてがい（これは一種の空間的搾取）、そこでの家賃収奪を通じても労働者を搾取するのです。

第一次世界大戦におけるスペイン風邪の蔓延

さて以上は「横糸」の話でした。ここから「縦糸」の話になります。一気に話は第一次世界大戦に飛びます。当時、戦争の真っただ中でスペイン風邪と呼ばれるインフルエンザが猛威を振るい、世界中で二〇〇〇万人とも五〇〇〇万人とも言える人々を死に追いやりましたが、その発生と蔓延の温床になったのは総力戦としての世界戦争と総動員された巨大な軍隊でした。第一次世界大戦において戦闘の主要な形態となったのは塹壕戦と呼ばれるものでした。フランスとドイツのあいだで、両国の軍事力や経済力は非常に拮抗していたため、最初の時期の華々しい戦闘と前線の激しい移動の後に、前線が長期に渡って停滞し、両国がそれぞれ深く塹壕を延々と何十キロにわたって掘って、その薄暗くジメジメした風通しの悪い地下の穴の中で、何ヶ月も膨大な数の兵士たちが過ごすという事態になりました。もちろん衛生的で清潔なトイレなど作れるはずもなく、ウルトラ三密でウルトラ不衛生のもとですごすわけです。そうした環境の下でインフルエンザが発生し、またたくまに蔓延し、次々と兵士が倒れていきました。物資も医療も不足しているもとでそういうことが起こるわけですから、当然、死亡率は非常に高くなります。戦闘で死ぬより、伝染病で死ぬ兵士の方が多かったとも言われています。そして、この疫病は、軍隊や兵士の移動、兵士の除隊による帰郷などを通じて、世界各地に広がっていきました。

ところが戦争中ですから、自国の兵士がバタバタと病気で倒れて戦力になりませんなんてことを公表することはできません。自国にとって不利な情報を敵に流すことになりますから、機密扱いされ、隠蔽されました。このことによっていっそうインフルエンザは広がっていきました。当時、スペインは中立国だったので、ついにインフルエンザがスペインにまで蔓延したときに、この恐るべき感染症のことを国際的に公表し報告したせいで、「スペイン風邪」というとんでもなくミスリーディングな名前を与えられました。おかげで、今日でも、よく事情を知らない多くの人は、スペイン風邪というのはスペイン発祥の感染症だと誤解しています。

いずれにせよ、交戦各国がこの恐るべき病気のことを隠ぺいしたために、その実態は戦争が終わるまで人々に広く知られないままでした。ここからは私の単なる予測ですが、もし当時、戦争中にこのスペイン風邪の恐るべき実態が十分に各国の国民に知られていたなら、ドイツ軍兵士は、戦争が敗北で終わった一九一八年秋になってからようやく反乱を起こすのではなく、もっと早く反乱を起こしたのではないかと思います。誰も、きわめて死亡率の高いインフルエンザが猖獗を極めている戦場に行きたいとは思わないでしょうから。戦闘で死ぬのなら祖国防衛や愛国心でもって正当化することができても、なすすべなくただ伝染病でばたばたと兵士が死んでいっている場所に誰が行こうとするでしょうか？　そして、もしドイツ軍兵士がもっと早く反乱に立ち上がっていたなら、ボリシェヴィキ政権に対する国際的支援がもっと早くやって来たかもしれません。

スペイン風邪が第一次世界大戦の終結を早めたと言われていますが、これは非常に一面的な判断だと思います。この種の議論は「兵士の反乱」という決定的な要素を無視しています。スペイン風邪の実態が隠蔽されたことで、第一次世界大戦は長引いたのであり、もしその実態がもっと早期に知らされていたら、ドイツ軍兵士はもっと早く反乱に立ち上がり、歴史を大きく変える結果になったでしょう。第一次大戦の終結が遅れたおかげで、一九一八年に革命ロシアにやって来たのは革命ヨーロッパの支援ではなく、帝国主義ヨーロッパの軍事干渉でした。そしてこの干渉軍とともにスペイン風邪もロシアに持ち込まれ、ただでさえ荒廃した国土と住民をいっそう苦しめたのです。

さて、第一次世界大戦が終わると、ロシア革命の巨大なインパクトのもとで、ヨーロッパ各地で革命的反乱が起こります。イギリスのゼネストからイタリアの工場占拠に至るまで、文字通りヨーロッパは数年にわたる革命的動乱期に入りました。この時期、ボリシェヴィキは、内戦の厳しい状況の中でも、新しいインターナショナル、第三インターナショナル（コミンテルン）の創設に向けて動き出します。一九一九年三月に第一回大会が開かれますが、この時点ではすでに伝染病のことが知られていたので、この第一回大会で採択された、トロツキー起草の「世界の労働者への共産主義インターナショナルの宣言」には、伝染病のこともきちんと出てきます。

戦争の結果、人類は飢えの苦しみ、寒さによる疲労、伝染病、道徳的野蛮状態という形で資本主義制度の矛盾に直面した。このことは、窮乏化論や資本主義から社会主義への漸進的移行の理論について社会主義運動の内部で続けられていたアカデミックな論争を一挙に解決した。[*15]

このコミンテルンの宣言は、いわば二〇世紀の『共産党宣言』とも言うべき文書ですが、その中で伝染病の問題が入っているということは注目すべきことではないかと思います。

新自由主義的グローバリゼーションと現代の感染症

ここから一気に現代の感染症へと話が飛びますが、すでに最初のテーマに与えられた時間がつきかけていますので、ごく簡単に述べます。

新型コロナウイルスの発生と蔓延は、いわば中国やブラジルなどの新興産業国家の急速な都市化の過程(一九世紀のイギリスにおける都市化の高次復活)と、先進諸国を中心とする現代的な新自由主義的グローバリゼーションの結合が生んだ現象であると思われます。最初のパンデミック地点である武漢は典型的な新興大都市であり、そこでの急速な都市化の結果として野生動物から人間に感染した新型コロナウイルスが、現代のグローバルな経済活動や観光産業を通じてまたたくまに世界中に広がりました。

そして、先進諸国においては新自由主義の四〇年間のせいで、医療や病院の体制がきわめて脆弱になっており、そのことが高齢化社会とも結びついてきわめて高い死亡率をもたらしました。それでも多くの国はロックダウンなどの非常措置を積極的にとることで、おおむね六〜七月には収束に近い状態に持って行くことができましたが(もっとも、その後再び感染が広がっている)、政権の性格がとくに新自由主義的で、経済活動優先主義的で、権威主義的であったアメリカやブラジルやインドでは収束するどころか、ますます多くの感染者と死者を大量に生み出す結果になっています。

他方で、中国は、最初に大規模な感染者を出したにもかかわらず、国家の巨大な力を計画的かつきわめて速やかに動員することによって早期に制圧することに成功しました。今なお感染者と死者が幾何級数的に増え続けているアメリカとのこの対照性は、二一世紀におけるヘゲモニー国家の交代の徴候をはっきりと示唆するものであったと思います。アメリカは世界的ヘゲモニーを発揮できない代わりに、露骨な中国バッシングをすることで、自分たちの無能さとヘゲモニー喪失をごまかそうとしていますが、それは共和党の岩盤支持者をだませても、歴史をだますことはできません。

2、『共産党宣言』と資本のグローバリゼーション

先ほどの話の最後で、新自由主義的グローバリゼーションが新型コロナウイルスを広げていったという話をしましたが、その流れで、二つ目のテーマである「『共産党宣言』と資本のグローバリゼーション」に入ります。

『共産党宣言』における資本の世界的拡張過程の記述

『共産党宣言』と「共産主義の原理」を読みくらべますと、『共産党宣言』のある特徴が浮かび上がってきます。それは、資本のグローバリゼーション（当時はグローバリゼーションという言葉はなかったので、コスモポリタン化のような表現でしたが）に関する記述が非常に充実していることです。しかもそれが非常に生き生きとした鮮やかな表現になっていて、それが『共産党宣言』の非常に大きな魅力にもなっています。それに対して「共産主義の原理」は、産業革命の話から始まって、それが基本的に各国内の状況をどのように変えていったかという流れになっており、いささか地味です。それが、『共産党宣言』では、ブルジョアジーの萌芽的発生からただちに世界市場の形成過程へと話が進み、それが資本主義の発展を各国で促し、それが世界市場のいっそうの発展へと反作用し、こうして世界が大きくつくり変えられている過程が雄大な筆致で描かれていています。たとえば、「安価な商品という重砲はどんな万里の長城をも打ち破る」（六一頁）とか、「どんな外国人嫌いをも降伏させる」（同）とか、さらには「ブルジョアジーは自分の姿に似せて世

界をつくり出す」（六二頁）とかです。この「ブルジョアジーは自分の姿に似せて世界を作る」というのは、聖書で神様は自分の姿に似せて人間を作ったという叙述のもじりです。

こうした資本の爆発的な拡張過程、これはいわば第一次グローバリゼーションですけれども、その姿が生き生きと描かれており、これが『共産党宣言』の一つの魅力になっています。しかし、これは叙述が魅力的であるというだけではなくて、理論的に重要な論点がそこには含まれています。つまり、『共産党宣言』では世界市場の形成と機械制大工業との関係が複雑な相互作用として描かれているのです。これは、難しく言うと、歴史的因果関係と現実的規定関係との弁証法です。「歴史的因果関係」というのは、歴史的にAという現象があって、そのことを原因としてBが起こり、その結果としてCが起こるという場合、このA→B→Cという連鎖が歴史的因果関係です。しかし、これだけで説明をしてしまうと、歴史的関係が非常に単純化されてしまい、最初のAがいっさいの原因とされてしまいます。しかし、そうした過程を経て現実に成立した諸関係、諸構造の中で、何が全体を規定する役割を果たしているのか、何が全体を動かす原動力になっているのかということは、歴史的な因果連鎖とは区別されなければなりません。

たとえば、日本が近代資本主義的諸関係の中に入った最初のきっかけは、ペリーの黒船が浦賀にやって来たことであり、そこから幕末の疾風怒濤が巻き起こり、江戸幕府の倒壊と明治政府の成立ということになりますが、それだけで歴史を語ると、じゃあペリーの黒船が何らかの事情で来なかったら、たとえばペリーが航海中に病気で死ぬとか、南北戦争がもっと早く始まってアメリカにそんな余裕がなくなるとか、そういう事情が生じていたら日本は資本主義化しなかったのかというと、そうではないですね。歴史的な因果連鎖とは別に、日本を資本主義世界市場に編入することになった物質的で構造的な要因が存在していて（産業資本主義の世界的膨張過程）、それがいずれ日本を資本主義化したことは間違いありません。

「原理」と『宣言』における世界市場と大工業

したがって、歴史的な因果関係と現実的な規定関係とを区別しなければなりません。このことが世界市場と大工業との関係でも言えるわけです。「共産主義の原理」では、両者の関係は、「産業革命（機械制大工業）→世界市場の形成」という単純な因果連鎖になっているのですが、『共産党宣言』では、以下の引用に見られるように、「世界市場の萌芽的形成→マニュファクチュアの成立→世界市場のさらなる発展→機械制大工業の成立→世界市場の物質的基盤の獲得→大工業のさらなる発展→世界市場の爆発的な発展」という複雑で弁証法的な相互作用関係として描かれています。

アメリカ大陸の発見とアフリカ航路の開発は、台頭しつつあったブルジョアジーに新天地を切り開いた。東インドと中国の諸市場、アメリカの植民地化、各植民地との交易、交換手段と商品一般の増大は、商業、海上交通、工業にかつてない巨大な刺激を与え、そのことによって、没落しつつあった封建社会の中に革命的要素を急速に発展させた。

これまでの封建的ないし同業組合的な工業経営は、新しい市場に伴って拡大した需要をもはや満たせなくなった。マニュファクチュアがそれに取って代わった。同業組合の親方たちは工業的中間層〔マニュファクチュア業者〕によって駆逐された。さまざまな同業組合間の分業は個々の作業所内の分業によって姿を消した。

その間にも市場はますます拡大し、需要はうなぎ上りに増大した。マニュファクチュアでさえもはや間に合わなくなった。蒸気と機械が工業生産を変革した。マニュファクチュアに代わって近代大工業が登場し、工業的中間層に代わって、工業的億万長者にして一大工業軍の指揮官である近代ブルジョアが登場した。

大工業は世界市場をつくり出したが、それを準備したのがアメリカの発見だった。世界市場は商業、航海、陸上交通に途方もない発展をもたらした。これはこれで工業の拡大に反作用した。（五六～五七頁）

ここに描かれているように、アメリカ大陸の発見とアフリカ航路の発見がブルジョアジーに新天地を切り開き、それが作り出した部分的な世界市場が巨大な商品需要を生み出し、没落しつつあった封建社会を急速に解体させる役割を果たします。そしてそれは同時に、世界中から富をヨーロッパに集中させることになり、後に『資本論』で本源的蓄積と呼ばれるようになる過程が起こります。その中では単なる交易ではなく、奴隷貿易や略奪などのもっとひどいものも含まれていました。これによって、ヨーロッパにおける当時の同業組合的な小規模生産ではとうてい追いつかなくなって、マニュファクチュアが成立します。これによっていっそう世界市場が拡大する条件が作られるけれども、マニュファクチュアでもやがて爆発的な需要拡大に追いつかなくなって、機械制大工業へと道を譲ることになります。そして、この機械制大工業がはじめて資本主義的世界市場に本当の意味で物質的土台を与えるのであり、世界市場を単なる商品貨幣関係の地理的拡大という表層的な水準を超えて、それを真に永続的で資本主義的なものたらしめるものになるわけです。

だから、『共産党宣言』では「大工業は世界市場をつくり出したが、それを準備したのがアメリカの発見だった」とされ、この世界市場が「商業、航海、陸上交通に途方もない発展をもたらし」、それがまた「工業の拡大に反作用した」という複雑な相互作用として描かれているわけです。つまり、歴史的な因果連鎖の出発点はアメリカ大陸の発見やアフリカ航路の発見だけれども、それにとどまっていたら、それは、そうした市場に依拠しただけの商業資本主義段階の世界市場がつくられただけにとどまったかもしれません。ちょうど、戦国時代の日本にポルトガルやスペインの船がやって来て、原初的グローバリゼーションの最初の波が訪れたけれども、それは何ら日本を資本主義化しなかったし、むしろその後、江戸時代という封建制の爛熟を生んだようにです。

しかし、世界市場の発展がイギリスで機械制大工業を生み出し、世界市場を強固に支える産業資本主義という物質的土台を生み出したからこそ、それは世界をブルジョアジーの姿に似せてつくり変えるような爆発力と持続性が生じたのであり、それに支えられたイギリス帝国もまた持続的に可能になったわけです。したがって、歴史的な因果関係と物質的な規定関係とを区別し、そしてそれを統一的に理解しなければならないわけです。

「共産主義の原理」では、以下のように、出発点がまず産業革命であって、それが世界市場をつくり出すという単層的な関係になっています。

機械労働の結果として工業製品の価格がますます安価になることによって、世界のあらゆる国で、マニュファクチュアの古い制度や手の労働に依拠していた産業が完全に破壊されてしまった。それまで多かれ少なかれ歴史の発展から取り残され、産業がそれまでマニュファクチュアにもとづいていたすべての半未開的な諸国も、その孤立状態から無理やり引きずり出されることとなった。これらの国はイギリス人のより安い諸商品を購入し、それゆえ自国のマニュファクチュア労働者を破滅に追いやった。これまで何千年とまったく進歩のなかった国々、たとえばインドもすっかり変革されてしまい、中国でさえも今や革命へと突き進んでいる。今日、イギリスで発明される一台の新しい機械がわずか一年で中国において何百万もの労働者から糊口を奪うという事態が起こっている。このようにして、大工業は地上のすべての諸国民を相互に結びつけ、あらゆる小規模な地方市場を世界市場にまとめ上げ、あらゆるところで文明と進歩への道を準備した。（二二三〜二二四頁）

この叙述は、『共産党宣言』でも大部分取り入れられていますが、『共産党宣言』ではその前段があって、そもそも機械制大工業（産業革命）の成立以前に世界市場の（萌芽的）形成とそれによる強力な作用があったことが描かれています。しかし「共産主義の原理」にはこの前段がなく、後段だけになっており、物質的な規定関係だけが描かれているわけです。それはけっして間違いではないけれども、『共産党宣言』は、この物質的規定関係と絡み合って歴史的な因果関係も記述されており、世界市場と機械制大工業とのあいだのより複雑な関係が解明されているのです。

このことを強調するのは一つ理由があって、世界システム学派の学者の中に、産業革命のおかげでイギリス帝国がつくられたという古い（マルクス主義的な？）議論は誤りで、帝国の形成が先で、そのおかげでイギリスの産業的成功があったと言う人がいるのですが、[*16] その見解は別に新しくはなく、すでに『共産党宣言』でマルクスが言っていることなのです。しかし、イギリス帝国に物質的基盤を与えてそれを強固な持続的存在にしたのはまぎれもなく産業革命によって可能になった機械制大工業なのであり、歴史的な（表面上の）因果関係とは別に（より深部の）物質的な規定関係を見なければなりません。直接的な歴史的原因ではないからといって、構造的な意味で原因（根拠）ではないということにはならないのです。

以上の『共産党宣言』での認識は、成熟したマルクスが書いた『資本論』でも継承されています。たとえば、以下の数箇所を参考までに引用しておきます。

商品生産と発達した商品流通すなわち商業とは、資本が成立するための歴史的前提をなしている。世界貿易と世界市場とは、一六世紀に資本の近代的生活史を開くのである。[*17]

マニュファクチュア時代に社会的分業のための豊富な材料を供給したのは世界市場の拡大と植民制度であって、これらはマニュファクチュア時代の一般的な存在条件に属する。[*18]

家内的副業をともなう小農業や都市の手工業を、フーリエの言葉を借りて言えば、その主軸としていた社会の交通・運輸機関は、拡大された社会的分業や労働手段と労働者との集積や植民地市場をもつマニュファクチュア時代の生産上の要求に応ずることはもはやまったくできなかったし、したがってまた実際に変革されもしたのであるが、同様に、マニュファクチュア時代から伝えられた運輸・交通機関もまた、生産の激烈な速度や巨大な規模や大量の資本と労働者との一生産部面から他の生産部面への不断の投げ出しや新たにつくりだされた世界市場的関連をともなう大工業にとっては、やがて、堪えられない束縛となったのである。……こうして、大工業はその特徴的な生産手段である機械そのものをわがものとして機械によって機械を生産しなければならなくなった。このようにして、はじめて大工業は、それにふさわしい技術的基礎をつくりだして自分の足で立つようになったのである。[*19]

以上の引用から明らかなように、『資本論』でも『共産党宣言』での基本的立場が受け継がれていることがわかると思います。

ローザ・ルクセンブルクの『資本蓄積論』における継承と発展

さて、以上が「横糸」ですが、次に「縦糸」の話に入ります。先ほど見たような、『共産党宣言』における資本の非常にダイナミックな世界的運動の描写は、実は『資本論』では後景に退きます。先ほど引用したような、世界市場の原初的形成がまず先にあって、それがもたらす要求がマニュファクチュアを発展させるとともに、それを限界に至らせ、やがて機械制大工業への移行をもたらしたという議論は『資本論』にもあるにはありますが、『共産党宣言』におけるあの生き生きとしたダイナミックな記述というのは、『資本論』では影を潜めています。

なぜかというと、『資本論』というものはもともと一個の体系的な「経済学批判」の書として構想されていて、「世界市場」はその最後の項目をなすものだったからです。マルクスはその体系の最初の部分である『資本論』を書き終わらぬうちに寿命が尽きてしまいました。広大な「経済学批判」体系の三分の一ぐらいしか『資本論』は網羅していません。これはこれで論争になっていて、マルクスが当初構想していた「経済学批判」体系（資本、土地所有、賃労働、国家、外国貿易、世界市場、の六部構想）のどこまでを『資本論』はカバーするものなのかをめぐって日本でも世界でも多くの研究者が侃々諤々（かんかんがくがく）の議論をしています。とはいえ、せいぜい三分の一程度、どんなに広く見積もっても最初の半分程度であって、「世界市場」を含むいわゆる後半体系（国家、外国貿易、世界市場）は含まれていません。

そのため、『共産党宣言』に見られたような世界市場を舞台とした資本のダイナミズムに関する議論は、後期マルクスの代表作である『資本論』ではあまり見られないということになってしまいました。その後の第二インターナショナル・マルクス主義も、基本的にはこの後期マルクスの到達点から出発しますので、パルヴスなどの例外を別とすれば、そうした世界的ダイナミズムの考察が弱くなっているという面があります。

そうした中で、『共産党宣言』の世界市場的ダイナミズムと『資本論』の非常に精緻で重厚な分析とを統合したものが、ローザ・ルクセンブルクの『資本蓄積論』です。ローザの『資本蓄積論』というのは、『資本論』第二巻におけるマルクスの拡大再生産表式の分析が理論的に誤っているということの証明から議論を展開していて、拡大再生産においては資本はその剰余価値を実現するためには非資本主義的な領域を必ず必要とするのであり、[*20] したがって資本主義の発展は（たとえ理論的にであれ）一国内で完結しうるものではなく、必然的に世界市場的な衝動を有し、非資本主義的外部を絶えず侵食し支配し略奪していくことで成り立つシステムだということを明らかにした大作です。以下の文章は、まさに『共産党宣言』のあの世界市場的ダイナミズムを彷彿とさせるものです。

資本主義的生産は、初めから、その運動形態および運動法則において、生産諸力の宝庫としての地球全体を計算に入れている。搾取の目的で生産諸力を領有しようとする熱望からして、資本は全世界を探索しつくし、地球のすみずみから生産手段を調達し、あらゆる文化段階および社会形態からこれを強奪ないし獲得する。資本蓄積の物的諸要素に関する問題は、資本主義的に生産された剰余価値の物的姿態によってすでに解決されているどころか、むしろまったく別個の問題に転化する。実現された剰余価値を生産的に使用するためには、資本は、その生産手段を量的にも質的にも無制限に選択しうるために、絶えずますます全地球を自由にしうることが必要である。[*21]

しかし、ローザ・ルクセンブルクの出発点が『資本論』の再生産論への批判であったために、当時の（現在もそうですが）マルクス学者たちは、基本的に『資本論』を教条化し絶対化していましたので、ローザのこの批判を受け入れませんでした。いかにローザが理論的に間違っているかということばかり論じるようになって、[*22]ローザ・ルクセンブルクの『資本蓄積論』が持っていたあの世界市場的雄大さというものはほとんど顧みられなかったのです。それゆえ、その後の『資本論』学者たちのほとんどは、『資本論』のあの狭い方法的枠組み（外国貿易を捨象し、かつ完全に資本主義化された一国を前提にした枠組み）を前提にしたうえで、分析し議論するスタイルを取りつづけました。

ローザ・ルクセンブルクがその『資本蓄積論』で確立した非常に重要な理論的ポイントは、資本主義が二つの異なった蓄積にもとづいているという議論を展開したことです。この議論は後にデヴィッド・ハーヴェイによって、「拡大再生産にもとづく蓄積」と「略奪にもとづく蓄積」という「二つの蓄積様式論」として整理され、いっそう精緻化されました。[*23] 資本主義的中心部、あるいは先進資本主義諸国においては、『資本論』で主として分析されたような、剰余価値の生産と再生産にもとづく蓄積と、資本主義的領域と非資本主義的領域とのあいだ、あるいは植民地や半植民地諸国のような周辺部において顕著に見られる、略奪、強奪、暴力による蓄積です。資本主義システムというのは根本的に、この二つの蓄積様式にもとづいているのだということをローザ・ルクセンブルクは明らかにしたわけです。そのことが簡潔に言われている典型的な箇所を以下に引用しておきます。

> こうして資本制的蓄積は、全体として、具体的な歴史的過程として、二つの異なる面をもっている。第一の蓄積は、剰余価値の生産場所——工場、鉱山、農耕地——において、および商品市場において遂行される。蓄積は、この方面だけから考察すれば一個の純経済的な過程であって、その最も重要な段階は資本家と賃労働者とのあいだで演じられるのであるが、しかしこの過程は、双方の段階において、すなわち製造場所でも市場でも、もっぱら商品交換・等価物の交換の限界内で運動する。平和、所有、平等がここでは形式上支配している。そして、蓄積にさいしてはいかにして、所有が他人の財産の領有に転化し、商品交換が搾取に転化し、平等が階級支配に転化するかを暴露するためには、科学的分析の鋭い弁証法が必要であった。
>
> 資本蓄積の他の一面は、資本と非資本制的生産形態とのあいだで遂行される。その舞台は世界劇

場である。ここでは植民政策の方法として、国際的借款体制、勢力範囲政策、戦争が支配している。ここでは、まったく隠すところなく公然と、暴力、詐欺、圧迫、掠奪があからさまに行なわれる。そして、政治的な暴力や力試しのかような混沌のもとで経済的過程の厳密な法則性を発見するのは、骨の折れることである。[*24]

このように、資本主義の中心部においては、形式的に自由、平等が支配しており、それが実は本質的には搾取であること、他者の財産の領有であることを解明するには、マルクスのような天才が行なった高度な科学的分析が必要です。他方、周辺部においては、誰の目から見ても明らかな形で合法性が侵害され、文字通り収奪がなされていること、あるいは奴隷貿易や植民地化であるとか、あるいはアヘン戦争のように、アヘンを大量に売りつけて、それを相手側が拒否すれば、軍艦で攻撃して都市を破壊して、相手を屈服させるとか、そういう露骨な略奪と暴力が行なわれていたわけです。この場合、それが略奪であることはわかりやすいけれども、そこにどのような経済法則が働いているのかを分析することは、実は逆に難しいとローザ・ルクセンブルクは指摘しています。

いずれにせよ、資本主義というのは、この二つの蓄積様式、この二つのダイナミズムが結合しあい、お互いに補完しあうことによって、はじめて成立するシステムだということ、このことをはじめて明確に明らかにしたことが、『資本蓄積論』の優れた業績です。さらに彼女はそのことにもとづいて、帝国主義戦争が不可避であるということを明らかにし、その中から必ず社会主義に向けた巨大な世界的流れというものが登場するのだと考えたわけです。このような帝国主義と社会主義に関する展望の最も重要な理論的根拠を明らかにしたのが、まさに帝国主義戦争の前夜（一九一三年）に出されたこの『資本蓄積論』だったわけです。

ですから、『資本蓄積論』というのは単なる『資本論』研究の書ではなく、当時、ドイツ社会民主党の中で支配的になっていった修正主義的傾向（ドイツ帝国主義の文明化的役割を肯定）、そして結局はその修正主義に迎合していったカウツキーらの中央派の日和見主義的傾向に対する闘いの書なのであり、これらの傾向を最も根本的な理論的深みから批判するとともに、ローザを筆頭とする急進左派の立場を理論的に打ち固めようとする試みだったわけです。

帝国主義に関しては、レーニンが『帝国主義論』という本を（ローザに遅れること四年後に）書いてしまったがゆえに、そしてロシアで革命が勝利して、レーニン主義が世界のマルクス主義の標準になってしまったために、この面からも、ローザの『資本蓄積論』はその後あまり顧みられなくなりました。しかし、読み比べればわかるように、レーニンの『帝国主義論』も十分優れているけれども、その生き生きとしたダイナミズム、理論的厳格さという点からして、ローザの『資本蓄積論』の方が優れていると思います。ただし、ただちにことわっておきますが、これは、レーニンの『帝国主義論』を捨てて、ローザの『資本蓄積論』で置き換えていいという話ではありません。帝国主義であれ何であれ、きわめて複雑な総体をなす社会的事象というのは、どんなに優れていても、たった一人の理論家によって汲みつくせるわけではなく（マルクスによる資本主義分析もしかり）、部分的に重なったり矛盾したり（時に優劣とみなしうる）部分がありながらも、複数の――すぐれて個性的な――理論家たちが行なう多様な諸分析の合唱、モザイク、寄せ木細工としてのみ、はじめてわれわれは巨大な対象をそれなりに正確にとらえることができるのです。

「帝国主義の最も弱い環」で起こったロシア革命

さて、さらに「縦糸」をたぐっていきますと、ロシア革命という重要な結節点に行き当たります。これは、マルクス時代の第一次グローバリゼーションを越えて、その後の、資本主義列強がお互いの支配地域をグローバルに拡大していきながら、やがて世界の再分割戦へと行きついた第二次グローバリゼーションの真っただ中で起きた革命でした。この帝国主義的グローバリゼーションの中の最も弱い「環」である帝政ロシアで起きた革命が、資本主義的グローバリゼーションの歴史を大きく転換する重要なポイントになったのは言うまでもないことです。

「環」というのは鎖をつないでいる個々の「環」のことですが、鎖は全体として非常に強いんだけども、それを構成する環のどれか一つが弱ければ、そこで断ち切られるわけです。世界帝国主義という鎖の中でロシア帝国主義という環が一番脆弱でした。生産力や技術水準もいちばん低かったし、とっくに時代遅れになった古い専制体制が維持されていたし、膨大な貧農層と同じく膨大な被抑圧民族（だいたい人口の半分以上が大ロシア民族以外の諸民族で構成されていた）を抱えていました。それでいて、都市には工場労働者が高度に集中されていて、そのかなりの部分はマルクス主義、社会主義の影響を受けていました。そうした特殊な状況の下で、一九一七年についにロシア革命が勃発するのです。

しかし、帝国主義の鎖の中で最も弱い環であったロシアで起こった革命ですから、その革命ロシアは必然的に対立する他の諸帝国主義すべてに対して最も弱い立場に置かれることになりました。このような脆弱な地位ゆえに、革命ロシアは、それが当初呼びかけていた無賠償・無併合の全面講和（それはドイツ革命を前提にしていました）ではなく、ドイツ帝国主義との単独講和、しかもウクライナを初めとする広大な、そして最も豊かな農業地域と多くの重要な工業地帯も含まれた領土の割譲を伴った略奪的講和を受け入れざるをえなくなります。そしてそれがやがて、連合国の帝国主義からの干渉を伴う激烈な内戦へとつながっていき、革命ロシアは途方もなく困難な状況に置かれました。この点については「3」や「4」でも再論します。

第二次グローバリゼーションから第三次グローバリゼーションへ

さて、このような極度の困難に見舞われながらも、ロシア革命によって成立したソヴィエト労働者国家はかろうじて生き残りました。そしてそれは世界的なインパクトを与え、これまでのグローバリゼーションの流れに決定的な「転換」をもたらします。この転換は多方面に指摘することができますが、ここでは二つの面だけ指摘しておきます。一つは、帝国主義的中心部における変化です。それは、各国帝国主義を反ソヴィエト、反共産主義という共同のブルジョア的大義のもとに団結させる傾向を生み出しますが、他方では、引き続き帝国主義間の覇権争いのダイナミズムは生きていたので（というよりもベルサイユの略奪的講和のせいでいっそう激化さえしたので）、この二つの傾向が複雑に絡み合った状況を大戦間期に生み出します。二つ目は、植民地ないし半植民地諸国を目覚めさせ、反帝国主義の大きなうねりをつくり出し、帝国主義の一元的支配がしだいに崩壊への道をたどるようになります。

これらの流れはやがてファシズムの台頭と第二次世界大戦へと世界史を導くのですが、この複雑な過程についてここで詳しく述べていると、時間がなくなってしまうので、そこは飛ばして、第二次世界大戦の結果として生じた新しい世界史的状況へと話を移しましょう。

ファシズムと日本軍国主義の敗北の結果として生じた戦後世界においては、広大な「社会主義」圏の成立、西欧先進諸国における社会主義・共産主義勢力の大幅な拡大と強化、植民地・半植民地の独立と一部の労働者国家への移行、ヨーロッパの地位低下とアメリカのヘゲモニー獲得、反ファシズム・人権擁護・民族自決の国際的コンセンサスの成立、そうした建前上のコンセンサスとは深く対立する冷戦体制の出現と新植民地主義といった、第二次グローバリゼーション時代における状況とは根本的に異なる状況が生まれました。

こうしたもとで、皮肉なことですが、西欧労働者階級の闘争の進展（それ自体もロシア革命の歴史的インパクトが大きく関わっていますが）と「社会主義」圏への対抗の必要性に促されて、先進国において、産業資本主義の新たな黄金時代が訪れます。そして、産業労働者の大集団に依拠した労働組合や労働者政党がかなりの力を持ち、労働者の地位向上や福祉国家的な政策の実施などがなされていきます。しかし他方では、第三世界では、ご存知のように新植民地主義的な支配のシステムもまた成立し、そこでは冷戦の論理の最も醜悪な側面が貫徹されて（先進国では「社会主義」圏との対抗は労働者の地位向上につながったのとは逆に！）、腐敗した独裁国家や反共軍事国家などが、欧米諸国に安価な原材料や労働力を提供するという仕組みがつくられ、それは絶えざる革命の温床にもなります。いずれにせよ、マルクスの時代とも、あるいはレーニンやローザ・ルクセンブルクの時代とも異なる、アメリカを中心とする第三次グローバリゼーションの時代、すなわち冷戦型の「囲い込まれたグローバリゼーション」の時代が訪れるわけです。

冷戦崩壊後の新自由主義的グローバリゼーションと中国経済

一九八〇年代末から一九九〇年代初頭にかけてソ連・東欧が崩壊し、冷戦が終結すると、また新たなグローバリゼーションの時代が訪れます。まず、それ以前からすでに、欧米先進国、とくにイギリスとアメリカでは、サッチャーとレーガンのもとで後に新自由主義として総括されるようになる諸政策が実行されており、先進国内部での階級的力関係の劇的な変化が起こります。さらに、ソ連・東欧の崩壊、中国市場の開放、等々は、かつての「囲い込み」を開け放ち、この新自由主義を世界大的に広げていく決定的な契機になりました。

この第四次グローバリゼーションである新自由主義的グローバリゼーションのもとでは、『共産党宣言』時代やローザの時代の資本主義の一元的で略奪的なグローバリゼーションを部分的に高次復活させているだけでなく（この面から、今日でも多くの人は『共産党宣言』の予言力を承認しています）、アメリカを中心とする非産業的なグローバリゼーションの流れも重要な特徴として見出されます。それは、金融、サービス産業、通信やIT産業、さらには、人そのものの移動が巨大な産業となっている観光業などです。

カネ、ヒト、モノ、そして情報がこれほどグローバルに移動するようになった時代はこれまでなかったわけですから、一九九〇年代以降のグローバリゼーションは歴史上最もグローバルなグローバリゼーションであると言えるでしょう。そして、先ほどの感染症の話と重なりますが、脱産業化しつつある先進国においては、金融やIT産業などと並んで、観光業が巨大なグローバル産業になったことが重要なポイントです。これは、大集団の人間が実際に空間的に移動して（飛行機や自動車や鉄道を利用して）、現地に行かなければ成り立たない産業ですから、最初のテーマでも話したように、これが人を通じて広がる感染症の爆発的蔓延の最も重大な要因になるわけです。

それにプラスして、旧来の産業的役割を担っている巨大な中国経済やその他の新興産業国家の存在が現代のグローバリゼーションを考える上で決定的です。アメリカを中心とする非産業的グローバリゼーションだけを言っていても、現代のグローバリゼーションのダイナミズムは解けません。第三世界を中心にアパレル産業や資源採取などで低賃金の産業労働者を大量利用する多国籍企業型グローバリゼーションが存在しますし、さらに、新たな中国経済圏というものがアメリカに対抗して成立し、それが急速に広がりつつあること、そして両者が世界的ヘゲモニーをめぐってしだいに対立を深めつつあることが、今後、ますます重要な歴史的要因になっていくでしょう。とくに、アメリカの影響力がまだ弱いアフリカ経済に中国の国家資本が深く食い込んでおり、その経済的・政治的比重はますます大きなものになりつつあります。

以上見たように、現代のグローバリゼーションのありようは、『共産党宣言』から直接に説くことはできないとはいえ、この新たなグローバリゼーションも、『共産党宣言』で描かれたような資本の世界的ダイナミズムを、複数の歴史的「縦糸」を媒介にして、高次に再現しているという意味で、両者はやはりつながっていると言えるのではないかと思います。

3、『共産党宣言』と三つの永続革命論

第二のテーマであった「『共産党宣言』とグローバリゼーション」という話と直接つながってくるのが、この第三のテーマです。

第一次グローバリゼーション、産業資本主義のグローバリゼーションの波がしだいに世界大に広がっていったとき、当然ながら、世界の諸国家、諸地域はまったく異なった世界史的な発展段階にあったわけです。これらの相対的に自立し異なった歴史段階にある国や地域が、イギリスや北アメリカ、あるいはフランスなどを発生点とする最新の産業資本主義の支配下に次々と入っていくわけですから、そこにおいて、古い歴史的諸関係・諸状態と最新の生産関係ないし生産力との衝突、融合、アマルガムが生じ、したがって欧米の歴史の単純な繰り返しではない独自のダイナミズムがそれらの国や地域で発生することになります。このように産業資本のグローバリゼーションによって生み出されるこの新しいダイナミズムが、第三のテーマである永続革命という話に直接結びついてくるわけです。

三つの永続革命論

新訳『共産党宣言』の解説（本書の第1章）で私は、永続革命という概念を、「戦術的な意味での永続革命」（戦術的永続革命）と「戦略的ないし歴史的な意味での永続革命」の二つに区別しました。二つ目が「戦略的ないし歴史的」というように、「戦略的」と「歴史的」とを並列させていますが、事実上これは「戦略的な意味での永続革命」に収斂してしまっていますので、「二つの永続革命論」という把握になっています。しかし、ここでは、「戦略的な意味での永続革命」（戦略的永続革命）と「歴史的な意味での永続革命」（歴史的永続革命）とを区別して、「三つの永続革命論」という風に再整理して、それらについて考えていきたいと思います。

実を言うと、そもそも永続革命というものを、二つであれ三つであれ、このように明確に分けて考察した研究者というのはこれまでいなかったと思います。少なくとも私は知りません。

まず「歴史的な意味での永続革命」ですが、そう名指しされていなかったとはいえ、『共産党宣言』以前から基本的にマルクスとエンゲルスの共通の発想にあったものです。すなわち、プロレタリアートはあれこれの改革や改良、あるいは部分的で過渡的な諸措置で満足することなく、世界的な規模で、あるいは少なくとも主要な先進国において資本のシステム（当時は「私的所有」と表現されていますが）の廃絶まで革命を永続させないかぎりはけっして解放されないという発想です。これは、歴史的な意味での、あるいは最も広い意味での永続革命論です。これが「永続革命」という言葉で表現されるようになるのは、一八四八年革命を経た後のことですが、このような発想そのものはそれ以前から存在しており、たとえば、一八四七年一〇月に書かれたエンゲルスの次のような文章にも見出すことができます。

競争を制限し、個々人の手に大資本が堆積するのを制限するためのすべての施策、相続権のあらゆる制限または廃止、国家の側から行なわれるいっさいの労働の組織化、これらすべての施策は、革命的施策として可能であるばかりでなく、また必然でさえもある。それが可能なのは、蜂起した全プレタリアートがその背後にあって、武力をもってそれを維持するからである。経済学者たちによってこれに反対して主張されるあらゆる難点や弊害があるにもかかわらずそれが可能なのは、まさにこの難点や弊害こそが、プロレタリアートを駆り立てて、先へ先へと進ませ、自分の獲得物を二度と失わないためにも、ついには、私的所有の完全な廃止へとおもむかせるからである。それは私的所有廃止のための準備として、過渡的な中間段階として可能なのである。しかしまたそれ以外のものではない。[*25]

この文章が、「共産主義の原理」や『共産党宣言』における過渡的措置（一一項目ないし一〇項目）と共通の認識に基づくものであるのは明らかです。このような意味での永続革命論は革命的共産主義者としての基本思想であり、またそれは「共産主義の原理」でエンゲルスがプロレタリア革命を「ユニバーサルな革命」（三九頁）とみなしたこととも通底するものです。[*26] しかし、こうした一般的な意味での永続革命論がもう少し分節化されるようになるのは、一八四八年革命以降の話です。そこに至る中間地点で書かれたのが『共産党宣言』です。

分節化の第一のものが「戦術的な意味での永続革命」であり、これは革命が実際に発生して、その激動の渦中にあって、革命家たちがますます急進的になり、戦略的展望とは別に、あれこれの中間段階にとどまることなく、その終局目標であるプロレタリア革命にまで突き進もうとする傾向としての永続革命論です。

分節化の第二のものが「戦略的な意味での永続革命」であり、これは、革命的雰囲気による戦術的急進化としての永続革命とは異なって、ドイツのような後発国の歴史的特殊性の深い分析にもとづいて、そこでは当面する革命がブルジョア革命であるにもかかわらず、ブルジョアジーにはそれを遂行する能力も意思もなく、したがってブルジョア民主主義革命を遂行するという課題が、プロレタリアート（およびそれと同盟する農民）の手に移ることによって、もはや当面する革命はブルジョア的段階にとどまることなく、プロレタリア社会主義革命の段階へと連続していかざるをえないという戦略的展望に基づく永続革命論であり、これこそ、後にトロツキーが最も明確な形で定式化したものです。

私は二〇一六年に出版した『ラディカルに学ぶ「資本論」』の中で、マルクスの党概念には、「戦術的な意味での党」（戦術的党）と「歴史的な意味での党」（歴史的党）という異なった二つの概念があり、両者を媒介するものが「戦略的な意味での党」（戦略的党）であると説明しましたが、[27]それとまったく同じような関係が、永続革命の三つの概念にも当てはまります。戦略的永続革命論は、戦術的永続革命論と歴史的永続革命論とを媒介するものであり、したがって最も重要な永続革命認識なわけです。

もちろん、マルクスやエンゲルスが書いた個々の文章をこれら三つの永続革命論のいずれかに明確に分類できるというわけではなく、実際には三つはかなり不明確にまじりあっている場合が多いのですが、理論的にはこれら三つの永続革命論を区分することができるということです。

『共産党宣言』は単線発展史観か？

そして、この戦略的永続革命論の萌芽がまさに『共産党宣言』に見られるわけですが、そこに入る前に、一つ論じておきたい問題があります。それは、『共産党宣言』におけるマルクスが単線発展史観にもとづいていて、このような見方は中後期になってようやく克服されたという見方が存在することです。たとえば、『周縁のマルクス』という著作を書いたケヴィン・アンダーソンがそうです。この『周縁のマルクス』という著作自体は非常に面白いし有意義だと思うのですが、その中で彼は『共産党宣言』時代のマルクスはまだ単線発展史観だったという議論をしています。[28]しかし、先ほども述べたように、『共産党宣言』も「共産主義の原理」も資本主義を最初から世界システムと捉えており、それを何らかの一国的システムとしてそもそも捉えていません。したがって、そのような爆発的膨張力を持ったシステムが、歴史的にさまざまな発展段階にあり地理的にさまざまな多様性を持った各国、各地域をしだいに飲み込んでいくわけですから、当然そこでは、単線的ではないさまざまな特殊性や飛躍や複合性が出てくるはずです。まずこのような一般的な意味において、『共産党宣言』を単線発展史観として捉えるのは不正確です。

それに加えて、特殊的にも、『共産党宣言』には、後発国であるドイツに関して、そこでの革命が特殊な経路をたどるとされているわけですから、この特殊な面から見てもとうてい単線発展史観とは呼ぶことはできません。その部分を以下に引用しておきます。

> 共産主義者はドイツに主な注意を向ける。なぜなら、ドイツはブルジョア革命の前夜にあり、しかもドイツが、この変革を一七世紀のイギリスや一八世紀のフランスと比べてヨーロッパ文明全体のより進んだ諸条件のもとで、そしてはるかに発達したプロレタリアートでもって遂行するので、ドイツのブルジョア革命はプロレタリア革命の直接の序曲となるほかないからである。（一一一～一一二頁）

このようにマルクスは、ドイツはそのブルジョア革命を、一七世紀のイギリスや一八世紀のフランスとはまったく異なる進んだヨーロッパ文明と発達したプロレタリアートのもとで遂行すると言っているわけですから、これは後にトロツキーが「不均等複合発展」と命名するものと共通する発想があり、そしてこのような特殊性から、ドイツではブルジョア革命はプロレタリア革命の「直接の序曲」となると書いています。これこそまさに、戦略的永続革命論の萌芽であると言えます。[*29]

実際には、このようなことは起こらず、むしろブルジョア革命がプロレタリア革命の序曲となったのはお隣のフランスでした。ドイツではプロレタリアートはまだまったく未熟で、とうていプロレタリア革命を引き起こす力も意思もなかったわけですが、お隣のフランスでは、二月革命というブルジョア革命に続いて、六月にはパリ・プロレタリアートによる蜂起が起こりますから、文字通りブルジョア革命がプロレタリア革命の序曲となったわけです。この六月蜂起は徹底した弾圧によって血の海に沈められますが、とはいえ、マルクスもエンゲルスも当時、これを最初のプロレタリア革命（ないしその萌芽）と規定しています。[*30] こういう展開になったのは、当時のフランスでは、実はまだ十分にブルジョア革命が完成しておらず、あるいは、あの偉大なフランス大革命にもかかわらず、その後の王政復古によって再度、ブルジョア革命（一種のブルジョア的補足革命）が必要になったからです。そして、当時のドイツよりもはるかに発達したプロレタリアートとはるかに発達した社会主義思想が存在していたため、[*31] ブルジョア的補足革命が局地的プロレタリア革命の序曲になったわけです。

「原理」と『宣言』における差異

以上見たように、予言通りではなかったとはいえ、『共産党宣言』はそのドイツ革命論において明らかに単線発展史観とは異なる発展の戦略的展望を提示していたわけです。むしろこの点では、「共産主義の原理」との差が重要です。これが、第三のテーマでの「横糸」になります。というのも、『共産党宣言』では明らかにこのような歴史の飛躍を許容する見方がはっきりと書かれているわけですけれども、「共産主義の原理」にはそのような議論は存在しません。「共産主義の原理」では、イギリス、フランス、ドイツのそれぞれの発展段階が違うことが認識されていますが、それが革命の展望においてどのような戦略的違いに反映するかというと、基本的にはそれは時間の長短と困難さの度合いでしかありませんでした。以下の引用に見られるように、イギリスでは資本主義が最も発達しているので、そこではプロレタリア革命が直接的かつ急速に起こって、フランスではもっと遅く、ドイツでは最も遅く、最も時間がかかるだろうとされています。

それはまずもって民主主義的国家制度を確立し、それとともにプロレタリアートの間接的ないし直接的な政治的支配を打ち立てるだろう。プロレタリアートがすでに国民の多数派を構成しているイギリスでは直接的に。国民の大多数がプロレタリアートだけでなく小農民や都市小市民によっても構成されているフランスやドイツでは間接的に。これらの小農民や都市小市民は今ようやくプロレタリアートに移行しつつあるところであり、彼らのあらゆる政治的利益はますますプロレタリアートに依存するようになり、それゆえ近いうちにプロレタリアートの諸要求に従うようになるにちがいない。これはおそらく第二の闘争を必要とするだろうが、これもプロレタリアートの勝利に終わるしかない。（三四〜三五頁）

これらの国々〔イギリス、フランス、ドイツ〕で革命がより急速に発展するのか、より緩慢に発展するのかは、それぞれの国がより発達した産業、より大きな富、より多くの利用可能な生産力を有しているかどうかによる。したがってそれを遂行することは、ドイツでは最も緩慢で困難であり、イギリスでは最も急速で容易だろう。（三八〜三九頁）

以上の文章に見られるように、ドイツにおけるブルジョア革命がプロレタリア革命の序曲になるという発想ではなく、時間の長短と困難の大小という違いを伴うだけの、基本的に同じタイプの革命が主要なヨーロッパ諸国で起こるとされています。イギリスは最も早くブルジョア革命を成し遂げたので、イギリスが最も早くプロレタリア革命に移行し、フランスは一世紀遅くブルジョア革命を遂行したので、より遅くプロレタリア革命に移行し、まだブルジョア革命さえ成し遂げていないドイツは、まずそのブルジョア革命を成し遂げて、長い時間をかけて第二の闘争が起こり、そこでようやくドイツでもプロレタリア革命が起こるという発想です。つまり、これらの革命の相違は時間のズレでしかないわけです。イギリス、フランス、ドイツにおける革命が、それぞれ時間のズレを伴って基本的に類似の経過をたどるものであるかのような記述になっています。そういう意味では、たしかにこれは単線発展史観に近い発想であると言えるでしょう。同じような発想は、「共産主義の原理」の最後の部分にも見られます。

ドイツでは、ようやくブルジョアジーと絶対的君主制とのあいだの決戦が差し迫っている。しかしながら、ブルジョアジーが支配する時まで共産主義者は自分たちとブルジョアジーとのあいだの決戦を想定することができないので、できるだけ速やかにブルジョアジーを打倒するために、できるだけ速やかにブルジョアジーが支配権を獲得するのを助けることは共産主義者にとって利益となる。したがって、共産主義者は政府に対抗して常に自由主義的なブルジョア政党を支持するが、その際、ブルジョアの自己欺瞞を共有したり、ブルジョアジーの勝利がプロレタリアートにもたらす恩恵に関する彼らの偽りの約束を信じてはならない。（四九頁）

ここでも、ドイツではまずブルジョアジーを政権に就けなければならず、したがってブルジョア政党を支持するという順番だけが語られており、ブルジョア革命がプロレタリア革命の直接の序曲になるという発想は見られません。とはいえ、エンゲルスの当時の他の文献を見ると、必ずしも単線発展史観とは呼べない複合発展的見方も見られるので、この「共産主義の原理」の記述だけで当時のエンゲルスの考えを規定することはできませんが、『共産党宣言』と比較すれば、より単線発展史観に近い発想であったと言えるでしょう。

一八四八年革命におけるマルクスとエンゲルスの急進化

ところが、このような温度差があったとはいえ、一八四八年革命の実際の勃発と発展は、マルクスもエンゲルスも急進化させ、両者において戦術的な意味でも、戦略的な意味でも、永続革命論的な見方を発展させます。すなわち、革命の沸騰の中で、当面するあれこれの諸段階にとどまらず、最終目標であるプロレタリア革命へと突き進んでいこうとする戦術的永続革命論と、ドイツの特殊な状況、すなわちブルジョア革命がなされる以前にすでにブルジョアジーとプロレタリアートとの深刻な対立が発生しているために、ブルジョア革命の本来の担い手である自由主義ブルジョアジーや急進的小ブルジョアジーも脆弱かつ臆病であり、したがってプロレタリアートがその代行をせざるをえなくなるという戦略的永続革命論の両方が、一八四八〜一八五〇年の革命的動乱の中で、しだいにはっきりと二人の叙述の中に登場するようになります。

たとえば、『共産党宣言』がまだ出版されていない段階ですが、すでにナポリで共和主義的な立憲体制を目ざす革命が勃発したという報が伝わるやいなや、エンゲルスは次のように書いています。少し長いですが引用しておきます。

しかし、もしドイツの諸政府が、ブルジョアたちのこういう行動恐怖に大きな望みをかけているのなら、彼らはひどい思い違いをすることになろう。ドイツ人は最後の出場者である。なぜなら、その革命はシチリア革命とはまったく違ったものになるだろうからである。ドイツのブルジョアと素町人的〔小ブルジョア的〕市民たちは、彼らの背後には日ごとに成長してゆくプロレタリアートが立っていること、このプロレタリアートが、革命が終わったそのときから、彼らが望んでいるのとはまったく別の要求を掲げるだろうことを、非常によく知っている。ドイツのブルジョアと素町人的市民はそれゆえ、臆病で不決断で動揺的な態度をとるのである。彼らは政府を恐れるよりも、むしろ衝突を恐れている。

ドイツ革命は、ナポリ革命とはまったく別の重大な事件である。ナポリの場合は、オーストリアとイギリスが対立していただけであった。ところがドイツ革命では東全体と西全体が対立する。ナポリ革命は決定的なブルジョア制度が獲得されるやいなや、ひとりでにその目標に到達してしまった。ところが、ドイツ革命は、そこまでいった時にようやく始まるのである。

だから、ドイツ人は、まずもって、他のすべての国民の前に徹底的に恥さらしの目にあわされなければならない。彼らは、現在すでにそうなっているよりも、もっと多く全ヨーロッパの物笑いの種にならなければならない。彼らは革命を起こすべく強いられなければならない。そうなると彼らもまた立ち上がるだろう。だが、臆病なドイツ市民ではなく、ドイツ労働者が。彼らは立ち上がって、醜悪で混乱した官許のドイツ経済を終結させ、急進的革命によってドイツの名誉を回復するだろう。[*32]

ここにはっきりと、①ドイツのブルジョアと小ブルジョア市民が政府を恐れるよりもプロレタリアートを恐れているがゆえに臆病で動揺的である、②ナポリではブルジョア的制度が確立されたらそれで終結だが、ドイツではむしろそこから始まる、③ドイツで革命を起こすべく強いられた時には、ドイツ市民（ブルジョアジー）ではなく、ドイツ労働者が立ち上がって、急進的革命によってドイツの名誉を回復するだろう、と言われています。これらの三つの命題はいずれも戦略的永続革命論の方向性を示唆するものです。しかし、「永続革命」とか「革命の永続性」という言葉は登場していません。そうした言葉が登場するのはもう少し後です。

マルクスとエンゲルスにおける永続革命的認識は戦術的にも戦略的にも、一八四八年のパリの二月革命における共和制の実現、一八四八年六月におけるパリのプロレタリアートの蜂起（六月蜂起）、およびその徹底した弾圧、ブルジョアジーの反動化といった一連の過程を通じてしだいに発展していきます。パリの二月革命の報が伝わった直後に、エンゲルスは歓喜とともに次のように述べています。

ブルジョアジーは彼らの革命を成し遂げた。彼らはギゾーとともに大株主どもの独占支配を転覆した。今やしかし戦いの第二幕においては、もはやブルジョアジーの一部が他の一部に対立しているのではなく、今ではプロレタリアートがブルジョアジーに対立しているのだ。[*33]

フランスのプロレタリアートは、この輝かしい革命によって、またもやヨーロッパの運動の先頭に立った。労働者に栄誉あれ！　彼らは世界に衝撃を与えた。その衝撃をすべての国は順次に感じるであろう。なぜなら、フランス共和国の勝利は、全ヨーロッパの民主主義の勝利であるから。われわれの時代、民主主義の時代が始まる。チュイルリとパレ・ロワイヤルの焔は、プロレタリアートの朝焼けである。ブルジョアの支配は今やいたるところで崩壊するか転覆されるであろう。ドイツもたぶんそれに続くだろう。……われわれは四週間以内には叫ぶことができる。「ドイツ共和国万歳！」と。[*34]

これらの引用文では、革命の興奮とともに、短期間のうちに革命を次々とより高度な段階へと進行させていくという戦術的永続革命の萌芽的認識が見られます。とくにその後の六月蜂起とそれの粉砕は一八四八年革命における大きな転換点でした。実際に、フランスでは、『共産党宣言』で述べられていたようにブルジョア革命がプロレタリア革命の「直接の序曲」となったのを見たブルジョアジーは、古い封建的ないし専制的な体制よりもプロレタリア革命を恐れるようになります。他のより遅れた国々のブルジョアジーはどうだったかというと、ブルジョア革命がまだ起こらないうちに、あるいは起こるやいなや、革命の急進化を恐れるようになりました。ブルジョア革命をあまりに徹底させたら、それがパリのような事態になるのではないかと恐れて、君主制の完全打倒よりも君主制との妥協による改革へと傾いていきます。とくにドイツのブルジョアジーおよび小ブルジョアジーはそうでした。ドイツでも実際に（エンゲルスの予言通り二月革命から四週間以内の）三月に革命が起こるのですが、ブルジョア自由主義者はその革命が徹底されないうちに支配体制との妥協を求めるようになります。

こうした状況を見て、マルクスもエンゲルスも、もはやブルジョアジーには（とくにドイツのような後発国のブルジョアジーには）ブルジョア革命をまともに遂行することはできない、と確信するようになります。[*35] ブルジョア革命の課題は別のより急進的な階級によって、すなわちプロレタリアートによって担われなければならないという認識がよりはっきりとしたものになっていきます。これこそ、後にトロツキーが一九〇五年の時に定式化することになる本来の永続革命論、すなわち戦略的永続革命論の基本認識になるものです。しかし、残念ながら、ドイツでは、ブルジョアジーも小ブルジョアジーも革命を挫折させる程度には十分に臆病でしたが、プロレタリアートはブルジョアジーに代わって革命を遂行しうるほど成熟しておらず、そのはるか手前の状況にありました。そのため、ドイツ革命は一八世紀型のブルジョア革命にも、プロレタリア革命の「序曲」にもなりませんでした。それは中途で挫折し、専制体制が結局復活することになります。

一八四九～五〇年前半における三重の意味での永続革命論の成立

こうして、マルクスとエンゲルスは、革命以前の理論的分析や展望に加えて、一八四八年革命がもたらした革命的高揚、そしてそこでの実際の経験と経過、ブルジョアジーの裏切りに対する深い歴史的な分析を通じて、一八四九年から一八五〇年前半にかけて、三重の意味での永続革命論を確立していきます。戦術的永続革命論と戦略的永続革命論は主としてドイツ（後進国）を念頭に置いており、歴史的永続革命論は主としてフランス（先進国）を念頭に置いています。いくつかの典型的な文章がありますので、それらを簡単に紹介しましょう。

まずは、マルクスもエンゲルスもまだ革命情勢にあると考えていた一八五〇年の一月から三月にかけて書かれたマルクスの『フランスにおける階級闘争』の一～三章ですが（最終章の四章だけは執筆時期が少し後になります）、そこではフランスを念頭に置いて、「歴史的な意味での永続革命」について次のように書かれています。

……いわゆる〔ユートピア的・空論的〕社会主義の体系なるもののいずれもが、社会変革の一通過点に対して他の一通過点をさしでがましく固執するものにすぎないということが明らかにされているとき、他方では、プロレタリアートは、ますます革命的社会主義の周囲に、すなわち、ブルジョアジー自身がそれに対してブランキなる名称を考えだした共産主義の周囲に結集しつつある。この社会主義は、革命の永続宣言（Permanenzerklärung der Revolution）であり、階級差別一般の廃止に、これらの生産関係に照応するいっさいの社会関係の廃止に、そしてこれらの社会関係から生じるいっさいの観念の変革に到達するための必然的な通過点としての、プロレタリアートの階級独裁（Klassendiktatur des Proletariats）である。[*36]

つまり旧来の小ブルジョア的ないし空想的な「社会主義の体系」が社会変革の特定段階、特定の通過点に固執するのに対して、マルクスが支持する共産主義は、階級差別一般の廃止に至るまで革命を永続させることであると宣言しています。これはまさに歴史的永続革命論であり、この発想自体は一八四八年革命以前からあったものですが、ここでは「革命の永続宣言」という用語によって表現されていることが重要です。

『フランスにおける階級闘争』における永続革命論が歴史的な意味でのそれだというのは、この永続革命の過程が、後で見る戦術的な永続革命論と違って短期間での戦術のエスカレートとして捉えられているのではなく、きわめて長期に及ぶヨーロッパ規模の内乱（世界戦争）として考えられているからです。その点をよく示すのが以下の文章です。

労働者の任務は誰が解決するのか？……それはどこでも一国家の壁の内部では解決されない。フランス社会内部の階級戦争は諸国民が相対峙する世界戦争へと転化する。その解決は、世界戦争によって……はじめて始まる。革命はこの国で終結するのではなく組織的に始まるのだが、それは息の短い革命ではない。……それは一つの新世界を征服しなければならないが、新世界に対処しうる人々に席を譲るために、滅んでゆかなければならないのだ。[*37]

このように、フランスで始まるであろう永続革命は、ヨーロッパ規模の息の長い革命として、すなわち世界史的革命として理解されているわけです。

また、先の引用文にはっきり示されているように、「革命の永続性」について言われている箇所で初めていわゆる「プロレタリアートの独裁」という言葉が登場します。それ以前の「共産主義の原理」でも『共産党宣言』でも、またそれ以前の両者の文献にもこういう表現はいっさい存在せず、せいぜい「民主主義国家制度を確立する」「プロレタリアートの政治的支配を打ち立てる」（「共産主義の原理」）、あるいは「プロレタリアートを支配階級に高めること」「民主主義を勝ち取ること」「支配階級として組織されたプロレタリアート」（『共産党宣言』）という表現があるだけでした。それがこの『フランスにおける階級闘争』において「歴史的な意味での永続革命」を論じる中ではじめて「プロレタリアートの階級独裁」論が登場しているわけですから、両者は密接に結びついた理論であることがわかります。いわば両者は一八四八年革命から生まれた理論的「双子」のような存在であると言えます。

そしてその背景には、一八四八年革命がもたらした急進主義的雰囲気であり、またその中でブランキ派との密接な協力関係を築いていて、その思想的影響を受けていたこともありました。[*38] しかし、それがブランキ主義にかぶれた一過性のものでないのは、マルクスがその後もずっとこのプロレタリア独裁論を維持していることからも明らかです。つまり、長期にわたる永続革命を遂行しなければならないからこそ、「プロレタリアートの独裁」のような強力な権力が必要だという認識になったのだと思います。その意味で、プロレタリア独裁論と永続革命論は理論的に対をなす関係にあったと言えます。[*39]

次に戦略的永続革命論について見ていきましょう。その典型的な文献はエンゲルスの「ドイツ国憲法戦役」です。それは一八四九年後半から一八五〇年初頭にかけて書かれたもので、その中でエンゲルスはなかんずく次のように述べています。

ドイツ国憲法戦役は、それ自身の中途半端さと内部的なみじめさのために挫折した。一八四八年六月の敗北以来、ヨーロッパ大陸の文明諸国にとっての問題は、革命的プロレタリアートの支配か、二月革命以前に支配していた諸階級の支配か、ということである。中道はもはや不可能である。とくにドイツではブルジョアジーは、支配する能力を持たないことを明らかにした。彼らは、その支配権を再び貴族と官僚に譲り渡すことによってのみ、人民に対抗して自分の支配を維持することができた。小ブルジョアジーは、ドイツ的イデオロギーと結んで、ドイツ国憲法という形で、決戦を延ばすことを使命とする実現不可能な妥協を試みた。この試みは失敗せざるをえなかった。……だが、それにもかかわらず、ドイツ国憲法戦役のもたらした結果は重大なものであった。それは、何よりも情勢を単純にした。それは、はてしない調停の試みの連鎖を断ち切った。この戦役が敗北に終ったあとでは、いくぶん立憲化した封建的＝官僚的君主制が勝利するか、それとも真の革命が勝利するか、そのどちらでしかありえない。そして、ドイツでは革命は、プロレタリアートの完全な支配が打ち立てられるまでは、もはや終結することはできない。[*40]

永続革命という言葉自体は出てきませんが、ドイツ・ブルジョアジーが「支配する能力」を持たない、したがってブルジョア革命を遂行する能力を持たないということ、「支配権を貴族と官僚に譲り渡す」ことによってしか人民と対抗できないということ、そして小ブルジョアジーもまた同じであるという確認にもとづいて、もはやドイツでは「いくぶん立憲化した封建的＝官僚的君主制が勝利するか、それとも真の革命〔つまりプロレタリア革命〕が勝利するか、そのどちらでしかありえない」という風に問題をギリギリに突き詰めた形で提起されているわけですから、内容は完全に戦略的永続革命論と重なっています。そして何より、最後の一文が「ドイツでは革命は、プロレタリアートの完全な支配が打ち立てられるまでは、もはや終結することはできない」となっているのですから、これは「戦略的な意味での永続革命」の宣言に他なりません。

最後に戦術的永続革命論ですが、それが典型的に示されているのは、マルクスとエンゲルスの両名によって出された一八五〇年三月の中央委員会の訴えです。その中では二カ所で革命の永続性について述べられています。

〔ドイツの〕民主主義的小ブルジョアが革命をできるだけすみやかに、せいぜい前記の諸要求〔労働者の賃上げなど〕の実現でもって終わらせたいと望んでいるのに対して、われわれの利益とわれわれの任務は、多少とも財産を所有するすべての階級が支配的地位から追いのけられ、プロレタリアートが国家権力を掌握し、一国だけでなく全世界のすべての主要国のプロレタリアの協同〔アソシエーション〕がいちじるしく前進して、その結果、これらの国々でプロレタリア同士の競争がやみ、少なくとも決定的な生産力がアソシエートしたプロレタリアの手に集中されるまで、革命を永続させること（**die Revolution permanent zu machen**）である。われわれにとって必要なのは、私的所有を変更することではなくてまさにそれを廃絶することであり、階級対立をごまかすことではなくて階級を廃止することで

> あり、現存の社会を改善することではなくて新しい社会を建設することである。[*41]
>
> しかし、労働者が最後の勝利を得るためには、彼ら自身が最も努力しなければならない。すなわち、自分の階級利益を明らかに理解し、できるだけ速やかに独自の党的立場を占め、一瞬といえども民主主義的小ブルジョアの偽善的な空文句に迷わされずに、プロレタリアートの党の独立の組織化を進めなければならない。彼らの戦いの鬨（とき）の声はこうでなければならない——永続革命（**Die Revolution in Permanenz**）。[*42]

右の二つの引用のうち、一つ目は、ドイツにおける革命情勢から世界革命へと革命を永続させることが書かれているので、歴史的永続革命論に分類することもできますが、出発点はあくまでもドイツにおけるありうる小ブルジョア的革命権力の狭い限界を超えることです。二つ目は、主としてドイツの情勢を念頭に置いて、まずは小ブルジョア革命派を権力に就かせ、それを下から突き上げてその力を使い果たさせ、そして最後に小ブルジョア的段階を越えていって、革命を永続させるべきことが語られています。当時はすでにヨーロッパ革命は完全に下火になっており、情勢は沈静化しつつあったのですが、マルクスもエンゲルスもこれは全体としての革命期における一時的な下降期にすぎないと考えて、むしろ戦術をエスカレートすることで、事態の革命的打破を狙ったと言えるでしょう。

しかし、マルクスとエンゲルスのこの革命的訴えにもかかわらず、革命情勢は再び上げ潮になることはなく、多くの革命家は亡命を余儀なくされ、ヨーロッパ大陸のどこでも旧来の秩序が戻っていきました。

マルクスもエンゲルスも一八五〇年の後半にはそのことを理解し、方向転換をするようになります。

戦術的永続革命論の克服

革命情勢の沈静化を最も典型的に示すのが、一八四八年一二月の大統領選で名目上の大統領に就任していたルイ・ナポレオンが一八五一年一二月にクーデターを起こし、全権を掌握したことです。この動きに対して、一八四八年にはあれほどフランス全土を揺るがしたプロレタリアートは受動的なままでした。このクーデターは、マルクスにとって予期せぬものであり、それは直後のマルクスとエンゲルスとの往復書簡によく示されています。しかし、この最初の驚きから立ち直ると、マルクスはエンゲルスの協力を得ながら、マルクスの政治分析として最も有名になる『ルイ・ボナパルトのブリュメール一八日』を書き上げます。その具体的な内容はここでは取り上げませんが、永続革命論との関係で言うと、そこには、戦術的永続革命論を明確に克服したことを示す一文が見出されます。

一八世紀の諸革命のようなブルジョア革命は、成功から成功へとあわただしく突進し、人も物も絢爛たる光彩に包まれて見え、有頂天が日々の精神である。しかしそれは短命ですぐに絶頂に達してしまう。……ところが一九世紀の諸革命のようなプロレタリア革命は、たえず自分自身を批判し、進みながらも絶えず立ち止まり、すでに成し遂げられたと思えたものに立ち戻っては、もう一度新しくやり直し、自分が初めてやった試みの中途半端な点、弱い点、けち臭い点を、情け容赦なく、徹底的に嘲笑する。……[*43]

ここに示されているのは、後の呼び方で言うなら、一八世紀の「機動戦型」のブルジョア革命に対して、一九世紀の（実際には本当にプロレタリア革命が起こるのはようやく二〇世紀になってからですが）プロレタリア革命が「陣地戦型」の革命であるという論点です。ここにおいてマルクスもエンゲルスも、戦術的永続革命論を卒業して、新しい革命の型について考えるようになったわけです（とはいえ、この時点ではまだ「恐慌＝革命」論を脱していなかったのですが）。後世の論者の中には、マルクスとエンゲルスは一八四八～五〇年前半にはたしかに「永続革命論者」であったが、それは一八四八年革命の急進主義やブランキ派の影響にすぎず、その後、この時期の急進主義を捨てて、ブランキ派とも距離を取るようになって、永続革命の立場を克服したのだと言う人が少なからずいるのですが、これは、永続革命論を戦術的な意味でのそれに還元する誤った見方です。このことの無理解がこの問題におけるあらゆる混乱のもとになっています。ここで克服されたのはあくまでも「戦術的な意味での永続革命論」にすぎません。とくに「歴史的な意味での永続革命論」は、革命的共産主義者としての立場性そのものを表明するものですから、克服する対象になりえないのは明らかです。

戦略的永続革命論の後景化

では戦略的な意味での永続革命論の方はどうなったのでしょうか？　実は、ドイツで永続革命が成り立つためには、二つの重要な柱が必要です。一つは、ドイツ・ブルジョアジーが骨の髄まで裏切り的であって、自立的に支配する能力を欠き、したがってブルジョア主導での民主主義革命がドイツでは実現しえず、したがってその歴史的課題は別の階級に委ねられること、です。これは永続革命の客観的条件です。もう一つは、ドイツの労働者階級に、ブルジョアジーに代わってドイツでブルジョア革命を遂行する政治的・階級的能力が存在することです。これは永続革命の主体的条件です。エンゲルスは、先ほど引用した『ドイツ国憲法戦役』において、前者の客観的条件については証明しているのですが、後者の主体的条件についてはそうではありませんでした。ドイツの労働者階級は成長し始めたばかりで、その主力はまだ職人層でした。それゆえ、戦略的永続革命を遂行する主体的条件が当時のドイツにはまったくなかったのです。客観的条件という歯車と主体的条件という歯車とがガッチリかみ合った時、はじめて永続革命の扉が開くのです。

それゆえ、その後、マルクスもエンゲルスも、ドイツ労働者階級のこの弱さを実感したので、まずはドイツにおける資本主義の発達とドイツ労働者階級の政治的・階級的成長を展望するようになりました。こうして、戦略的永続革命を示唆する文言は影を潜めます。[*44] とはいえ、それは段階革命論の立場に舞い戻ったということではありません。もしそうなら、ドイツではブルジョアジーによって君主制打倒をはじめとする民主主義革命が成し遂げられるという見解になったはずです（一八四八年革命まではそのような立場でした）。しかし、そうではありませんでした。ただ、永続革命を遂行しうる主体的勢力がまだ不在ないし未熟だっただけなのです。したがって、ドイツ労働者階級が本格的に政治的成長を遂げるようになる一八七〇～八〇年代以降になりますと、再び永続革命的な観点が（そういう言葉は使わずにですが）、見られるようになります。[*45]

ところで、すでに見たように、戦術的永続革命論が登場する場面では「永続革命」や「革命を永続させる」という言葉が登場し、歴史的永続革命について論じている場面でも「革命の永続性」という言葉が登場するのに、肝心の戦略的永続革命論が事実上語られている場面では、「永続革命」という言葉がいっさい登場していません。それゆえ、マルクス・エンゲルスの永続革命論について論じられる際には、事実上、戦術的な意味でのそれに還元されて理解され、これが情勢の変化によって両名によって放棄されたとみなされると、永続革命論そのものが放棄されたかのように受け取られるようになったのです。[*46]

補足1――マルクスとパリ・コミューン

以上の考察に対する補足として、マルクス（およびエンゲルス）とパリ・コミューンとの関係についても簡単に振り返っておく。周知のように、マルクスもエンゲルスも、普仏戦争の結果として生じたルイ・ボナパルトの帝政の崩壊後に生じた共和制がプロレタリア革命へと発展させることに反対であり、それは当時の状況からして自殺的であると考えていた。しかしながら、実際にパリ・コミューンが成立し、それがプロレタリア革命的な様相を呈するようになると、それへの見方が変わり始め、最終的にコミューンがベルサイユ政府によって残忍に弾圧されると、マルクスはパリ・コミューンの偉業を全面的にたたえる有名な『フランスにおける内乱』を執筆し、それは第一インターナショナルの公式の宣言として採択されることになる。

マルクスのこのパリ・コミューン論に関しては、後に『共産党宣言』の一八七二年ドイツ語版序文などで示された、「労働者階級は出来合いの国家機構をそのまま掌握して自分自身の目的に用いることはできない」という教訓にばかり注目が集まってきたが、それ以上に重要なのは、パリ・コミューンが明確に永続革命の軌跡をたどったこと、そしてそれをマルクスが支持したことである。普仏戦争の結果としてルイ・ボナパルトの帝政が崩壊し、その直後における共和制の宣言につづいて、パリの革命はただちにプロレタリア革命の様相を示し始めたのだから、これは明らかに永続革命のパターンに従っている。マルクスは当初はそうした展開に反対していたにもかかわらず、実際に革命がそのような軌跡をたどると、パリ・コミューンを熱烈に支持した。ここにマルクスの革命家として真骨頂が示されている。[*47]

しかし、マルクスのこの永続革命支持は、一八四八〜五〇年のドイツ革命の時と違って、戦略的な観点からというよりも戦術的な意味での面が強かった。そのため、マルクスはその後、パリ・コミューンの持つ戦略的ないし歴史的意味を十分に教訓化することができなかった。すなわち、ブルジョア革命の祖国においてさえブルジョアジーないし小ブルジョアジーはもはや革命の指導的役割を果たせず、共和制を宣言するやいなや、その後の指導権はただちに労働者階級の前衛に引き継がれ、そして革命のヘゲモニーをとった労働者前衛はけっしてブルジョア的段階でとどまることができないという教訓である。いかに敗北の可能性が大きかろうと、ブルジョアジーがその歴史的使命を放棄したかぎりにおいて、労働者階級の前衛がそれを引き受けざるをえなかったし、そうしないことは、労働者階級にとってより大きな歴史的マイナスになる。パリ・コミューンはその敗北にもかかわらず、歴史的にすべてのプロレタリア革命家と社会主義者を鼓舞しつづけることで、単なる局地的勝利と敗北をはるかに超える大きな貢献を社会主義に対して行なったのである。

パリ・コミューンのもう一つの教訓は、ブルジョアジーが労働者階級の前衛から政治的指導権を取り返すことは、労働者階級の前衛もろとも革命そのものを破壊することなしには不可能であり、プロイセンの反動的軍隊の協力さえ必要としたということである（これと同じ現象はその後はるかに大規模な形で、ロシア革命後の内戦で、そして第二次中国革命において繰り返される)。その意味でパリ・コミューンは、世界史的な意味で「ブルジョア革命の時代」の終焉をはっきりと画すものであった。[*48]

マルクスはこれらの教訓を十分に定式化することができず、この点の弱点は、パリ・コミューン敗北から一〇年経った後にオランダの社会主義者ドメラ・ニーウェンホイスに宛てた有名な手紙の中での、パリ・コミューンに関するかなり否定的に見える評価に反響している。[*49] とりわけ、その中でマルクスは、パリのコミューン政府がベルサイユ政府と妥協する可能性について云々している。だが、そんな妥協の可能性は最初からなかったし、たとえあったとしても一時的なもので、結局のところコミューンの虐殺に終わっただろう。これはしばしば、マルクスがパリ・コミューンに対する見方を変えた証拠のように言われているが、そうではなく、当初からあった、その戦略的評価の不十分さの延長上にあるのだ。

一九〇五年革命における二つの永続革命論の再生

さて、ここから「縦糸」の話に入ります。その後、永続革命論の問題は全体として忘れられていきますが、帝政ロシアで起こった一九〇五年革命をきっかけとして、再びこれが先鋭な論争テーマとなります。しかしそこでは「歴史的永続革命論」の方ほとんど忘れられていて、基本的に「戦術的永続革命論」と「戦略的永続革命論」という二つの永続革命論が論争の中心になりました（もっとも、論争当事者はこのような区分を理論的にしているわけではないので、論じている当人は理解していませんが）。

当時のロシアは、全体として欧米に比べて資本主義の発展水準は低かったのですが（といっても、多くの人が固定観念として思い込んでいるほどではない）、ウラル以西のいわゆるヨーロッパ・ロシアにおいては一九世紀末から急速に工業化が進み、大規模なプロレタリアートが大工場に集中して存在していました。一八四八年革命時のドイツでは労働者の数も少なく、その大部分が職人的労働者でしたが、一九〇五年のロシアでは、一八四八年当時のドイツよりもはるかに巨大な数の労働者がいて、しかもその多数は典型的な産業労働者だったのであり、さらにその先進部分は圧倒的にマルクス主義の影響下にありました。マルクスの思想が単に多くの思想の一つにすぎず、しかも生まれたての少数派であった一八四八年当時のドイツとはこの点でも雲泥の差です。

つまり、『共産党宣言』でマルクスがドイツの特殊性として述べた「この〔ブルジョア革命という〕変革を一七世紀のイギリスや一八世紀のフランスと比べてヨーロッパ文明全体のより進んだ諸条件のもとで、そしてはるかに発達したプロレタリアートでもって遂行する」という状況が、はるかに先鋭化した形で当時のロシアにあったのです。永続革命の扉を開けるのに必要な主体的条件が、はるかに成熟した形で存在していたということです。

こうした状況のもとで、二つの永続革命論をめぐる対立が発生します。まず、ボリシェヴィキもメンシェヴィキも、当時、革命の最も断固たる推進勢力がプロレタリアートであり、とりわけその組織され集中された部分である工場労働者であることを理解していましたから、プロレタリアートがヘゲモニー的役割を果たすブルジョア革命という特殊な状況にロシアが置かれていることをそれなりに自覚していました。しかしどちらも、段階革命論の図式に囚われていたため、ブルジョア民主主義革命の枠組みを何とか維持しようと苦心します。メンシェヴィキは、今はプロレタリアートがヘゲモニー勢力だが、やがてブルジョアジーや小ブルジョアジーも革命勢力として台頭し、プロレタリアートの上に立ってブルジョア革命の権力を握るだろうと想定しました。したがって、プロレタリアートとその党は急進的野党の位置をキープし、下から革命を推進しなければならないと考えました（革命的野党論）。

ボリシェヴィキは、ブルジョアジーにも小ブルジョアジーにもそうした意思も能力もないことを正しく理解し、したがってプロレタリアートが一貫したヘゲモニー勢力としてブルジョア革命を最後まで遂行しなければならないと考えましたが、ブルジョア革命の同盟者である膨大な農民層がプロレタリアートの行動を制約し、したがってどんなに徹底してもブルジョア革命の枠内にとどまるだろうと考えました（労農民主独裁論）。

しかし両者とも、激しい論争の中で、そして沸騰する革命の嵐の中で永続革命論へと急速に接近していきます。一九〇五年の論争の中でたびたび「永続革命」ないし「革命の永続性」という言葉がメンシェヴィキやボリシェヴィキの機関紙に何度も登場し、永続革命を支持するような言辞が飛び交うようになります。たとえばプレハーノフは、一八五〇年三月のマルクスとエンゲルスの例の「訴え」（回状）を取り上げて、そこに示された永続革命の路線こそわれわれの路線であるとさえ言っています。さらにレーニンやルナチャルスキーなども、一時的には労農民主独裁論さえ超えて、永続革命を支持するかのような発言もするようになりました。

しかし、そうした接近は基本的に、当時の革命的雰囲気の中で生じた「戦術的な意味での永続革命論」にすぎませんでした。それゆえ、革命がしだいに沈静化していく一九〇七年以降になると、メンシェヴィキもボリシェヴィキも永続革命については語らなくなり、元の鞘へと戻っていきました。メンシェヴィキは段階革命論へ、ボリシェヴィキは労農民主独裁論へ。

そうした中でトロツキーが唯一、ロシアの歴史的特殊性の深い分析にもとづいて「戦略的な意味での永続革命論」を最も明快な形で定式化しました。

一、ロシアが当面する革命はたしかにブルジョア革命であるけれども、ロシアにおけるブルジョアジーも小ブルジョアジーも反動的であるか臆病であるため、あるいはその両方であるため、このブルジョア革命を指導することはできない。

二、実際にブルジョア革命を指導しそれを勝利に導くことができるのは、農民と同盟したプロレタリアートだけであり、したがって革命の開始から勝利までどのような段階があるにせよ、ロシアにおけるブルジョア革命の勝利は、「農民を指導するプロレタリアートの独裁」としてのみ可能である。

三、このブルジョア革命の勝利者として権力に就いたプロレタリアートは、農民解放や憲法制定議会の招集などの民主主義的課題を徹底して遂行するが、民主主義革命を完徹するためだけであっても、革命のブルジョア的段階を越えて社会主義革命へと連続しなければならない。

四、しかし、それをどこまで押し進めることができるかはその時における国内外の情勢によって規定されるのであり、ロシアの全体としての経済的後進性からして、ロシア単独で社会主義革命を最後まで遂行することは不可能であって、ヨーロッパ革命によって補完されなければ、早晩、崩壊することになる。

以上、四つのポイントにまとめましたが、こういう風に明快な（そしてその後の歴史が示すように驚くほど正確な）展望を示すことができたのは、ひとりトロツキーだけでした。パルヴスを含め、他の誰もこのような定式化に至っていません。

ですから、当時、「永続革命」という言葉が飛び交いますが、実際には、トロツキーを除いて、そのほとんどは「戦術的な意味での永続革命」であり、当時の急進的雰囲気に煽られたものでした。しかも、トロツキー自身が自分の理論を「永続革命」という言葉で表現するのはずっと後ですから、むしろ「永続革命」という言葉を好んで用いたのはメンシェヴィキの方でした。[*50] ですから、当時の論争を振り返って、メンシェヴィキの用法をそのままトロツキーの永続革命論といっしょくたにして論じるのは一面的です。当時の圧倒的に革命的な雰囲気の中でとうてい革命のブルジョア的段階にとどまってはいられないとして戦術的に永続革命論へと接近するのと、そうした雰囲気を積極的に吸収しつつも、深い社会的分析に基づいてロシアにおける永続革命的展望を定式化するのとでは、次元が異なるわけです。

もちろん、革命的雰囲気に影響されて「戦術的な意味での永続革命」の展望へと向かう人々が大量に生じること自体は、「戦略的な意味での永続革命論」が前提にしていたロシアの歴史的特殊性を表現するものであり、それが正しく「戦略的な意味での永続革命」論へと成長転化するならば（あるいはそれによって媒介されるならば）、革命の正しい指導を可能とするものです。

一九一七年革命の教訓

さらに「縦糸」をたどっていきますと、一九〇五年革命の後の反動期を経て、第一次世界大戦の結果として一九一七年にロシア大革命が起こります。この時最初に二月革命が起こって、ブルジョア革命のすべてではないが、その大きな一部がすでに達成されました。すなわちロマノフ王朝の打倒と共和制の実現という点では一つの大きな目標が達成されていました。

では、この時点でどのような革命路線を取るべきなのかをめぐってボリシェヴィキの中で激しい論争になったときに、最初のうちは、ブルジョアジーと官僚によって急きょ作られた臨時政府を批判的に支持しながら、ブルジョア革命を徹底するという路線がボリシェヴィキの中で支配的になっていました。そういう時に、みなさんもご存知のように、レーニンが亡命地から帰ってきて、有名な四月テーゼを発表し、臨時政府をいっさい支持しない、これまでのボリシェヴィキの基本路線であった労農民主独裁はソヴィエトという形で事実上すでに実現している、したがってこの段階にとどまっていてはだめで、すべての権力をソヴィエトに移し、プロレタリアートと貧農による政府をめざす、ソヴィエトによる銀行の統制や生産の管理などの過渡的措置を導入する、という立場を打ち出しました。これは旧来の労農民主独裁論からの転換であり、まだ永続革命の路線そのものにはなっていないとはいえ、そこに向けての大きな飛躍でした。*51その後、レーニンはしだいにより明確な永続革命の路線へと移行していきます。

これはいわば、当時における急進主義的雰囲気の中で、「戦術的な意味での永続革命論」を梃子にして、「戦略的な意味での永続革命論」へと（無意識のうちに）飛躍したものと見ることができます。ところが他のボリシェヴィキ指導者はどうかというと、彼らは最終的にレーニンの四月テーゼを支持するに至りますが、それは当時の革命的雰囲気と下からの革命的労働者の圧力にしたがった結果であって（それ自体は重要なことで、というのは、メンシェヴィキは一九〇五年の時と違って、戦術的な意味でさえ永続革命論に従わなかったからです）、戦術的永続革命を受容したにとどまったと言えます。だから、後に永続革命論をめぐって党内論争が起こったときに、主要なボリシェヴィキ指導者はみな永続革命論に敵対したし、あるいは、その一部が後にトロツキー派と合同した後でさえ、永続革命論における発展のダイナミズムを理解していないことを暴露することになります。

レーニンも、かなり直観的に戦略的永続革命論へと飛躍したけれども、それは結局「直観的なもの」であったために、過去を振り返って、一九〇五〜〇六年時点の論争において正しかったのはレーニンでもメンシェヴィキでもなくトロツキーであったことを、公表された文章や演説などで明言することはありませんでした。一九二七年に自殺したアドルフ・ヨッフェがその遺書の中で明らかにしているように、私的会話ではそう言っていたようですが、そのことを公の場で語ることはありませんでした。そのために、後に、トロツキーに対する総攻撃が始まったとき、攻撃側は過去のレーニンのあれこれの文章を持ち出して、トロツキーの永続革命論を異端、極左、メンシェヴィズムなどと非難することができたのです。

補足2――グラムシ「獄中ノート」における二つの永続革命論

以上の話の補足として、実は、グラムシの「獄中ノート」の中にも「二つの永続革命」という議論が出てくることについて、紹介しておく。

よく知られているように、グラムシの「獄中ノート」ではあちこちでトロツキーを念頭に置いて永続革命論に対する批判がなされている。曰く、それはジャコバン的なもので、一八四八年革命でも適用され、その後時代遅れになり、市民社会が未発達な一九一七年のロシアに適用されて成功を収めたものの、ヨーロッパでは適用できない、という趣旨の発言である。けれども、こうした永続革命論批判は実はすべて「戦術的な意味での永続革命論」に対する批判でしかなく、「戦略的な意味での永続革命論」を批判した部分は「獄中ノート」には存在しない。「戦術的な意味での永続革命」と「戦略的な意味での永続革命」との区別を踏まえて「獄中ノート」を分析した人はこれまで誰もいなかったので、「永続革命」に対するあれこれの批判がそのままトロツキーの永続革命論に対する批判であると短絡されてしまっている。

さらに重要なのは、グラムシが、史的唯物論に関する二つの命題について論じた個所――これは非常に有名な箇所なので、グラムシを学んだ人は必ずこの部分も読んでいるだろう――においては、永続革命について肯定的に触れている箇所が存在することだ。まず、史的唯物論の二つの命題としてグラムシが述べているのは、以下の部分である。

（1）いかなる社会も、その解決のための必要かつ十分な諸条件がまだ存在していないか、または少なくともそれらの条件が出現と発展の途上にないような課題を設定しないという原則。（2）いかなる社会も、その諸関係が内包しているすべての生活形態を発展させてしまうまでは解体しないし、また取り替えられることはありえないという原則。[*52]

これは、マルクスの有名な『経済学批判』序文に出てくる史的唯物論の定式をグラムシ流に言い直した箇所なのだが、続けてグラムシは、この二つの命題を「弁証法的に媒介」するのが「永続革命の政治的・歴史的定式」だと述べている。

まさしく、さまざまの振り幅をともなったこれらの「波」の研究こそ、一方では構造と上部構造との諸関係、他方では構造の有機的運動の展開と状況的運動の展開との諸関係の再構築を可能にするのである。いずれにせよ、本節の冒頭で述べた二つの方法論的原則の弁証法的媒介は永続革命の政治的・歴史的定式のなかに見出しうると言うことができる。[*53]

ここでこのように一言言っているだけなので、その意味するところは推測する以外ないが、まずは言葉だけを見ても、「政治的」というのは「戦略的」と言いかえることができるし、「歴史的」は文字通り「歴史的」の意味であろう。つまり、戦術的な意味での永続革命の路線は基本的にジャコバン的であって、ロシアという後進国（市民社会がゼラチン状の！）でしか適用できないのだというように、「戦術的な意味での永続革命」の妥当性を歴史的・地理的に限定しつつも、戦略的ないし歴史的な意味では、永続革命について先の文章に見られるように肯定的な文脈でも用いているわけである。

では先の文章は具体的にどういう意味なのか？　たとえば次のように考えることができる。一九一七年の帝政ロシアは、資本主義の克服と社会主義への前進という歴史的課題を解決するための必要条件が（状況的な意味で）出現し、十分条件もその発展途上にあったが（命題（1）の充足）、資本主義社会の「すべての生活形態」が完全に発展していたわけではなかった（命題（2）の非充足）。社会というのは、新しい社会ないし新しい課題を実現するための諸条件が出現し発展していったとしても、それと同時に社会の中のすべての要素が発展しきるわけでない。この両者のあいだには、大きな歴史的タイムラグが常に存在する、と。

先の命題（1）と命題（2）というのは、単に同じことの言いかえであると当時見られていたし、今も多くの研究者によって見られているが、グラムシはこの両者に深刻なずれがあるとみなしていた。たとえば、一九一七年のロシアにおいては、新しい社会の実現という歴史的課題に向けた諸条件が、ソヴィエトや革命的労働者の運動や強大なボリシェヴィキ党という形で存在していたけれども、ロシアという古い社会の中にあったさまざまな要素、たとえば生産力や技術、市民社会、農民の状況などが発展しきっていたわけではなかった。そこには明らかに深刻な構造的ずれがあり、歴史的タイムラグがある。ではそれらを何が埋めるのか、何が媒介するのかというと、グラムシは「永続革命の政治的・歴史的定式」であると言うのだが、実はこれこそトロツキーの認識でもあった。トロツキーは単に、ブルジョア革命からプロレタリア革命への飛躍ないし連続について語ったわけではなく、ロシア社会の中の先進的要素にもとづいて社会主義革命を先駆的に開始しつつも、ロシアのその他の諸要素の後進性ゆえに、自足的に社会主義（一国社会主義！）へと至ることはできず、その中で社会主義的諸要素を発展させながら（工業化など）、ヨーロッパ革命が起こるまで持ちこたえなければならないと考えたのである。そのように解釈すれば、グラムシのここでの永続革命認識はトロツキーの戦略的永続革命論とそれほど隔たっていないと言える。

　あるいはまた、あそこでグラムシが言っているのは「歴史的な意味での永続革命」のことであると考えることもできる。ロシアの特殊性とは別に、あらゆる国において、社会はその中のあらゆる要素が発展しきる前に、常に、新しい社会の実現のための諸条件を部分的に現出させ発展させるのだから、そのような諸条件にもとづいて起こる革命は常に「歴史的な意味での永続革命」にならざるをえず、社会の要素がすべて発展しきるまで革命を持続させなければならないと主張していたと解釈することもできる。

　つまりグラムシは、「戦術的な意味での永続革命論」をトロツキー＝パルヴスに押しつけるという誤謬を犯したが（しかし、それは、志田昇氏などが言うように、獄中という状況下での意図的煙幕だったかもしれない）、以上のように再解釈するなら、グラムシは実は、トロツキーと同じく、「戦術的な意味での永続革命」から「歴史的ないし戦略的な意味での永続革命」を区別した上で、後者をより普遍的な文脈の中に置いて肯定的に理解していると考えることができるのだ。

ソ連東欧崩壊後における永続革命論の意義

さて、話を戻して、さらに縦糸を手繰っていきますと、一九一七年における戦略的永続革命によって成立したソ連が崩壊した今日、では永続革命論にはどのような現代的意義があるのかということが問題になります。すでに述べたように、永続革命には三つの次元が存在します。戦術的永続革命、戦略的永続革命、そして歴史的永続革命です。戦術的永続革命はここでは主たる問題になりません。問題になるのは、後の二つ、とりわけ歴史的永続革命です。

現在の新自由主義的な資本主義のもとでは、人間の最もプリミティブな生存条件、人間らしく生きる権利、民主主義の基本的条件などがますます維持できなくなっています。ますます深刻化する地球温暖化、ますます拡大しグローバル化する経済的格差、そして今日の新型コロナウイルスの蔓延、あるいは世界各地で勃発する内戦やテロや人種差別、等々がそのことを雄弁に示しています。あるいは、いま各国で独裁政権やポピュリスト政権があいついで成立していますが、この問題もそうです。とくに、旧ソ連・東欧圏では、資本主義化によって民主主義化が進んだどころか、あいついで独裁者が政権に就き、労働者や女性や同性愛者の権利が深刻に脅かされています。

つまり文明と人間的生存、民主主義の初歩的条件は結局、これほどの資本主義の発展にもかかわらず実現されませんでした。経済が発展していないから、生産力が低いから実現できないのではなく（マルクスの時代にはそう言えたかもしれませんが）、資本主義の構造的枠組みとその基本的メカニズムがそれを不可能としているのです。したがって、結局、歴史は人類に対して、人間的生存と民主主義の初歩的諸条件の実現を社会主義に結びつけることを余儀なくしています。本来の永続革命論においても、社会主義革命は、後発資本主義のもとでは結局達成されなかった初歩的な文明と民主主義の諸条件、諸課題を実現するのに必要なものとして提起されました。これと同じことが、ぐるっと一周回って、今日の高度に発達した資本主義社会においても、世界史的な意味を帯びてわれわれの前に提起されているのです。

これは言ってみれば、「歴史的な意味での永続革命論」の世界史的な復活であり、また『共産党宣言』の以下の命題の高次復活であるとも言えます。

> ここではっきりと明らかになるのは、ブルジョアジーはもはや社会の支配階級にとどまることができないこと、自分たちの階級の生活条件を正常な法則として社会に押しつけることができないということである。彼らには支配する能力がないというのは、自らの奴隷たちにその奴隷制のもとでの生存を保障することさえできないからである。……社会はもはやブルジョアジーのもとでは生きていくことができない。すなわちブルジョアジーの生存はもはや社会とあいいれない。（七四〜七五頁）

ここでマルクスがブルジョアジーには支配する能力がないと宣告した理由は、当時の労働者がどんどん貧困化していって、その賃金が生存条件以下に落ち込み、受給貧民化しつつあることでした。自分が搾取する奴隷にまともな生存さえ保証できないような支配階級が支配階級としての資格を持つはずないだろうというのが、当時のマルクスの判断でした。これは、しかし、みなさんもご存知のように、労働者階級自身の激しい階級闘争を通じて、そして度重なる革命や内乱を通じて（その中には、パリ・コミューン、ロシア革命、中国革命、等々も入ります）、ブルジョアジーに対して、それが搾取する奴隷にもまともな生活をさせることを可能とするような賃金水準や労働環境、政策体系を押しつけることができました。そのため、ここでのマルクスの言明、すなわちブルジョア支配は今や歴史的限界に至っており、新しい社会秩序に席を譲らなければならないという宣告はそのままでは妥当しませんでした。

しかし、今日、『共産党宣言』におけるこの最終宣告は、より大規模に、そしてより深刻な形で妥当性を帯びています。資本主義の暴走に対する決定的な歯止めになっていた、資本主義国内部の労働者の運動と資本主義国外部の「社会主義」圏を崩壊させた結果として、資本主義は自己自身の破壊といっしょに人類全体を滅亡へと引きずり込む過程を突き進んでいます。このことはたとえば、現在のコロナ危機の渦中において、資本主義世界の盟主たるアメリカが何ら積極的なイニシアチブを発揮できず、とめどなく感染者が広がる中で、各国ないし各州の自助努力に任せて呆然自失状態にあることにも示されています。また、ますます深刻化する地球温暖化問題に関しても、アメリカは何らイニシアチブを発揮しないどころか、本来の対策に逆行することしかしていません。この面に関しては、他の資本主義諸国も同じであり、人類を乗せた列車が奈落の底に向かって落ちていくのをただ傍観しているだけです。

以上の点からして、現在、「社会はもはやブルジョアジーのもとでは生きていくことができない。すなわちブルジョアジーの生存はもはや社会とあいいれない」という『共産党宣言』の最終宣告は、かつてないほどのリアリティを持つようになっており、その意味で『共産党宣言』は今日においても十分に現実的力を持ったものだと思います。

4、『共産党宣言』とプロレタリアートの変革能力

『共産党宣言』をめぐる主要な四つのテーマの最後は、「『共産党宣言』とプロレタリアートの変革能力」についてです。「3」の最後で見たように、資本主義がその歴史的限界に至っているとすれば、ではいったい誰が、あるいはどのような社会勢力がそのような歴史的限界を突破して、新しい社会秩序を担う役割を果たすのかということが、当然次の問題になります。そして『共産党宣言』は言うまでもなく、プロレタリアート（おおむね産業労働者と重なる労働者）こそが資本主義の「墓堀人」であって、資本主義の転覆という歴史的使命を担うのだとされています。『共産党宣言』の新訳解説（本書の第1章）でも述べたように、今日、『共産党宣言』ないしマルクス主義そのものの妥当性を疑問視する人びとは、常に、『共産党宣言』のこの予言は実現しなかったと言うのが常です。

しかし、先ほど述べたように、『共産党宣言』におけるブルジョア支配への最終宣告が当時において妥当しなかったのは、プロレタリアートの階級闘争のおかげであり、その変革能力のおかげでした。『共産党宣言』が資本主義の「墓堀人」として歴史的に名指したあの産業労働者こそが、その指名に見事に応えて、資本主義の暴走をあちこちで押しとどめ、しばしばそれを反転させ、時にいくつかの国で実際にブルジョア秩序を覆すことで、世界ブルジョアジーを「教育」し「教化」した結果として、ブルジョアジーの支配と社会の存続との両立がかろうじて可能になったのです。それはブルジョアジーの支配能力のおかげ

というよりも（多くの人はそれに還元しますが）、プロレタリアートの変革能力のおかげなのです。ところが、皮肉なことに、他ならぬ「プロレタリアートの変革能力」の結果であるものが、資本主義の「墓堀人」としてのプロレタリアートという『共産党宣言』の予言が外れた証拠として持ち出されているのです。

『共産党宣言』と階級闘争

さて、この「4」においても、「横糸」と「縦糸」を通して考えていきたいと思います。まずは「横糸」です。『共産党宣言』にはさまざまな歴史的名文句が散りばめられていますが、その中でもおそらく誰もが想起するものの一つが、「一、ブルジョアジーとプロレタリアート」の冒頭に登場する「これまでのあらゆる社会の歴史は階級闘争の歴史である」という一句でしょう。この文章を皮切りに、『共産党宣言』にはトータルで一〇回も「階級闘争」という言葉が登場します。しかし、意外に知られていないのですが、『共産党宣言』の下書きとしての役割を果たした「共産主義の原理」には、一度も「階級闘争」という言葉は登場しないのです。「階級」という言葉は何十回と登場するし、プロレタリアートが社会革命の担い手であり、その遂行者であることもきちんと言われています。また、「これらの諸国ではブルジョアジーとプロレタリアートが社会の二つの決定的な階級をなし、両者間の闘争が現代における主要な闘争となっている」（三八頁）とも書かれており、これは要するにブルジョアジーとプロレタリアートとの「階級闘争」のことです。

したがってもちろんのこと、エンゲルスが「階級闘争」に否定的であったというわけではありません。「共産主義の原理」以前に書かれた『イギリスにおける労働者階級の状態』には、実に生き生きと具体的にイギリス労働者階級による激しい階級闘争の様相が描かれていますし（ただし「階級闘争」という言葉は登場しない）[*54]、また「共産主義の原理」と同じころに書かれた「共産主義者とカール・ハインツェン」という論文では「階級闘争」という言葉自体も複数回登場します。[*55] したがって、「共産主義の原理」と『共産党宣言』との違いは、一方には「階級闘争」がなく他方にはあるということではけっしてなく、『共産党宣言』においては階級闘争がきわめて鋭く強調され、誰にとっても印象深い形でクローズアップされているということです。

『共産党宣言』は、社会の変化・運動（革命は言うまでもなく）の主要な動力として階級闘争をこのように鮮烈に位置づけることで、これまでの空想的社会主義の流れに対して明確な一線を引くとともに、[*56] 社会主義は何よりも資本主義のもとで搾取され抑圧されている労働者階級自身の自己解放の産物であるという基本的立場を高らかに宣言しているのです。もちろんこれはエンゲルスにも共有されていた立場ですが、マルクスは階級闘争の意義を繰り返し強調することで、それをより鮮明にはっきりと打ち出しているわけです。マルクスにおけるこの階級闘争の決定的な強調を無視して、「マルクスらしさ」や「真のマルクス」をあれこれ論じる最近の風潮はナンセンスです。

言うまでもなく、マルクスとエンゲルスが『共産党宣言』や「共産主義の原理」で歴史的使命を担いうるプロレタリアートとして念頭に置いていたのは、近代工業の固有の産物である産業労働者でした。しかし、『共産党宣言』の出版直後にフランスのパリで起こった一八四八年二月革命の推進勢力は、工場労働者ではなく、パリの職人的労働者でしたし、ドイツの三月革命においてもそうでした。イギリスでは、産業労働者はすでにチャーチスト運動や労働組合運動を担っていたけれども、一八四八年革命においてはイギリスは例外的に非革命的状況にありました。したがって、一八四八年革命においてヨーロッパ各地で急進的労働者運動の核を担ったのはどこでも職人的労働者ないし手工業労働者でした。ですから、ある意味、大工業によって組織された近代産業労働者がその階級闘争を通じてやがてプロレタリア革命を実現することができるのだという「共産主義の原理」や『共産党宣言』の展望は、当時にあってはきわめて大胆な理論的予測であったと言うことができます。しかし、産業労働者はその後多くの変革や動乱を実際に担ったことで、この理論的予測がきわめて正しかったことが、その後の歴史の中で何度も繰り返し証明されました。

歴史が示した産業労働者階級の変革能力

ここから「縦糸」の話になりますが、今日、われわれは資本主義の脱産業化と新自由主義のもとで生きているので、「労働者階級の変革能力ないし自己解放能力が歴史によって証明された」と言うと、一見、まったく根拠のない断言であるかのように見えますが、それは現在の惨めさを過去にまで投影する根本的に誤った見方です。

このような歪みを取り除こうとしたのが、先ほど少し触れたマイク・デイヴィスの最新著『マルクス古き神々と新しき謎』です。この著作は、多くの研究文献（英語文献にほぼ限定されているとはいえ）にもとづいて、『共産党宣言』以降の一九世紀後半から二〇世紀後半にかけて、いかに労働者階級が繰り返し階級闘争と社会変革に断固として立ち上がり、いかにしばしば巨大な奇跡を成し遂げたかを具体的に明らかにしています。たとえば、デイヴィスは、一八九〇年から一九二一年までの三〇年間における労働者の大衆ストライキないしゼネストの一覧を提示していますが、そこでは、一八九〇年のフランスでのゼネストに始まって、一九二一年におけるアルゼンチンでのゼネストに至るまで、四四ものゼネストが列挙されています。[*57] これには、アジア地域におけるゼネストは含まれていません。

さらにデイヴィスは、第一次世界大戦を通じて、戦争遂行に必要な武器弾薬や物資を大量生産するために、巨大に膨張した金属労働者や機械工労働者、造船労働者などが、一九一八年以降のヨーロッパ革命と共産党興隆の物質的・主体的土台となったことを説得的に示しています。[*58] そして、一九二一年以降も、繰り返しゼネストやそれに類する労働者の大規模な闘争が起きたことは言うまでもありません。とりわけ一九三〇年代におけるアメリカの産別労働組合の大規模で戦闘的な闘争はアメリカ政治のニューディール的転換をつくり出し、日本の戦後改革にも関わる決定的な時代の変化をつくり出しました。

新訳『共産党宣言』の解題でも書きましたが、今日における価値あるもの、労働者の保護であれ、共和制や民主主義であれ、女性参政権の獲得であれ、ファシズムの打倒であれ、福祉国家の建設であれ、国際人権規範の確立であれ、そのほとんどが労働者（およびそれと同盟した農民）の闘いによって獲得されたものです。一九世紀半ば以降、少なくとも労働者階級、とりわけ産業労働者階級が大規模に参加することなく達成された進歩的成果はほとんど存在しないと言っていいでしょう。

もちろん、ただちに断っておかなければなりませんが、このような産業労働者階級の闘争は常に、工場や炭鉱内においてだけでなく家族や地域社会において広く再生産労働や支援運動などを担ってきた女性労働者による闘争によっても支えられてきました。たとえば三池炭鉱闘争における婦人会の闘いはとくに有名です。

ロシア革命から戦後へ

こうした産業労働者による階級闘争の最大の歴史的成果こそ、何といっても一九一七年の二月革命とそれに続く一〇月革命です。数百年続いたロマノフ王朝をわずか五日間で崩壊させたのは首都ペテルブルクにおける工場労働者（しかもそのかなりの部分は、戦争と兵役のせいで女性労働者でした）の勇敢な闘争であり、彼ら・彼女らの生死をかけた闘争に、主として農民からなる首都の守備兵たちが合流したことで、絶対的な王朝として数百年も君臨してきたロマノフ家の支配はまるでカルタのように崩れ去りました。労働者たちは一九〇五年の経験に基づいてただちにソヴィエトを結成しましたが、最初のうちはメンシェヴィキとエスエルによって指導されていたので、主としてブルジョアジーと官僚・貴族からなる臨時政府を支える役割を果たしました。しかし、プチロフ工場の数万人規模の労働者をはじめとする産業労働者の階級的自覚と自立性がしだいに高まり、ボリシェヴィキの影響力が増すにつれて、この新たな臨時政府もすぐに動揺し始めます。何度も内閣改造を繰り返し、途中から著名なメンシェヴィキ指導者やエスエル指導者も入閣して何とかブルジョア臨時政府を維持しようとしましたが、それでも日増しに増大する労働者階級の階級的圧力に抗することができず、二月革命からわずか八カ月後に、臨時政府は打倒され、ソヴィエトという労働者階級の自己統治機関による初めての政権が誕生したのです。マルクスとエンゲルスが『共産党宣言』において予期した通り、産業労働者階級が（農民兵士とともに）ブルジョアジーの支配を打倒した瞬間でした。

今なお、当時のロシアにはほとんど産業労働者階級がいなかったかのように考えて、マルクスの予想に反してロシア革命が起こったかのように言う人が後を絶ちませんが、それはまったくの間違いです。

一九〇五年時点ですでにロシアには一〇〇〇万人以上のプロレタリアートがいて、それは『資本論』執筆時のイギリスの労働者階級の数（約八〇〇万人）よりも多かったのです。そのうちいわゆる産業労働者階級は四〇〇〜五〇〇万人を数え、しかも、その大部分は、当時ヨーロッパ大陸で最も発達した資本主義国であったドイツよりもはるかに、大規模工場に集中されていました。[*59] そして、ロシアの労働者階級は、ドイツを除いてヨーロッパの他のどの国よりもマルクス主義の影響力が強く、そして言うまでもなくわずか一〇年ちょっと前に一九〇五年革命という労働者革命の経験を積んでいました。

以上のように考えれば、ロシア革命は『資本論』に反して起こったものではなく、ある意味で、『共産党宣言』から『資本論』に至るマルクスとエンゲルスの基本的な予測に一致して起こったのです。当時のロシアはヨーロッパで最も遅れた資本主義国であったという決まり文句は、国の総生産力を総人口で割った平均値に関してのみ正しいのであり、ロシアのような、社会がきわめて鋭く分極化している後発国（一方におけるヨーロッパ以上に高度に集中された一〇〇〇万のプロレタリアート、他方では半ば農奴制的な条件下にある一億の農民）においては、そのような平均値によって政治的ダイナミズムを測ることほど馬鹿げたことはありません。まさにそのようなロシア社会の先鋭な複合性に鋭く着目し、そこから生じる独自のダイナミズムを定式化したものが、すでに本章の「3」で明らかにしたトロツキーの永続革命論（戦略的永続革命論）でした。

このような史上初の労働者国家に対して、旧支配勢力と欧米帝国主義は容赦なく襲いかかり、一九一八年から革命ロシアは内戦に巻き込まれます。三年近くにおよんだこの内戦で何十万という革命的労働者（多くは青年[*60]）と革命的農民が命を落とし、さらにその数倍の数のロシア民衆が飢餓と疫病（スペイン風邪によるものを含む）で亡くなりました。こうして、ロシア革命を実現し支えた労働者階級の大半が死亡するか、官僚機構に吸収されるか、あるいは農村に帰って農民になってしまいました。どれほど労働者階級が偉大であっても、これほどのダメージを受けて健全でいられることなどありえません。その後、ロシア労働者国家がスターリニスト的堕落をこうむった重要な要因の一つが、この革命的労働者階級の大量死と疲弊と解体であったことは間違いないでしょう。ちょうど、一八四八年革命とその後の六月事件で大量死と疲弊をこうむったフランス・プロレタリアートがルイ・ボナパルトのクーデターに受動的であったのと同じです。

とはいえ、ロシア労働者国家は堕落しながらも維持されたし、その後も、労働者階級はヨーロッパでも中国でもアメリカでもインドでも数々の動乱を引き起こし、世界を繰り返し震撼させ、その巨大な変革能力を見せつけてきました。それは戦後になっても同じであり、一九八〇～九〇年代における新自由主義的反革命とソ連・東欧の崩壊による階級闘争の世界史的敗北まで、労働者階級は農民や少数民族と同盟しつつ、繰り返しその偉大な変革能力を発揮し、先進国では福祉国家を支え、第三世界でしばしば社会主義革命を成し遂げてきたのです。

この日本でも、戦後改革を実現し維持することを可能にした戦後労働運動をはじめ、日本における社会進歩のほとんどは労働者階級の組織的・大衆的参加なしには実現できませんでした。もちろん、そこにおいてはすでに、産業労働者だけでなく、教育労働者、医療労働者、自治体労働者、公共企業体の労働者など、必ずしも産業労働者の枠に入らない多様な労働者が変革主体として重要な役割を果たしてきました。製造業労働者のような典型的な産業労働者はむしろ企業社会的な支配のもとにありました。それでも国鉄労働者などの運輸通信労働者（これも典型的な産業労働者に入ります）は重要な役割を果たし続けました。

現代における展望

ここで一気に現代まで飛びます。現代におけるプロレタリアートの変革能力の問題は、すでに論じた「2」の新しいグローバリゼーションの話や「3」の永続革命の高次復活の話と密接に結びついています。

まず、先進資本主義諸国では一九八〇年代に新自由主義的反革命が起こって、労働者階級の諸組織と諸政党が大きなダメージを受けました。さらに一九九〇年代以降に脱産業化が急速に進んで、これまで何度も巨大な力を発揮した産業労働者はしだいに縮小していき、それに立脚した巨大労働組合も縮小していっています。その一方で低賃金の小売り労働者や各種サービス労働者が急速に増大していきます。したがって、先進国では、旧来の産業労働者の枠を超えて、小売り労働者やサービス労働者や家内労働者など多様な労働者層に依拠した運動が必要になっており、しかも後者の労働者層において女性労働者の比率はきわめて高く、労働運動における女性の潜在的役割はかつてなく重要になっています。

また一九九〇年代以降におけるグローバリゼーションとソ連東欧の崩壊（と中国の改革開放）による新たな資本主義世界市場の急拡大は、先進資本主義における産業空洞化をいっそう推し進め、労働者階級の階級的力量をいっそう掘り崩しました。今日における民主主義の衰退と反動的ポピュリズムの隆盛は、労働者階級の階級的抑え込みの結果に他なりません。

以上は先進国における状況ですが、世界的に見ると、また事態は違ったものになります。大規模なＩＴ化にもかかわらず、産業資本そのものがどんどん消失していっているというわけではなく、ソ連東欧の崩壊とそれらの資本主義化、中国やインドやブラジルなどの新興大国の大規模産業化などを通じて、産業資本は国際的になお強力な力を持っており、そのもとで世界的にはむしろより多くの産業労働者が存在するようになっています。

さらに、先進国でも第三世界でも略奪的な蓄積様式がしだいに広がっており、その被害者は労働者や農民や先住民など多様な層に広がっています。また地球温暖化をはじめとする深刻な環境破壊による被害は、その特定の属性のいかんにかかわらず、あらゆる人々に襲いかかっています。もちろん、その最大の被害を真っ先に受けているのは、地球温暖化に最も寄与していない非温帯地域の貧困層です。

したがって、現代における変革主体として想定されるのは、一、先進国における多様で複合的な（とくに非産業的）労働者層、二、新興大国を中心にグローバルに存在する伝統的プロレタリアート、三、略奪的蓄積や環境破壊によって被害をこうむるあらゆる階層の人々、とくに貧しい地域の人々です。一九世紀後半から二〇世紀後半までの一〇〇年間においては、「産業労働者階級を中心とするプロレタリアート＋農民＋被抑圧民族」という三つの主要グループの歴史的ブロックが主な変革主体でしたが、この二一世紀においては、先の三つのグループの歴史的ブロックが主な変革主体として想定されると思います。

以上の三つのグループの中で、今後最も重要なものになりうるのは、第二グループ、すなわち新興大国における巨大な産業労働者層かもしれません。とくに中国経済の発展とともに、数億の規模でいる中国労働者が世界経済および世界政治において持つ潜在的力はますます増大していきます。ある意味で、この中国労働者こそが人類の運命を左右するキャスティングボードを握っているのかもしれません。かつて中国の労働者階級は、それがまだ生まれて間もない時期の一九二〇年代においてすでに何十万規模でストライキやデモに立ち上がっており、一九二六～二七年の第二次中国革命の原動力となりました。その後、蒋介石のクーデターと流血の弾圧、日本帝国主義による都市部の占拠という厳しい試練をこうむったにもかかわらず、数億の中国農民と連合して日本帝国主義を粉砕し、蒋介石の国民党軍とも戦って勝利し、新中国を建設しました。このような革命的伝統のある中国労働者階級が新たに目覚め、その階級的自立性を獲得し、中国政府の政策に影響を与えるようになるならば（その兆候はすでに存在します）、そしてそれが国際プロレタリアートと連帯して闘うようになれば、今日の新自由主義的グローバリゼーションと中国経済圏の膨張という二つの基本勢力に割って入る第三の勢力になるかもしれません。現時点ではまだまだ未知数ですけれども、それは大きな要素になりうると思います。

以上のように考えれば、『共産党宣言』が想定した産業プロレタリアートを中心とするプロレタリアートに資本主義の「墓掘人」としての歴史的使命をあてがったことは、今日においてもけっして間違っていなかったと言えます。『共産党宣言』以降の産業資本の時代においてさえ、プロレタリアートという「墓掘人」には常に強力な同盟者が必要だったのであり、それは今日でも同じです。新しい歴史的ブロックのもとで、「歴史的な意味での永続革命」を世界的規模で遂行することが、唯一、人類が文明的な形で生き残れる道なのです。それ以外の道はすべてますます過酷となる生存条件のもとでの永続的野蛮に続いているだけです。「永続革命か永続的野蛮か」、これが二一世紀における人類の選択肢であり、歴史的ジレンマです。

おわりに──ユートピアの復権に向けて

ATTACは「もう一つの世界は可能だ」というものを重要なスローガンに掲げて結成された国際組織ですから、そこに絡めて、最後のまとめの話をしたいと思います。

マルクスもエンゲルスも未来社会の青写真を具体的に描き出すことを禁欲したというのはよく言われることですが、しかしながら、「共産主義の原理」をよく読むと、エンゲルスはかなり未来社会について具体的に書いていることがわかります。それに対して『共産党宣言』では、そうした未来社会にかかわる部分はことごとく省かれており、かろうじて、「諸階級と階級対立をともなう古いブルジョア社会に代わって、各人の自由な発展が万人の自由な発展の一条件である協同社会(アソシエーション)が登場する」(九二頁)とあるだけで、それが具体的にいかなるものなのかについては何も書かれていません。「共産主義の原理」と『共産党宣言』との差異はいろいろとありますが、未来社会の具体性についての記述の有無という点もそうした差異の一つです。この点からしても、マルクスの特徴ないし独自性をその「アソシエーション」論に求めるのが的外れであることがわかります。[*61]

いわゆる空想的社会主義は未来社会像についてできるだけ詳しく描き出し、それを実際に小コロニーや共産主義的共同体(一種のアソシエーション)としてどこかの空間に建設することを通じて実践することに重きを置いていました。マルクスとエンゲルスは、そうではなく、資本主義の現存秩序をそのままにしてその隙間に共産主義コロニーを実験室的につくってもあまり意味はないのであって、労働者階級自身がその団結と階級闘争を通じて、そして最終的には国家権力の獲得と社会革命を通じて、資本主義システムそのものを廃絶しなければ、そしてそれを通じて階級そのものを廃絶しなければ、共産主義的な「協同社会」は実現しえないということを強調したわけです。

とはいえ、エンゲルスは未来社会についてもある程度具体的に（もちろん観念的な理想像としてではなく、現在の資本主義が作り出しつつある物質的諸条件にもとづいて予想可能な範囲において）描き出すことは、労働者を共産主義的な方向へと導く上で有益であると考えて、「共産主義の原理」ではそれなりにその点についても論じています。たとえば、競争と私的所有を廃棄し社会の全成員の参加と社会的計画に基づく協同社会（アソシエーション）（参加型経済！）であるとか（三〇頁）、分業による細分化された労働からの解放と全面的に素質を発達させた人間の創出（四一頁）などです。エンゲルスは問二〇「私的所有を完全に取り除いた結果はいかなるものだろうか」に対する答えの最後に、未来社会のあり方について次のように簡単な全体像を示しています。

生産力を共同的かつ計画的に利用するために社会の全成員を包含する普遍的な協同社会（アソシエーション）をつくり出すこと、万人の欲求を満たすほどに生産を拡張すること、誰かの欲求を満たすために他の人々の必要を犠牲にするような状態をなくすこと、階級と階級対立を全面的に廃絶すること、これまでのような〔一面的な〕分業を取り除き、産業教育をほどこし、さまざまな仕事を交代で遂行することを通じて、また、万人によって生産された富の享受にすべての人を参加させ都市と農村との融合をはかることを通じて、社会のすべての成員の能力を全面的に発達させること――以上が私的所有を廃絶したことの主な結果である。（四三頁）

この一文こそ、マルクスが『共産党宣言』で述べた「各人の自由な発展が万人の自由な発展の一条件である協同社会（アソシエーション）」の具体的内容を提示したものに他なりません（ほとんどのアソシエーション論者はこのことを無視していますが）。しかしマルクスは結局、『共産党宣言』ではこのような具体的記述をするのではなく、先の「各人の自由な発展が…」というごく原則的で抽象的な一句だけにして、未来社会について多少とも具体的に語ることさえ禁欲したのです。

というのも、どんなに想像力豊かな人でも、結局はその人の個性や環境、その人が生きている時代の技術や文化によって根本的に制約されていて、何十年もすればまったく凡庸で的外れなものに見えてしまうからです。たとえば今日、インターネットがこれほど発達して、世界中の情報にアクセスしたり、あるいはまったく別の場所にいて会議をしたり、ある情報が瞬時に何百万人もの人に共有されたりということは、インターネットのない時代にはまったく予想不可能でした。古いSF映画などを観ますと、火星に基地を作ったり、空中を車が「走る」ことは想像できても、インターネットはまったく登場しないわけです。ですから、未来社会についてあれこれ具体的に思い描いても、あまり意味はないということになります。

しかし、にもかかわらず、あるべき未来社会、「もう一つの世界」について、創造的想像力をめぐらせること、そして場合によっては一定の範囲内でそれを部分的に実現することは、歴史上しばしば重要な変革力を発揮してきましたし、今後も発揮するだろうと思います。共産主義的コロニーではなく、むしろ資本主義の真っただ中でつくり出された労働組合や民主主義的結社や協同組合等々は、未来社会の萌芽であるし、その中で人々が経験する同志的で友愛的な人間関係がもたらす感動は、労働者の変革能力を陶冶するものでもありました（アナキスト流に言えば一種の予示的政治）。何より、若きマルクス自身が――「経済学・哲学草稿」で触れているように――フランスの共産主義的労働者が作り出していた人間関係（結社、団結）に感動し、労働者の自己解放能力に確信を持つようになったのです。[*62] また、実際には内実は官僚化されていたとはいえ、ソヴィエト労働者国家がこの世界に実在していたことは、世界の多くの人々を鼓舞する役割を果たしました。このように、歴史的な想像力と地理的なその（部分的）実現とはともに、社会の進歩的変革に大いに寄与するものなのです。

私はいまある大学で経済原論を教えているのですが、コロナ禍のせいで対面式授業がなくなったため、毎回、授業用の教材を読んでもらってから課題を出してレポートを書いてもらうというパターンで授業をやっています。そして、いちばん最後の授業で出した課題は、「資本主義は持続可能なシステムと思うか」というものでした。そうすると、意外なことに、資本主義は持続可能なシステムだとは思わないという回答がけっこう多かったのです。もっとも、これはマルクス経済学の授業ですし、授業の中でさんざん資本主義の問題性について語ってきたわけですから、ある程度、教師の望む回答を学生の側がするのはわかります。しかし、それでも、現在の社会的雰囲気の中で、資本主義を結局は肯定する意見が多いのかと思いきや（もちろんそういう意見もありましたが）、資本主義の持続可能性を否定するレポートがかなり多かったわけです。

しかし、資本主義が持続可能ではないとしたら、ではどのような社会システムがそれに代わらなければならないのかとなると、それについて書いている学生はほぼ皆無でした。そこにはやはり、いわゆる「現存社会主義」の堕落と崩壊という負の歴史という問題もあるでしょうが、同時に、ユートピアの不足という問題もあるのだと痛感しました。搾取と略奪のシステムに代わる「もう一つの世界」とは具体的にどのようなものなのかについて語るのをわれわれマルクス主義者があまりに禁欲しすぎたために、若い人々は資本主義に代わる別の社会、「もう一つの世界」をいっこうに想像できなくなっているのです。いくら『共産党宣言』を読んでも、いくら『資本論』を読んでも、いくつかの抽象的な文言以外には、未来社会に関する話はまったく出てきません。また、昨今はやっていますが、晩年のマルクスの手紙（ザスーリチへの手紙を含め）やノートの片言隻句を引っかきまわしても、何か画期的な指針が見つかるわけでもありません。経済原論の授業でいくら資本主義の犯罪性について力説されようと、その持続不可能性についていくら説明されようと、じゃあ、資本主義に代わる社会システムとはいったいどういうものなのかがわからないかぎり、資本主義を変えようという意欲も、そうした努力の現実性も出てきません。人は、目の前にあるもの（それがどれほどひどいものであれ）に代わる何かを想像できないかぎり、目の前にある既成秩序に従うものです。資本主義がどれほどひどくても、それに代わるシステムが思いつかないのであれば、資本主義の枠内で何とかやっていくしかないとなってしまうわけです。

現在の技術手段や文化的偏見に制約されながらも、われわれは資本主義に代わる社会システムについて、その基本原理だけでなく、その実体的様相についてももう少し具体的かつ魅力的な形で描き出す努力を、みんなが知恵を出し合って行なう必要があるだろうと今は思っています。[*63]

（二〇二〇年八月一八日講演）

注

＊1 これらの数字は周知のように現在では数倍に膨れ上がっている。

＊2 これと同じ比喩は、そのずっと後にマルクスによって書かれた、国際労働者協会の「創立宣言」でも繰り返されている――「商工業恐慌と呼ばれる社会的疫病がいっそう頻繁に繰り返されるようになり、その範囲がいっそう広くなり、その結果がいっそう致命的になったことが、世界市場のこの時代の特徴である」（マルクス「国際労働者協会創立宣言」、邦訳『マルクス・エンゲルス全集』第一六巻、大月書店、七頁）。

＊3 エンゲルス「イギリスにおける労働者階級の状態」、邦訳『マルクス・エンゲルス全集』第二巻、大月書店、三五四頁。

＊4 マイク・デイヴィス『マルクス　古き神々と新しき謎――失われた革命の理論を求めて』明石書店、二〇二〇年、一一九～一二〇頁、一六頁。

＊5 前掲エンゲルス「イギリスにおける労働者階級の状態」、邦訳『マルクス・エンゲルス全集』第二巻、二六五頁。

＊6 同前、三三一頁。

＊7 同前、二六三～二六四頁。

＊8 マルクス「賃労働と資本」、『賃労働と資本／賃金・価格・利潤』光文社古典新訳文庫、二〇一四年、一九頁。

＊9 前掲エンゲルス「イギリスにおける労働者階級の状態」、邦訳『マルクス・エンゲルス全集』第二巻、三三一頁。

＊10 前掲デイヴィス『マルクス　古き神々と新しき謎』、一三五頁。

＊11 マルクス『資本論』第一巻、邦訳『マルクス・エンゲルス全集』第二三巻、八五七～八五八頁。

＊12 同前、八五八頁。

＊13 同前、八六六頁。

＊14 同前。

＊15 トロツキー「世界労働者への共産主義インターナショナルの宣言」、一九一九年三月六日、『コミンテルン最初の五ヵ年』上、二八頁。

＊16　たとえば以下。川北稔『イギリス　繁栄のあとさき』講談社学術文庫、二〇一四年、三五頁。

＊17　マルクス『資本論』第一巻、一九一頁。

＊18　同前、四六四頁。

＊19　同前、五〇一頁。

＊20　ローザはさらに剰余価値の実現問題に加えて、資本主義的生産の急速かつ大規模な拡張のためには原材料と労働力をも広大な非資本主義的領域から絶えずますます大きくなる規模で調達しなければならない、と正しく力説している（『資本蓄積論』の第二六章参照）。ローザの議論を剰余価値実現問題に狭く理解して批判する人が多いが、それはまったく一面的である。

＊21　ローザ・ルクセンブルク『資本蓄積論』下、青木文庫、一九五五年、四二〇頁。訳文は適宜修正。以下同じ。

＊22　私が二〇一九年に出版したマルクス経済学の教科書では、ローザ・ルクセンブルクの議論は、その細部を別としても、全体としてけっして間違っていないことを証明しておいた。森田成也『新編マルクス経済学再入門』下、社会評論社、二〇一九年。

＊23　デヴィッド・ハーヴェイ『ニューインペリアリズム』青木書店、二〇〇五年。同『新自由主義』作品社、二〇〇七年、同『〈資本論〉入門』作品社、二〇一一年。など。また以下の拙論も参考。森田成也「デヴィッド・ハーヴェイにおける恐慌論と変革論」、同『「資本論」とロシア革命』柘植書房新社、二〇一九年。

＊24　前掲ルクセンブルク『資本蓄積論』下、五四九頁。

＊25　エンゲルス「共産主義とハール・ハイツェン」、邦訳『マルクス・エンゲルス全集』第四巻、三二九～三三〇頁。

＊26　この意味で、マルクス、エンゲルスの世界革命論は、それが一種の「世界同時革命論」として構成されていた「共産主義の原理」のものも含めて（もっともそれは文字通りの同時革命論ではなかったのだが）、本質的に「歴史的な意味での永続革命」論の系譜に属する。

＊27　前掲森田『ラディカルに学ぶ「資本論」』、第四章、参照。

*28　ケヴィン・アンダーソン『周縁のマルクス』社会評論社、二〇一五年、三六頁。

*29　この点については本書の第6章も参照。

*30　たとえばパリの六月蜂起の数日後に書かれた以下の文章――「……パリは流血の中を泳ぎ、反乱はこれまでに起こったもののうちで最大の革命、ブルジョアジーに対するプロレタリアートの革命に発展している」（邦訳『マルクス・エンゲルス全集』第五巻、一一一頁）。またマルクスは「六月革命」と題した論文の中で、これまでのすべての革命はブルジョア秩序に手をつけなかったが、この六月蜂起が初めてブルジョア秩序を侵害したのだと述べている（同前、一二九～一三〇頁）。

*31　それでも当時の革命的労働者の主力は職人的労働者だったが、二月革命後に組織された国立作業所が一種の大工場の代用物として機能し、そこで訓練され組織された労働者が六月蜂起の中心を担った（同前、一四三頁）。

*32　エンゲルス「三つの新しい憲法」、邦訳『マルクス・エンゲルス全集』第四巻、五三三～五三四頁。

*33　エンゲルス「パリの革命」、邦訳『マルクス・エンゲルス全集』第四巻、五四五頁。

*34　同前、五四五～五四六頁。

*35　とくに、ドイツ・ブルジョアジーの臆病さを徹底的に告発したマルクスの「ブルジョアジーと反革命」（一八四八年一二月）を参照。

*36　マルクス「フランスにおける階級闘争」、邦訳『マルクス・エンゲルス全集』第七巻、八六頁。

*37　同前、七六～七七頁。

*38　この点につき、以下を参照。スタンリー・ムーア『三つの戦術』岩波書店、一九六四年。

*39　この点は、一八五〇年四月にマルクス、エンゲルスとブランキ派およびチャーチスト左派のジュリアン・ハーニーとが合同して結成した国際秘密結社「万国革命的共産主義者協会」の規約第一条にはっきりと示されている――「本協会の目的は、人間社会の最後の組織形態たるべき共産主義が実現されるまで革命を永続的に続けながら、すべての特権階級を打倒し、これらの階級をプロレタリア独裁に従属させることである」（邦訳『マルクス・エンゲルス全集』第

七巻、五六二頁)。

＊40 エンゲルス「ドイツ国憲法戦役」、邦訳『マルクス・エンゲルス全集』第七巻、二〇一頁。

＊41 マルクス&エンゲルス「一八五〇年三月の中央委員会の同盟員への呼びかけ」、邦訳『マルクス・エンゲルス全集』第七巻、二五三頁。この部分の訳文につき、以下を参照。田畑稔『増補新版マルクスとアソシエーション』新泉社、二〇一五年、三二四頁。

＊42 前掲マルクス&エンゲルス「一八五〇年三月の中央委員会の同盟員への呼びかけ」、二五九頁。

＊43 マルクス「ルイ・ボナパルトのブリュメール一八日」、邦訳『マルクス・エンゲルス全集』第八巻、一一一頁。

＊44 とはいえ、その種の文言が完全に消え去ったわけではない。たとえば、「ドイツにおいて全事態は、プロレタリア革命が農民戦争の第二版のようなもので支持されるかどうかにかかっているだろう。そうなれば事態はすばらしいものになるだろう」(「マルクスからエンゲルスへ(一八五六年四月一六日)」、邦訳『マルクス・エンゲルス全集』第二九巻、三九頁)。

＊45 この点について詳しくは、森田成也「マルクス・エンゲルスにおけるドイツ革命論の弁証法的変遷」(https://www.academia.edu/45166236/)と本書の第6章を参照。

＊46 前述したムーアの『三つの戦術』も基本的にこのような放棄論の立場を取っている。

＊47 ムーアは次のように述べている――「『フランスにおける内乱』は、マルクスを比較的世に知られていない理論から最も有名な革命的社会主義の代表者へと変貌させた。一八四八年には、ヨーロッパを徘徊する妖怪に、ブルジョアジーはブランキの名を冠した。一八七一年以降、その妖怪はマルクスの名をもって命名しなおされたのである」(前掲ムーア『三つの戦術』、六三頁)。

＊48 この問題については、以下を参照。森田成也「『資本論』とロシア革命の現代的意義」、『「資本論」とロシア革命』柘植書房新社、二〇一九年。

＊49 「マルクスからドメラ・ニーウェンホイスへ(一八八一年二月二二日)」、邦訳『マルクス・エンゲルス全集』第三五巻、

一三一～一三二頁

＊50　この点については、拙書『トロツキーと永続革命の政治学』（柘植書房新社、二〇二〇年）の第二章と本書の「補論3」を参照。

＊51　レーニン「現在の革命におけるプロレタリアートの任務について」、邦訳『レーニン全集』第二四巻、大月書店、三頁。

＊52　『グラムシ・リーダー』御茶の水書房、一九九五年、一三二頁。既訳では「まだ」は「もはや」と誤訳されている。

＊53　同前、二三五頁。既訳では「振り幅」は「振動」と訳され、「波」は「うねり」と訳され、「状況的」は「景気変動的」と訳されている。

＊54　エンゲルスの『イギリスにおける労働者階級の状態』で具体的に描かれたイギリス労働者の戦闘性と堅忍不抜さ、大胆さこそ、マルクスとエンゲルスをして、近代産業労働者の変革能力と解放能力とを確信させたものである（少なくともその最も重要な源泉である）と言うことができる。

＊55　その一つについては、新訳の『共産党宣言』の訳注で紹介しておいた（五一頁）。それ以外としては以下に登場する。邦訳『マルクス・エンゲルス全集』第四巻、三三一頁。

＊56　通常、空想的社会主義とマルクス主義（ないし科学的社会主義）との違いを社会の発展法則の認識の有無、社会主義の物質的諸条件の必要性の理解の有無に還元されて論じられがちだったが、労働者自身による階級闘争の決定的な重要性の認識の有無もまた、それに劣らず重要な違いだった。このことは、『共産党宣言』において登場する「階級闘争」という用語の半分が、何よりも既存の社会主義潮流（小ブルジョア的・保守的等々）に対する批判の文脈で登場していることにも示されている。本書の第4章も参照。

＊57　前掲デイヴィス『マルクス　古き神々と新しき謎』、一〇三頁。

＊58　同前、一一二～一一五頁。

＊59　この点に関しては、トロツキーが最初一九〇九年にドイツ語で出版し、その後一九二二年にロシア語版が出された『一九〇五年』が決定的に重要な文献である。トロツキー『一九〇五年』現代思潮社、一九七〇年。

＊60 先に紹介したマイク・デイヴィスはこのことを次のような印象深い筆致で指摘している——「何万人ものコムソモール（共産青年同盟）のメンバーが、その主要な指導者たちの多数を含めて、前線で新しい赤軍の制服を着て死んでいった。これは最も勇敢で最も理想主義的な者たちの大虐殺であって、一九四〇～四五年にもっと大規模に繰り返されることになる」（前掲デイヴィス『マルクス　古き神々と新しき謎』、一五七頁）。

＊61 より詳しくは本書の第4章を参照。

＊62 マルクス「経済学・哲学草稿」、邦訳『マルクス・エンゲルス全集』第四〇巻、四七五頁。

＊63 その一つは「エコ社会主義」というオルタナティブだろうが（たとえば、ミシェル・レヴィ『エコロジー社会主義』柘植書房新社、二〇二〇年）、もう一つの理路として、資本主義のその他の諸限界（労働の限界、市場の限界、自然の限界、資本そのものの限界、私的所有の限界、社会の限界など）を踏まえて、それらの諸限界を超える種々のオルタナティブの総合として、「未来社会」を展望することが考えられる。後者の構想については、いずれ著作にまとめたいと思っている。

第4章

マルクスとアソシエーション——新しい神話

【解題】本稿は、二〇二〇年一〇月一〇日にマルクス理論研究会というごく小規模な研究会で行なった報告に加筆修正を加えたものである。短縮版が『情況』二〇二一年夏号に掲載。

一九九四年にマルクス主義哲学者である田畑稔氏の『マルクスとアソシエーション』[*1]が出版されて以降、「アソシエーション」に関連ないし類似した著作や論文が多数出版され、[*2]「アソシエーション」論はマルクス主義の世界の中でちょっとしたブームとなり、あたかもアソシエーション論こそがマルクスの未来社会論ないし変革論の核心であるかのような「常識」が形成されるに至った。そして、ブームの火付け役となった田畑氏は二〇一五年に、『マルクスとアソシエーション』の増補新版を出版し、[*3]アソシエーション論のさらなる精緻化に挑んだ。私はこの増補新版を材料にして、このような認識が「新しい神話」にすぎないことを示そうと思う。

1、マルクス主義の「アソシエーション論的転回」？

もともと「Assoziation」という単語は、「結社」「団体」という一般的な意味と、もう少し大きい「社会（より限定的に言えば何らかの協同社会）」を漠然と指す意味を持っている（後者はかなり特殊な使い方だが）。日本語で言えば「会」のような意味であり、参加者の自発性ないし能動性にある程度基づいた集合体一般を指す言葉である。主として結社や団体を指すが、日本語で「協会」にも「社会」にも「会」という言葉が入っているように、時により大きな人々の社会的集合体を指す場合もある。このような平凡な言葉は普通に多くの人が用いているし、当然、マルクスもエンゲルスも用いている。

田畑氏はマルクスのアソシエーション概念に注目し、『マルクス・エンゲルス全集』や『資本論草稿集』などを渉猟して、マルクスの「アソシエーション」や「アソシエートした」という表現をできるだけピックアップして、その概念化に努力した。この概念に注目しそれをクローズアップしたのはたしかに田畑氏の功績である。しかし、氏はそこから行き過ぎてしまった。それ自体はごく普通のドイツ語（英語でもフランス語でも）にすぎない一単語に、マルクス自身の意図を大きく超えて過剰な意味を読み込んで、あたかも「アソシエーション」という言葉それ自体に、マルクスが展望した自由で解放的な未来社会（共産主義）を概念的・包括的に表現する意味があるかのように印象づけている。

そして、この「アソシエーション」概念は、単にマルクス解釈の問題にとどまらない意味があると田畑氏は考える。それは、旧来の社会主義運動や旧「社会主義」諸国におけるいわゆる「国家集権的性格」に鋭く対置されている。田畑氏は、このような国家集権主義ではなく、下からの諸個人のボランタリーな協同組織の結成こそが重要であって、その延長上に、一個のアソシエーションないし諸アソシエーションの連合体としての未来社会が展望されるのであって、それこそが真のマルクスの展望であり、こうした「真実の」マルクス像の発掘こそ、「マルクス主義のアソシエーション論的転回」を切り開くのだと主張している。では具体的に田畑氏がどのようにアソシエーション概念を規定しているかを見ていこう。

まず同書の「序論」の最初の小見出しは「（一）未来社会は『アソシエーション』」となっており、それに続く冒頭の一句は、「周知のとおり、マルクスは未来社会を論ずる際に、いろいろな特徴づけをおこなっているが、いちばん内容的に意味を持たせた表現でいうと、何といっても『アソシエーション』ではなかろうか」と書かれている(増補新版、二三頁)。

このように、田畑氏はあたかも「アソシエーション」という言葉自体に、何か解放的で共産主義的な意味があるかのように読者を印象づけている(この点は、同じアソシエーション論者の大谷禎之介氏の場合も同じ)。しかし、その後に、「未来社会を『アソシエーション』として把握する視点が、マルクスに一貫したものであることを示すために」引用されている「アソシエーション」の「代表的事例」は、そうした印象づけがかなりミスリーディングであることを示している。マルクスはあくまでも、どのような、あるいはいかなる条件のもとでのアソシエーションなのか、あるいは、どのような人々のアソシエーションであるのかを限定して語っているのであって、「アソシエーション」一般について語っているのではない。またマルクスはしばしば「アソシエートした」という表現も用いるが、その場合は最初から、この形容詞がつく対象によって意味が限定されているので(アソシエートした労働者など)、やはり「アソシエート」一般ではありえない。

以下、田畑氏の最初に引用しているいくつかの登場箇所を確認しよう(引用文は、田畑氏自身の訳にもとづく。ただし太字は引用者による)。

・『哲学の貧困』……「労働する階級はその展開の経過の中で、古い市民社会に代えて、**諸階級とそれらの間の対立を排除するようなひとつのアソシエーション**を置くだろう。そして本来の政治的権力は、もはや存在しないだろう」

・『共産党宣言』……「諸階級と階級諸対立をともなう古い市民社会に代わって、**各人の自由な展開が万人の自由な展開の条件であるような、ひとつのアソシエーション**が出現する」

・「暫定総評議会代議員への個々の問題に関する通達」……「その〔協同組合運動の〕偉大な功績は、資本の下への労働の従属という、現在の窮民化させる専制的システムが、**自由で平等な生産者たちのアソシエーション**という、共和制的で共済的なシステムによって取って代わられうるということを、実践的に示した点にある。」

・「土地の国民化について」……「そのときにのみ、階級区別と諸特権は、それを生む経済的基礎とともに消滅し、社会は**自由な『生産者たち』のひとつのアソシエーション**に転化させられるだろう」

・同……「生産手段の国民的集中は、共同の合理的プランにもとづき意識的に活動する、**自由で対等な生産者たちの諸アソシエーション**からなる」

これらの太字部分に示されているように、マルクスはいずれの場合も、誰のどのようなアソシエーションなのかを限定して用いており、むしろその限定にこそ意味がある。たとえば、最初の『哲学の貧困』にある「諸階級とそれらの間の対立を排除するようなひとつのアソシエーション」や『共産党宣言』にある「各人の自由な展開が万人の自由な展開の条件であるようなひとつのアソシエーション」という文章において、これらの限定を省略すると、それは意味をなさない文章になるが、逆に、「アソシエーション」という言葉の代わりに単に「社会」や「システム」や「体制」という言葉を持ってきたとしても、それは十分に意味のある文章になる。重要なのは、「アソシエーション」そのものではなく、むしろそれに付された〔政治的・

階級的）限定の方なのだ。

たしかに、マルクスの用法にはまれに、このような限定なしで「アソシエーション」ないし「アソシエートした」が未来社会的な意味で使われている場合もあるが、それはすべて発表された文章ではなく、草稿の中にある。たとえば、田畑氏が引用している『資本論』第三巻草稿（主要草稿と呼ばれるもの）に見られる以下の箇所である（ここも田畑氏の訳で引用する）。

資本制的株式諸企業は、協同組合諸工場と同様、資本制的生産様式からアソシエイトした生産様式への移行形態とみなしうる。（増補新版、二五頁）

しかし「アソシエートした生産様式」というのはきわめて不明瞭な用語である。明らかにこれは書き損じであるか、原稿段階で省略的に書いたものであろう。実際、田畑氏もすぐ続けて引用している箇所（同じ主要草稿にある）には、より正しい表現を見出すことができる。

資本制的生産様式からアソシエイトした労働の生産様式への移行の期間中、信用制度が強力なテコとして役立つことは疑いない。（増補新版、二五頁）

ここでは「アソシエートした労働の生産様式」とちゃんと書かれており、これでようやく意味が通じる文章になっている。「アソシエートした生産様式」だけでは、「アソシエートした資本の生産様式」（つまり資本主義）のことなのか、「アソシエートした労働の生産様式」（つまり共産主義）なのか、意味が限定されない。[*4] 後者だからこそ、それは未来社会的なものを意味しうるのである。

2、未来社会の核心はアソシエーションか？

以上の論点は、マルクスが目指すべき未来社会を「アソシエーション」という言葉を使わずに表現している場合がいくらでもあることによっても裏付けられている。たとえば、「イギリスのインド支配の結果」という一八五三年の有名な論文では、未来社会について「偉大な社会革命が、このブルジョア時代の成果である世界市場と近代的生産力とをわがものとし、これらを最も先進的な諸国人民の共同管理（common control）のもとに置く」こととして描いている。[*5] ここには一言も「アソシエーション」は登場していないが、だからといって、この文章が何か重要な意味を欠くことになるだろうか？

後期の代表作である『資本論』第一巻でも同じである。『資本論』第一巻には、未来社会を「アソシエーション」という言葉を使って表現している場合もあるが、[*6] 『共産党宣言』の一句を彷彿とさせるような次の文章では「アソシエーション」は登場しない。

価値増殖の狂信者として、彼〔資本家〕は容赦なく人類に生産のための生産を強制し、したがってまた社会的生産諸力の発展を強制し、そしてまた、各個人の十分に自由な発展を根本原理とするより高い社会形態の唯一の現実の基礎となりうる物質的生産諸条件の創造を強制する。[*7]

未来社会の内実として決定的に重要なのは、まさに『共産党宣言』の一句とも共通する「各個人の十分に自由な発展を根本原理とする」ということ、そしてそれが高度に発展した「社会的生産諸力」にもとづくということであって、それこそが未来社会を特徴づけるのであり、したがってこの修飾句がつく対象が「アソシエーション」であっても「社会形態」であっても、本質的な意味内容に変化はないのである。

さらに、誰もがよく知っている「個人的所有の再建」について論じた個所は、『資本論』第一巻において共産主義社会の必然性を論じた重要な結論部分だが、そこには「共同占有」や「社会的所有」は登場しても、「アソシエーション」は登場していない。[*8]「アソシエーション」がそんなにマルクスにとって決定的なら、どうしてこの『資本論』第一巻における結論部分でそれが語られていないのか？

「アソシエーション」という表現には、単に「結社」や「団体」の意味で使われている場合を別にしても、それ自体としては必ずしも労働者にとって自由で解放的な未来社会的意味を持っていないことについては、マルクスによるその用語の使用法にもはっきり示されている。たとえば、増補新版の末尾に新たに収録された「『アソシエイション』『アソシエイトした』のマルクスによる用例一覧」で引用されている『ドイツ・イデオロギー』の一節には次のような文言がある。

この《有機的》封建的編成は古代の共同体的所有とまったく同じで、支配されている生産諸階級に対抗する**ひとつのアソシエーション**であった。（増補新版、三一〇頁）

アソシエイトした略奪貴族に対抗するアソシエーション〔同業組合〕の必要性。（増補新版、三一〇頁）

このように「封建的編成」でさえ「アソシエーション」になりうるのであり、略奪貴族でさえ「アソシエート」できるのである。

マルクス自身がはっきりとこのことを指摘さえしている。増補新版の末尾の一覧にもその文章は収録されているが、本文では田畑氏はまったく触れていない。それは『哲学の貧困』における以下の箇所である。

実際、ソシエテやアソシアシオンは、すべての社会に、**封建社会にも、競争に立脚するアソシアシオンであるブルジョア社会にも、与えうる呼称**である。だから、アソシアシオンという単なる言葉で競争が論駁されると考える社会主義者など、どうして存在しえようか。（増補新版、三一七頁）[*9]

これはアソシエーション派であった他の社会主義者を批判するプルードンに反駁した文章である。プルードンは、同時代の社会主義者たちがあたかも「アソシエーション」という言葉自体に競争を論駁する意味があるかのような批判をしているのだが、それに対してマルクスは、「アソシエーションという単なる言葉で競争が論駁されると考える社会主義者など、どうして存在しえようか」と言い返しているわけである。

そしてマルクスは、この文章において、「ソシエテ」（社会）と「アソシアシオン」（アソシエーション）とを同列に並べつつ、それらがすべての社会に与えうる呼称であると断言している。封建社会にもブルジョア社会にも「アソシエーション」という言葉を適用しうるのだから、「アソシエーション」という言葉それ自体が、何か自由で解放的な概念を意味するはずがないのは明らかである。田畑氏がアソシエーションと無縁だとみなした旧ソ連の体制でさえ、官僚的なアソシエーション、あるいはアソシエートした官僚の社会であると言おうと思ったら言えるのだ。

3、マルクス・エンゲルスのアソシエーション論の真の独自性

以上見たように、「アソシエーション」一般ではなく、あくまでも特定の形態の、特定の階級による、特定の条件下のアソシエーションだけが、マルクスやエンゲルスにとって解放的意味のあるアソシエーションであることが明らかとなった。しかし実は、このような限定されたアソシエーションでさえ、マルクスとエンゲルスの独自性ではない。

当時におけるさまざまな社会主義者たち（イギリスのオーウェン主義者、フランスのフーリエ主義者、ドイツのヴァイトリング派や真正社会主義者まで！）も同じように未来社会を何らかのアソシエーションとして展望していた。もしマルクスやエンゲルスの独自性が、未来社会を単に「自由な生産者（あるいは自由な諸個人）のアソシエーション」と見ることでしかなかったのなら、彼らは当時における有象無象の社会主義者と同レベルでしかなかったということになろう。

では、どの点に、マルクスとエンゲルスのアソシエーション論と同時代の空想的社会主義者たちのアソシエーション論との違いがあるのか？　それは実は、アソシエーションの中身そのものにあるのではなく、

そのようなアソシエーションを可能とする歴史的・物質的・政治的等々の諸条件を明示した点にあるのである。

その点を示す証拠の一つが、これまた増補新版の末尾に収められた若きエンゲルスの書いた「大陸における社会改革の進展」（一八四三年、原文は英語）の中に見出せる（本文ではやはり田畑氏はこれに触れていない）。

> フーリエのもうひとつの功績は、アソシエーションの優越性、否、その必要性を示したことである。イギリス人はその〔アソシエーションの〕重要性を熟知していることを私は知っているので、この点についてはは指摘しておくだけで十分だろう。
>
> しかしながら、フーリエ主義にはひとつの不整合、しかもきわめて重大な不整合がある。それは**私的所有を廃絶しないという彼の考え方**である。彼のファランステール、つまりアソシエイティブな諸施設の中には、富者と貧者、資本家たちと労働する人々が存在する。……こうして**アソシエーションと自由な労働についてのすべての美しい理論の後で、**また商業や自分本位や競争に反対する怒りの熱弁の後で、われわれが持つのは実際には、改良されたプランの上に立つ古い競争システムであり、いっそうリベラルな原理の上に立つ貧窮法監獄なのである。（増補新版、三〇五頁）

つまり、フーリエ主義者たちが「アソシエーションと自由な労働」という美辞麗句を弄しながら、結局は私的所有を廃絶しない、つまりは資本主義のシステムを廃絶しようとしていないという点が批判されている。自由なアソシエーションは大いに結構だが、いったいどうやってそれを実現するのか、資本主義の廃絶という決定的な条件を抜きにして、アソシエーションという言葉をもてあそんでも仕方がないと若きエンゲルス（当時まだ二三歳）は言っているのである。

その後、マルクスとエンゲルスはまさに解放的な未来社会としての特殊なアソシエーションを可能とする種々の諸条件の解明に努力した。すなわち、歴史的・物質的条件としての、生産力と生産機構が普遍的に成長・拡大し、世界市場と普遍的な物質的結合関係がつくり出され、その発達した生産力がブルジョア的生産関係に反逆するまでに至ること。主体的条件としての、資本主義の「墓堀人」たる労働者階級の成長と団結、階級意識の高まり、労働組合や独立した労働者政党への労働者の組織化。政治的・階級的条件としての、労働者階級による階級闘争と政治闘争、労働者階級による権力獲得（プロレタリアート独裁）。そして最後に、経済的条件としての、生産手段の私的所有の廃止とそれの労働者の共同所有への転化、等々である。こうした物質的・主体的・政治的・経済的諸条件こそが、「諸階級と階級対立を排除するようなアソシエーション」や「個人の自由な発展が万人の自由な発展の条件となるようなアソシエーション」を可能にするのである。この点の具体的な解明にこそ、マルクスとエンゲルスの独自性があったのだ。

実際、最も有名な「アソシエーション」使用例のある『共産党宣言』こそ、そのような諸条件を最も雄弁かつ先鋭に語る著作であった。『共産党宣言』において、未来社会的な意味で使われている二回の「アソシエーション」（一回目は「アソシエートする諸個人」、二回目はあの有名な「アソシエーション」）のあいだに挟まれた部分には、まさにそうした諸条件がはっきりと語られている。

事態の発展の中で階級差別がしだいに消滅し、**アソシエートする諸個人**の手にいっさいの生産が

> 集中されるなら、公的権力は政治的性格を失うだろう。本来の意味での政治権力とは、他の階級を抑圧するための一階級の組織された強制力に他ならない。プロレタリアートは、ブルジョアジーに対する闘争の中で不可避的に階級へと団結し、革命を通じて自ら支配階級になり、支配階級として古い生産諸関係を力ずくで廃棄する。そして、この生産諸関係とともに階級対立の、階級一般の存在条件を廃棄し、それによって階級としての自己自身の支配をも廃棄する。諸階級と階級対立をともなう古いブルジョア社会に代わって、**各人の自由な発展が万人の自由な発展の一条件であるアソシエーション**が登場する。*10

二つの「アソシエーション」ないし「アソシエート」登場箇所に挟まれた箇所で展開されている、プロレタリアートの階級への団結、革命を通じての支配階級への転化、古い生産諸関係の力ずくの廃棄、そしてそれを通じての階級対立と階級としての自己自身の廃棄、云々という点こそ、マルクスとエンゲルスの（あるいは両者を含む革命的共産主義者たちの）本来の独自性があるのだ。

4、『共産党宣言』は国家集権的か？　マルクスは後にそれを否定したのか？

もちろん、このように言えば、アソシエーション派の人々は、『共産党宣言』の当時のマルクスは国家集権的であったのであり、そのような立場はその後克服されたのだと反論するかもしれない。だがそれも説得力はない。

『共産党宣言』はとくに国家集権的なものではない。たしかに、「Ⅱ」の最後に示された一から一〇までの過渡的措置について語った部分には「国家」や「国営」という言葉が何度も登場しているが、そこでの「国家」とは「支配階級として組織されたプロレタリアート」のことであり、したがって、アソシエーション風に言いかえれば「支配階級としてアソシエートした労働者」のことである。

またマルクスは、晩年になっても、『共産党宣言』の再刊や外国語訳の出版に反対しなかったし（序文を書く作業はなかなか進まなかったとはいえ）、それらの新しい序文において、『共産党宣言』で展開した革命的原則に対するいかなる修正も否定もしなかった。

たとえば、一八七二年ドイツ語版の序文において、マルクスとエンゲルスは「個々の点に関してはいろいろと改善の余地がある」としながらも、「この『宣言』で展開された一般的な諸原理は今日でもだいたいにおいてその妥当性を完全に保持している」と言い切っている。[*11] たしかに、「あちこちで時代遅れ」になった部分もあると語られ、また「Ⅱ」の最後に示された一から一〇までの「革命的諸方策」については「今日書くとすれば、多くの点で異なったものになるだろう」と述べられている。しかし、それは、労働者階級による階級闘争の必然性、労働者による全般的な革命の必要性、労働者階級による権力獲得と資本主義的生産諸関係の革命的転覆、といった諸原則を否定するものでなかったのは明らかである。具体的に指摘されている唯一の変更ポイントは、パリ・コミューンの経験に照らして、「労働者階級は出来合いの国家機構をそのまま掌握して自分自身の目的に用いることはできない」ということだけであるが、これは『共産党宣言』の革命的原則を否定するものであるどころか、むしろそれをいっそう徹底するものであったのは明らかである。

マルクス最晩年の一八八二年(マルクスが死去する前年)に『共産党宣言』のロシア語訳が出されているが、その序文においても、『共産党宣言』の革命的原則はまったく否定されなかった。ロシアにおいては、農村共同体が(ヨーロッパ革命によって補完されるかぎりで)共産主義の出発点になりうるという重大な留保を置いたが、これとて、『共産党宣言』の革命的原則を否定するものではない。

また、田畑氏は『共産党宣言』時代のマルクスは協同組合をその変革的展望の中に位置づけていないと繰り返し述べており、その点で、後期マルクスと根本的に異なると述べている(増補新版、一〇三頁以降)。たしかに、協同組合の意義を強調するようになったのは後期マルクスの特徴の一つであるが、しかし、それはけっしてマルクスの理論における本質的な変化ではなかった。もしそうなら、『共産党宣言』の新版序文や最晩年のロシア語版序文でそのことを明記したはずである。わざわざパリ・コミューンについて触れながら、なぜ協同組合については触れなかったのか?

『共産党宣言』は国家集権的であって、後にマルクスはそれを否定したというのは一種の神話である。もし本当にそうなら、どうしてマルクスは新版序文やロシア語版序文でそのことを語らなかったのか?『共産党宣言』の新版や外国語訳がマルクスの最晩年まで出されていたこと、そしてその各種序文の中で『共産党宣言』の基本的内容を否定するような文言をマルクスが何一つ残さなかったことは、種々の「『共産党宣言』克服論」(『共産党宣言』は生産力主義的、国家集権的、植民地主義的、単線発展史観、等々だったが、その後のマルクスは、とくに晩年のマルクスはそれを克服した、云々)に対する最も雄弁な反駁となっている。

少し本題から外れるが、たとえば最近、マルクスのザスーリチへの手紙などを根拠にして、晩年のマルクスが生産力の発展に否定的になったかのような議論が見られる。しかし、そのザスーリチへの手紙を出したのとほぼ同じ時期（一〇日ほど前）にオランダの社会主義者ニーウェンホイスに宛てた手紙の中で、マルクスははっきりと次のように述べている。

> 不可避的に、絶えずたえずわれわれの眼前で進行しつつある支配的社会秩序の解体に対する科学的洞察と、政府という古い妖怪そのものによってますます激昂へと駆り立てられる大衆、同時に巨大な前進を遂げつつある生産手段の確固たる発展――これらは、実際にプロレタリア革命が勃発する瞬間には、その（確かに牧歌的なそれではないにせよ）直接的な当面する行動様式の諸条件を与えるのに十分です。[*12]

このように最晩年のマルクスは依然として、「巨大な前進を遂げつつある生産手段の確固たる発展」を「プロレタリア革命」が成功しうる条件とみなしていたのである。

5、エンゲルスは非アソシエーション的だったのか？

以上の議論の傍論として、多くのアソシエーション主義者たちが、もっぱらマルクスの「アソシエーション」使用例ばかりを取り上げ、エンゲルスの「アソシエーション」使用例を無視ないし軽視する傾向が見られる点についても一言しておく。田畑氏は、エンゲルスの使用例にもそれなりに言及しているが、大谷禎之介氏になると、エンゲルスの「アソシエーション」使用例をまったく無視して、アソシエーション主義者のマルクスに対する、非アソシエーション主義者のエンゲルスという対立構造までつくられている。

しかし、「共産主義の原理」でエンゲルスはすでに未来社会的な意味での「アソシエーション」を三回も用いている（それに対して、マルクスは『共産党宣言』では、すでに述べたように、その意味での「アソシエーション」を一回、「アソシエートした」を一回しか用いていない）。さらに、後期エンゲルスの代表作である『反デューリング論』（一八七八年）でも次のように二回「アソシエートした」が登場している（田畑氏は、増補新版の末尾で後者のみを掲載している）。

なぜなら、この時代〔太古〕は、それ以後のいっそう高度な発展全体の基礎をなすものだからであり、また、動物界からの人間の分離をその出発点とし、**未来のアソシエートした人間**が二度とけっして遭遇することのないような、さまざまな困難を克服していった経過をその内容としているからである。[*13]

だが、いったんその本性を把握すれば、**アソシエートした生産者たち**（assoziierten Produzenten）の手で、これらの生産力を悪魔的な支配者から従順な召使に変えることができる。[*14]

このようにはっきりとエンゲルスは、「アソシエートした」という表現を用いて、未来社会を展望している。同時期のものとして、エンゲルスがマルクスの思想（唯物史観）の核心を説明した論文「カール・マルクス」にも、以下のように、「アソシエートした」という表現が出てくる（これも増補新版の末尾で紹介されていない)。

……歴史的指導権(Leitung)が、その社会的地位全体からして、いっさいの階級支配、いっさいの隷属、いっさいの搾取を完全に廃絶しないでは自分を解放することができない一階級、つまりプロレタリアートに移っていること、また社会のすべての成員が社会的富の生産ばかりでなく、その分配と管理にも参加することができるような、また全生産の計画的運営によって社会的生産力とその成果が著しく増大し、その結果、各人のいっさいの合目的的な欲求の充足が絶えずますます多く保障されるような状態を作りだすためには、ブルジョアジーの手に負えなくなった社会的生産力が、**アソシエートしたプロレタリアート**によって掌握される日を待つだけであること、こういった認識である。[*15]

ここにもはっきり示されているように、エンゲルスは「ブルジョアジーの手に負えなくなった社会的生産力が、アソシエートしたプロレタリアートによって掌握される」と書いており、これがマルクスの基本思想だったと読者に説明しているのである。

大谷氏はその分厚い著作『マルクスのアソシエーション論』の中で、生産力の掌握する主体をもっぱら「社会」に設定しているのがエンゲルスであって、主体を「アソシエートした生産者」に見出しているマルクスとは対照的であるかのように書いているが、[*16]それが的外れな批判であるのは明らかである。エンゲルスが言う「社会」とはまさに、「アソシエートした生産者たち」「アソシエートしたプロレタリアート」のことなのである。

この点は、たとえばエンゲルスの最後の論文であり政治的遺言でもある「マルクス『フランスにおける階級闘争』（一八九五年版）序文」の一節からも明らかである。エンゲルスは『フランスにおける階級闘争』の格別に重大な意義を次の点に見出している。

> 世界のすべての国の労働者党があまねく一致してその経済的改革の要求を簡単に要約している公式、すなわち、**社会による生産手段の取得**を、本書がはじめて言明したという事情である。[*17]

ここではたしかに「社会による生産手段の取得」と言っている。しかし、エンゲルスはそれにすぐ続けて、マルクスの言葉を借りつつ、それを次のように言いかえている――「アソシエートした労働者階級の支配下に生産手段を置くこと」[*18]。つまり、エンゲルスにとって、生産手段を取得する主体としての「社会」とは、「アソシエートした労働者階級」のことなのである。

6、なぜ「アソシエーション」論がこれほど人気を博したのか

最後に残されている問題は、なぜ多くの立派なマルクス主義知識人が、これほど「アソシエーション」論に魅了されるに至ったのか、である。そこには時代的理由と、日本独特の理由の二つがあるように思われる。

時代的理由としては何よりも、まず第一に、ソ連・東欧の崩壊、旧型共産主義政党や新左翼党派の衰退

による政治的幻滅である。ソ連・東欧の変質と崩壊を生んだ政治的・経済的・歴史的諸条件を分析するよりも、多くのマルクス主義知識人は、そこにマルクスの思想に対する誤った「解釈」の帰結を見出した。後世の革命家たちがマルクスの思想を正しく理解しなかったから、旧来の社会主義運動やソ連・東欧は国家集権主義になり、そして官僚的ないし独裁的となって崩壊したというわけだ。私はこのような「マルクス主義」を「神学的マルクス主義」と呼んでいる。教会が堕落したのは聖書を正しく理解していなかったからだ、あるいは聖書の正しい教えを投げ捨てたからだと考えたかつての神学者と、発想が基本的に同じなのだ。

そして、マルクスに見られる「アソシエートした諸個人」とか「自由な生産者のアソシエーション」という表現は、ソ連におけるようなリバイアサン的な抑圧国家とも、また新旧左翼たちが属していた種々のスターリニスト的党組織（新左翼もこの点ではあまりスターリニストと変わらなかった）ともまったく異なる、「リベラル」で「個人尊重」の社会像を提供しているように思えた。気持ちはわからないでもない。

第二に、一九八〇年代以降に支配的となった新自由主義的なイデオロギーの蔓延と労働運動の崩壊（とくに日本）は、生き残ったマルクス主義者たちが、マルクスの階級的・革命的観点を忌避して、NGOや協同組合などを念頭に置いた「市民的アソシエーション」に飛びつく土壌ないし雰囲気をつくり出したことである。しかし、「自由な生産者ないし諸個人のアソシエーション」を、それを実現する経済的・政治的・階級的諸条件を抜きにして語ることは、強い個人の存在を前提にすることになり、これは典型的に新自由主義的な発想である。

第三に、インターネットの発達やプラットフォーム型多国籍企業のヘゲモニーのもとで、そうした技術的手段があたかも諸個人によるフラットで水平的な直接的結合（アソシエーション）を実現しうるかのような幻想が広がったことである。

日本独特の理由としては、日本人にとって「アソシエーション」という言葉が外来語であり、そこに何か神秘的な深い意味があるように思えたことである。マルクスの文献の原文をあたると、ここにもあそこにもたくさん「アソシエーション」「アソシエートした」という言葉があることにびっくりし、これこそがマルクスの思想を貫く「赤い糸」であるように思い込んだのである。

労働者国家を含むあらゆる国家を忌避し、労働者政党を含むあらゆる政党を拒否し、民主主義的中央集権制を含むあらゆる中央集権制を嫌悪し、プロレタリア革命を含むあらゆる革命を恐れ、それでいて「マルクス派」であろうとすれば、かなり必然的に、マルクスをまさにマルクスたらしめた革命的部分を回避して、マルクス、エンゲルスを含む当時の多くの社会主義者に共通だった抽象的概念に回帰せざるをえない。だが、そのような共通性にあえてマルクスの名を結びつけるのは、どこまでいっても結局ミスリーディングでしかないであろう。

われわれがやるべきは、「アソシエーション」という抽象概念を物神崇拝することではなく、またマルクスの書き残したものの中に慰めとなるような「リベラルな」文言を目を皿にして探すことでもなく、マルクス以降のマルクス主義と「社会主義」の正負の歴史を実証的かつ批判的に分析し、労働者革命と労働者民主主義の内実と諸原則をより具体的に彫塑することである。そしてその際、何らかの具体的な機構的・制度的メカニズムを無視して、諸個人の直接的なアソシエーションを展望することは、三権分立を伴う近代ブルジョア民主主義にすら遠く及ばない素朴な観念でしかないのは明らかである。そろそろそのようなナイーブさは卒業しなければならない。

（二〇一七年九月一六日）

注

＊1　田畑稔『マルクスとアソシエーション——マルクス再読の試み』新泉社、一九九四年。

＊2　代表的な著作として以下。田畑稔・白川真澄他『アソシエーション革命へ——理論・構想・実践』社会評論社、二〇〇三年。大谷禎之介『マルクスのアソシエーション論』桜井書店、二〇一一年。

＊3　田畑稔『増補新版　マルクスとアソシエーション——マルクス再読の試み』新泉社、二〇一五年。本文では「増補新版」と略記し、該当頁数を直後に表記する。

＊4　大谷禎之介氏も「アソシエートした生産様式」では意味が通じず、「アソシエートした労働の生産様式」の短縮形であろうと推測している。前掲大谷『マルクスのアソシエーション論』、一九六頁、三二七頁。

＊5　マルクス「イギリスのインド支配の将来の結果」、邦訳『マルクス・エンゲルス全集』第九巻、大月書店、二一八頁。

＊6　マルクス『資本論』第一巻、邦訳『マルクス・エンゲルス全集』第二三巻、一〇五頁。

＊7　同前、七七一頁。「直接的生産過程の諸結果」では、未来社会は「自由な人間社会」と表現されており、やはり「アソシエーション」は用いられていない（マルクス『資本論第一部草稿——直接的生産過程の諸結果』光文社古典新訳文庫、二〇一六年、二〇四頁）。

＊8　同前、九九五頁。

＊9　マルクス「哲学の貧困」、邦訳『マルクス・エンゲルス全集』第四巻、一六七頁。全集訳では「アソシアシオン」は「共同的結合」と訳されている。

＊10　マルクス＆エンゲルス『共産党宣言』光文社古典新訳文庫、二〇二〇年、九一頁。

＊11　前掲『共産党宣言』、一一二頁。このような革命的条件提示は『哲学の貧困』の「アソシエーション」登場箇所にも見出せる。マルクス「哲学の貧困」、邦訳『マルクス・エンゲルス全集』第四巻、一九〇頁。同じことは晩年に至るまでのマルクスのすべての著作・論文について指摘することができる。

＊12　「マルクスからフェルディナンド・ドメラ・ニーウェンホイスへ（一八八一年二月二二日）」、邦訳『マルクス・エンゲルス全集』第三五巻、一三二頁。

＊13　エンゲルス「反デューリング論」、邦訳『マルクス・エンゲルス全集』第二〇巻、一二〇頁。

＊14　同前、二六一頁。この箇所は『空想から科学へ』にも収録されている。邦訳『マルクス・エンゲルス全集』第一九巻、二二〇頁。大谷氏は、『空想から科学へ』から多くの文章を引用しながら、この一文を無視している。

＊15　エンゲルス「カール・マルクス」、邦訳『マルクス・エンゲルス全集』第一九巻、一一二頁。

＊16　前掲大谷『マルクスのアソシエーション論』、一六四～一六五頁。

＊17　エンゲルス「マルクス『フランスにおける階級闘争』（一八九五年版）序文」、邦訳『マルクス・エンゲルス全集』第二二巻、五〇七頁。

＊18　同前。もともとの文章は以下にある。マルクス「フランスにおける階級闘争」、邦訳『マルクス・エンゲルス全集』第七巻、三九頁。

第5章

現代世界と資本主義の諸限界

——新自由主義から現代家産制へ

【解題】以下の論考は、二〇二〇年一〇月三一日に全労協全国一般東京労働組合・三多摩地域ユニオンの定期大会で行なった講演を文章化したもの。いつものように、文章化に当たって大幅な加筆と修正を施した。私としては珍しく狭い意味での政治の話をすることになったが、それを現代資本主義の構造変化に結びつけて論じた。この論文は後に『季刊自治体労働運動研究』第七六号（二〇二一年三月）に掲載された。本書に収録するにあたって、さらに若干の加筆を行なっている。

1、コロナ危機が露呈させた三つの脆弱性

本日、私に与えられたテーマはコロナ・パンデミック下の資本主義の問題についてですが、まず最初に数字を確認しておきたいと思います。二〇二〇年一〇月二九日段階の数字ですが、コロナの感染者の総数は全世界で四四〇〇万人以上にのぼり、死者数は一〇〇万人を優に超えて一一〇万人以上になっているということが、ＷＨＯなどの数字から明らかになっています。[*1]

欧米では三～四月に第一波を迎えましたが、その後ロックダウンなどを経て感染者数が急速に減りました。しかし、みなさんもご存じのように一〇月以降に再び急増して、第一波をはるかに超える勢いで感染者数が増えています。第一波の時より対策などが改善したおかげで、死者の割合は三～四月ほどではありませんが、それでも全体としての数が増えているので、死者の絶対数もヨーロッパなどでは三～四月の水

準に迫るかそれを上回る勢いです。

累計感染者数の上位四カ国は、アメリカ、インド、ブラジル、ロシアで、この四カ国には後で見るようにある重要な共通性があるのですが、ここでは数字だけを見ておきます。まず、現在、大統領選真っただ中のアメリカでは、感染者の総数は八八〇万人以上で、死者数は二二万人以上になっています。二位のインドは、感染者数が同じく八〇〇万人を超え、死者数は一二万人を超えています。三位のブラジルは、感染者数が五四〇万人以上で、死者数はインドより多く一五万人以上です。四位のロシアは、感染者数が一五五万人以上で、死者数が二万人以上になっています。ロシアは死者数がかなり少なく、死者数のランキングで見ればヨーロッパ各国やラテンアメリカ諸国の方が多くなっていますが、ロシアの数字がかなり低く見積もられている可能性はあります[*2]。

以上が累計感染者数で見た世界ランキングですが、この四カ国のあとにヨーロッパ各国やラテンアメリカ諸国がずらっと続くという現状になっています。

このコロナ危機自体が、多くの人がすでに指摘しているように資本主義の過剰開発による（野生動物や家畜を介した）新しい感染症の増大と不可分ですが、それと同時に、この危機は資本主義世界において三つの脆弱性を露呈させ、またコロナ危機自身がこの三つの脆弱性をいっそう昂進させました。

経済と社会の脆弱性

新型コロナ危機は何よりも、資本主義世界における経済と社会の脆弱性を露呈させました。まずは社会的・福祉的インフラの脆弱性です。これについてはすでに多くの文献や報道で論じられているとおりです。新自由主義の四〇年間の中で先進資本主義諸国で福祉国家がしだいに解体され、病院の数や保健所の数、病床数、とりわけＩＣＵ病床数もどんどん削られ、人口当たりの医者や看護師の数も減りつづけました。とくに第一波で最も多くの死者を出したのはヨーロッパのイタリアとスペインですが、これらの国は人口当たりの病床数がヨーロッパで最も少ない国でした。感染症対策のための予算も削られ、検査可能な施設や専門家の数も減らされました。その一方で医療費の自己負担はどんどん増大し、ますます医療が受けにくい体制になっていきました。平時であるにもかかわらず社会的インフラがぎりぎりのキャパシティになっていたため、実際に大型感染症の到来という有事になったときに、それに対処できる余裕と能力がなくなっていたのです。

こうした社会的・福祉的インフラの脆弱性にプラスして浮き彫りになったのは、経済的・人種的不平等による社会の分断という脆弱性です。それは各国別で見ても国際的に見ても明らかです。まず各国別で見ると、典型的なのは、人種的・経済的分断がきわめて深刻なアメリカです。二〇二〇年一〇月二一日付けの『時事通信』の記事によりますと、米国内で統計などから予想される死者数を実際の死者数が上回る「超過死亡」が、今年一月下旬〜一〇月上旬の累計で約三〇万人にのぼっています。その約三分の二が新型コロナウイルスによる死者なのですが、この「超過死亡」の割合が人種によって大きく異なります。白人の超過率が約一二％だったのに対し、ヒスパニックが約五四％、黒人が三三％、アジア系・先住民が約二九％と顕著な差が存在しています。[*3] 日常的に受けられる医療サービスの有無、就業形態の違い（有色人種ほど低賃金のサービス労働が多いなど）、より三密になりやすい住宅・職場環境、貯金がわずかでパンデミックでも仕事を休めない事情などがその背景にあると見られていますが、それが人種差別と経済格差の結合によるものであるのは明らかです。[*4]

同じような傾向は他の欧米先進国にも見られます。どの国でも有色人種と貧困層ほどより多く感染しており、そしてはるかに高い割合で亡くなっています。たとえばフランスでは、「国境なき医師団」の調査によると、パリとその周辺における労働者向けの簡易宿泊所や食料の配給所などで新型コロナの検査を実施したところ、八一八人中、半分強の四二六人が新型コロナウイルスに感染していたことが明らかになりました。[*5] 約五二%の感染率ですから、平均よりも桁違いに高い感染率です。

同じ傾向は世界的にも見られ、国家間、地域間の不平等がはっきりと表われています。二〇二〇年一〇月一一日のロイターの記事によると、感染者数の世界上位一〇ヵ国のうち、五ヵ国はラテンアメリカ諸国であり、世界の総人口に占めるシェアがわずか八%であるにもかかわらず、今回のパンデミックによる死者では世界の三四%を占めています。これは貧困、その国の福祉・医療システムの貧弱さなどが原因になっているのは明らかです。さらに国際労働機関（ＩＬＯ）によれば、ラテンアメリカ地域の労働者のうち最大五八%が非公式セクターで働いており、その多くは、感染したからといって隔離を受け入れれば、食費にも事欠いてしまう状況に置かれています。コロナが生んだ危機の一つは大量失業ですが、ＩＬＯは、コロナ危機の影響ですでにこの地域で三四〇〇万人以上が失業ないし失職しているとし、しかも失業手当の受給資格がある労働者の比率は、北米・欧州の四四%に対し、ラテンアメリカでは一二%にすぎないとのことです。[*6] 欧米でも失業手当を受けられるのが四四%にすぎないというのは驚きですが、ラテンアメリカだとそれがわずか一割ちょっとという低さです。

さらに、九月一一日付けのＢＢＣの報道によると、二七ヵ国二万七〇〇〇人を対象に国際調査会社が調査したところでは、新型コロナ・パンデミックの影響で収入が下がったと答えた人は先進国では四五％だったのに対し、貧困国では六九％、つまり約七割に上っています。また、人種のみならず、性別における格差も見られます。一般にコロナの死者のうち約三分の二が男性で、三分の一が女性と言われ、男性の方がはるかに死亡率が高いにもかかわらず、経済的影響という点で言うと、女性の方が深刻な影響をこうむっていることが明らかになっています。とくに男女差が大きかったのは、ドイツ（女性三二％、男性二四％）、イタリア（女性五〇％、男性四三％）、イギリス（女性四五％、男性三八％）でした。[*7] このような差が出るのは、女性の方が低賃金のサービス労働に従事している割合が高いことが原因であると思われます。

社会と経済の脆弱性として注目すべき三つ目の点は、この新自由主義の三〇〜四〇年間に非正規雇用化とサービス経済化が急速に進んだため、経済的余裕のある人々の数が縮小し、ロックダウンなどによる経済的ダメージがより大きくなったことです。時給で働く労働者は、仕事を休みたくても休めないし、休めばただちに収入がゼロになります。各国でさまざまな給付金が支給されましたが、不十分であるのは明らかです。

こうして、貧困と不平等がコロナの影響を深刻にし、コロナの影響が貧困と不平等をいっそう深刻にするという悪循環が生じているのです。

国家と政治の脆弱性

さらにコロナ危機は、国家と政治の脆弱性も暴露しました。とくに、ポピュリスト的で権威主義的な政治家ほど無力で無策であったことがこの間の事態で明らかになっています。トランプのアメリカ、モディのインド、ボルソナロのブラジル、プーチンのロシアです。非常に逆説的なのは、この四つの国がいずれも、大統領ないし首相という政権トップが権威主義的で、上意下達のトップダウン型政治を愛好し、強い権力を志向していることです。彼らは、このような権限や権力の集中こそが、危機や緊急事態に迅速に対処することを可能にし、国民の命を守れるのだと言って自己を正当化してきたのですが、実際にはそのような言説がまったく誤りであったことが明らかになりました。このような政権ほどコロナ危機に対して無力であり、甚大な被害を出しているのです（唯一の例外は中国）。しかも、この四カ国のうち二カ国（アメリカとブラジル）はトップ自身が新型コロナに感染しています。最もその種のものから保護されているはずのトップが感染しているのですから、彼らの危機管理能力のなさは明々白々です。

安倍政権下の日本も似たような権力志向の政権だったわけですが、日本の場合は、今なおよく分かっていない理由から（島国であったことなどが多少幸いしていた）、先の四カ国やヨーロッパ諸国のような深刻な感染の蔓延と大量の死者の発生という事態は免れています。しかし、他の北東アジア諸国（中国、韓国、台湾）と比べると、日本は最も多くの割合で感染者と死者を出しているので、やはりこの法則に当てはまると言うことができるでしょう。

とはいえ、地域的特殊性を持ったところ（台湾やニュージーランドなどの島国）を別にすれば、どの資本主義国も適切に対処できていないと言えます。にもかかわらず、どの国でも、政権ないし政権与党に対する大きな支持率低下は起きていません。それどころか支持率の上昇が見られます。いったいこれはなぜなのか、これについては後の「2」でお話しますが、本日の話の中心テーマでもあります。

国際機関と国際秩序の脆弱性

最後に、今回のコロナ危機が示した三つ目の脆弱性は、国際機関と国際秩序の脆弱性です。そもそも、新型コロナのこれほど急速な世界的蔓延をもたらしたのは、経済の高度なグローバル化によるものです。とりわけ実際に人々が世界を行き来する観光業の高度な発達、エリート・ビジネスマンの国際的往来の頻繁さ、一般労働者や学生の国際的移住の広がり、移民経済の拡大などです。

しかし、そうした全世界的危機に対する国際的対処はどうかと言うと、多くの国際機関は驚くほど無力でした。中国に次いでパンデミックの中心となったヨーロッパにおいて、ＥＵはその無力さを露呈しました。ヨーロッパの中でも特に貧しい国ほど、経済的余力が小さい国ほど大きなダメージを受けたのですが、ＥＵの中の最も豊かな国々（とりわけドイツ、フランス、オランダ）は支援の手を差し伸べることをほとんどしませんでした。せいぜい救急患者の一部を自国の病院に搬送したぐらいで、それが美談として世界に流布しました。最初のパンデミックをこうむった中国が、その国力を総動員してコロナを封じ込めることに成功したのに、ヨーロッパ連合はせっかくそういう大きな政治的単位を構成しているのに、ＥＵとしてのイニシャチブをほとんど発揮することができず、基本的に各国の自助努力に委ねられました。

国連および世界保健機構（ＷＨＯ）もその権威を著しく低下させました。ＷＨＯは世界の二大大国であるアメリカと中国の対立に翻弄され、ほとんどイニシャチブを発揮することができませんでした。ではアメリカはどうかと言うと、トランプ政権は自国におけるその無策さと失政から国民の目をそらすために、ひたすら中国攻撃を繰り返すだけで、この世界的危機において何ら積極的なイニシャチブをとらず、ヘゲモニー国家としての役割を完全に放棄しました。アメリカの共和党は今ではネオモンロー主義とも呼べるような自国中心主義を取っています。こうして、このような世界的危機において積極的な救済的役割を担おうとする国家はまったく存在しませんでした。

今回の事態ではっきりしたのは、アメリカの国際的な権威の著しい低下と、それと裏腹の関係としての、中国の国際的権威の上昇です。これは二一世紀におけるヘゲモニー国家の交代を示唆するものですが、中国はヘゲモニー国家としての役割を担えるような位置にはまだまだ遠いですし、香港・ウイグル・チベット問題をめぐって重大な人権問題を抱えており、世界的な信頼も勝ち取っていません。したがって、今回の危機はヘゲモニー国家の不在の中で生じ、国際秩序の脆弱さをはっきりと露呈させることになったのです。

また、この間のグローバリゼーションのこれほどの進展にもかかわらず、グローバリゼーションの担い手たちは、このグローバル危機に対して何の役割も果たしませんでした。巨大グローバル企業は、このどさくさにいっそう富を蓄積することはしても、人々の命を救うために自己犠牲を発揮するようなことはしませんでした。経済的に困窮する労働者のために内部留保やタックスヘイブンに隠した膨大な資産を吐き出すこともしませんでした。

2、民主主義の劣化と現代家産制（ネオ家産制）

このような状況の中で、非常に目立ったのは、民主主義の劣化と言うべき現象です。先ほど述べた第二の脆弱性と関わっていますが、コロナ危機だけでなく、その他の多くの問題においても、資本主義諸国における民主主義の劣化・衰退は否定しがたいものとなっています。

アメリカの著名な言語学者で左派の優れた論客でもあるノーム・チョムスキーは、最近結成されたプログレッシブ・インターナショナルのキックオフ集会において、現在われわれが直面している深刻な危機・脅威として三つのものを挙げています。核戦争の危険性、地球温暖化による生態危機、そして、民主主義の衰退・劣化です。[*8]

この「民主主義の劣化」を端的に示しているのが、政治の家産制化です。現代政治の基本特徴は、よく言われている「ポピュリズム」ではなく、政治の「家産制化」です（ポピュリズムと政治の家産制化との関係については、後で触れます）。家産制ないし家産制化という言葉は聞きなれないと思いますが、「家産制（patrimonialism）」というのは、有名なマックス・ウェーバーの支配の三類型（合法的、伝統的、カリスマ的）の中の「伝統的」に含まれるシステムの一つで、国家の法や財産などが君主・支配者の私的なルールや財産であるかのように取り扱われる人格的な支配のシステムのことです。

民主主義の劣化と政治の家産制化

昨今、資本主義諸国において顕著に見られる政治の劣化、民主主義の衰退を表現するのに、この言葉がしだいに頻繁に使われるようになっています。ここで日米の政治学者による使用例を紹介しておきます。アメリカの保守派の政治学者（しかしトランプ政権に批判的）であるフランシス・フクヤマ、そして日本のリベラル派の政治学者である山口二郎氏です。まず、フクヤマは次のように述べています。

今日いかに腐敗した独裁者であっても、初期の国王やスルタンのように自分たちが文字通り国を「所有」し、意のままにできるとは主張するまい。たとえお世辞であれ、公益と私益との区別を口にする。そのため、家産制はいわゆる「ネオ家産制」へと発展した。政治的指導者は外見上は近代国家の形式——官僚制、法制度、選挙など——を取り入れるが、実際には個人的利益のために統治する。選挙期間中は公益を並べ立てるが、国家は縁故と無関係ではなく、投票や選挙集会への参加と引き換えに政治的支持者のネットワークに利益がばらまかれる。

本書を通じて私は、「再家産制化（re-patrimonialisation）という長ったらしい言葉を使用しているが、これは縁故を明白に排除してきた国家機関が強権を持つエリートに乗っ取られてしまう現象を指している。[*9]

また山口氏は、何よりも安倍政権下における森友・加計問題に関連して次のように述べています。

森友学園、加計学園の二つの疑惑とそれに対する政府の処理の仕方は、日本が近代的な法治国家から、前近代的な家産制国家へ逆行していることを示している。家産制とは、文字どおり、権力者の私的財物と国家の公共物との区別が存在せず、権力者の私的な目的のために国家の財物を費消したり、権力を行使したりできる体制である。

森友学園への国有地のタダ同然の払い下げ、加計学園による獣医学部開設についての審査にかかる特別な優遇は、財物や権限の恣意的な運用である。役人は権力者のご機嫌を取るために、法を無視して文書を廃棄し、政府の腐敗を隠蔽する。権力者にお追従を言う幇間ジャーナリストが凶悪な性犯罪を実行しても、警察トップがこれをもみ消し、罪を免れる。まさに安倍首相は家産制国家の君主である。私は大学で、三〇年間官僚制について講義をしてきたが、家産制という概念で現代日本政治を説明する日が来ようとは夢にも思っていなかった。[*10]

保守派とリベラル派、アメリカと日本という大きな違いがあるにもかかわらず、「家産制」という共通の表現が使われているのは、それなりの現実的根拠があるからです。

現代家産制の諸特徴

まずもって現代家産制とは、立憲主義どころか法治主義、あるいは「法の支配」そのものが頻繁に侵害され、そのような侵害行為がある意味常態化しつつある体制を意味します。とくにそれが顕著なのがアメリカ、日本、ロシアですが、その他多くの国でも類似の状況が見られます。その具体的特徴を列挙すると以下にようになります。

まず第一に、その時の政治的トップ（首相や大統領）ないしトップ集団（官邸やホワイトハウスやクレムリン）の都合に合わせて、憲法を含む法的ルールやその解釈・運用が大きく変わるという点が、法治主義との関係でまず最も重要なポイントです。たとえば、独裁的な大統領が、憲法で定められた任期の終了が近づくと、憲法を変えていまい、任期を伸ばしたり、再選回数の上限を増やしたりすることです。典型的にはロシアのプーチンです。アメリカのトランプも、自分がもし大統領に再選されたら、三選を禁じている憲法を変えるつもりだと言っていました。

また、政権自身が長く維持してきた法解釈・憲法解釈さえ簡単に変更されます。これは、日本では数年前に集団的自衛権に関する解釈をめぐってまず大きな問題となったことはよく知られています。このときには憲法に対する解釈が問題になったので、「立憲主義」がキーワードになりましたが、それは単なる出発点にすぎませんでした。その後の黒川検事長の定年延長問題に見られるように、個々の法律やルールの解釈でさえやすやすと変更されるに至って、そもそも法治主義、「法の支配」が驚くほどないがしろにされていることが明らかになりました。

第二に、国家の財産や予算、国家の許認可などがトップ集団ないしそれと個人的つながりの深い人々(家族や親族、友人)に優先的に与えられ、あるいは便宜を計られることです。これはもちろん日本で言うと、山口二郎氏が問題にした森友学園と加計学園問題や、「桜を見る会」問題などではっきりと現れました。

第三に、高級官僚の人事が露骨に時の政権トップの意向に左右され、トップに逆らったり、トップの意向を十分に汲まない人物はただちに更迭ないし解雇される(トランプが頻繁にこれを行ないました)、逆にトップの意向に忠実なら公的な規定を無視してまでその地位を維持できる(たとえば黒川問題)という事態です。さらに、公務員がトップないしその家族によって私的に利用されたり(たとえば昭恵問題)、あるいは高い公職上の地位が能力や実績に基づいてではなく、そうした人的つながりに基づいて露骨に配分されることです。

第四に、これとの関連で、高級官僚だけでなく、本来は政治的に中立的でテクノクラートであるべき官僚が全体として政治的中立性を失い、時の政権のトップないしトップ集団の意向に露骨に従おうとすることです（「忖度」）。長期政権の場合、時の政権の意向に従う傾向が官僚機構に生じるのはある程度、理解できるところですが、それが限界を超えた形で進行しているのです。

第五に、トップ集団による民主主義的な説明責任が全体としてないがしろにされることです。先ほど紹介したフクヤマも、近代民主主義と良き統治の決定的要素に挙げたのがこの「説明責任」でした。しかし、まさにそれが現在、徹底的にないがしろにされています。そもそも説明されないか、説明されても抽象的な同義反復や、あるいは身内にしか通じない「説明」が頻繁にされます。その典型がまたしても安倍政権と菅政権に見出されるのは、みなさんもよくご存じの通りです。たとえば、「お答えを差し控える」という決まり文句がこの数年間で驚くほど増大したことが数量的にも明らかにされています。[*11]

第六に、内部の重要な会議や打ち合わせ、会談、面会などの必要な記録や議事録などがきちんととられない、あるいは、とられてもきちんと保管されない、さらには時の政権の都合に合わせて改ざんされる、あるいは短期間に処分される、等々です。これも安倍政権でさんざんわれわれが見てきたことです。

第七に、さらに選挙や投票で負けそうだと、不正だから認めないと脅し、実際にあらゆる手段を講じて、結果を認めようとしないことです。その典型はまたしても、数日後に控えている大統領選挙をめぐるトランプ政権、明日がまさに投票日である大阪都構想をめぐる住民投票での大阪維新の会の態度などがそうです。[*12] 投票の結果を受け入れないことは、法治主義の最も露骨な否定であるのは言うまでもありません。

第八に、きわめつけは、政治犯罪ではなく単なる刑事犯罪であっても、政権中枢と密接な関係がある人間は訴追されないことです。その典型例が、伊藤詩織さんのレイプ事件をめぐって起きたことは、これまたよく知られていることです。

これらの諸事象は「国家の私物化」と言われるものであり、地方政治を見れば昔も今も変わらず見られるものですが、しかし、それが単なる過去の延長と異なるのは、まず第一に、それが最もメディアと野党の批判的目にさらされる中央政治において堂々と遂行されていること、第二に、それが単なる一時的な腐敗現象ではなく、政治の持続的特徴となっていること、第三に、それが公に暴露・糾弾されても、支持者がそっぽを向かず、支持率に大きな変化が生じず、政治の安定性が失われないことです。与党が突出して強い日本とロシアでは、こうした現代家産政治が堂々と行なわれていても政権交代がまったく起きません。二大政党制であるアメリカでは政権交代は起きうるのですが、支持率は両政党で拮抗したままであり、露骨な家産政治をやったトランプや共和党の支持率がガクンと下がったわけではなく、いわゆる岩盤支持層は依然として彼らを熱烈に支持し続けていることです。

日本でも、安倍政権から菅政権へと首相と内閣が変わっても、学術会議の任命拒否問題に見られるように、家産政治的なものが継続しています。したがって、これが安倍晋三個人の資質の問題ではないことは明らかです。これは個人の問題ではなく、システムの問題なのです。安倍晋三という三代世襲の政治家（世襲議員は家産政治の典型）は、このシステム移行の道具としての役割を果たしたと言えます。[*13]

現代家産制の「現代性」

先ほど紹介したフランシス・フクヤマも書いているように、現代家産制は、単なる過去の伝統的支配としての家産制への単なる回帰ではなく、現代的な民主主義システムの形式的維持を特徴としています。そこで以下に、この現代家産制の「現代性」について、改めて概観しておきましょう。

まず第一にそれは、すでに述べたように、過去の「伝統的」支配の単なる復活や回帰ではなく、また後進国においてまだ民主主義が未成熟なせいで生じているのでもなく、法治主義・立憲主義が長らく確固と確立してきた近代ブルジョア国家の歴史的衰退・劣化の結果生じた新しい現象だということです。[*14] 憲法・議会・普通選挙・三権分立・政党政治などの近代民主主義制度はちゃんと持続しているが、それがまともに機能していないのです。憲法や法律が時の権力者の都合に合わせて簡単に変えられるなら、憲法や法律の意味はありません。また、どんなに違憲的な法律が制定されても、司法がそれを機械的に追認するのなら、三権分立の意味はないでしょう。司法の独立性が極端に強いアメリカでも、連邦最高裁判事の多数派が共和党政権時代に共和党系の大統領に指名されたことで、司法の独立性は今後大きく制約されることになるでしょう。

第二に、時の政権トップないしトップ集団や与党が、国民的な正統性を追求するのではなく、狭い党派的な正統性を追求することです。トランプの戦略はそれを露骨に追求するものでしたが、先ほど述べた「岩盤支持層」からの熱狂的支持さえ得られれば、それでいいのであって、近代的な「国民的正統性」や「国民の統一性」が徹底的にないがしろにされます。

第三に、このことと関係しますが、階級的対立軸の曖昧化と保守・リベラル双方のイデオロギー的自閉化、一部のカルト化が進んだことです。これはアメリカに典型的ですが、ヨーロッパにもしばしば見られる現象です。保守・右派の側は、排外主義（とくに移民問題）、陰謀論、反知性主義、反エリート主義のレトリックを盛んに流布し、しばしば国内の産業労働者の利益を守っているかのような振りをします。反エリート主義との関係で言うと、この日本でも、最近の学術会議任命拒否問題でこのレトリックが用いられたのは記憶に新しいところです。

このような反エリート主義的言説が広く受け入れられるのは、実際に社会的・経済的格差が深刻になっていて、一握りのエリートが保守・リベラル問わず公式政治を独占しているというまさに新自由主義的・家産政治的実態があるからですが、右派は、自らがウルトラリッチのエリート集団であることを棚上げして、リベラル派のエリート主義だけをやり玉に挙げて、結局は、右派のエリートによる政治独占を推し進めているのです。

それに対してリベラル・左派の側はどうかと言うと、こちらも深刻です。かつての労働者的な集団的・階級的基盤が弱体化したことで、リベラル派の中産階級化が進むとともに、その階級的相貌の曖昧化の埋め合わせとして、しばしば極端なアイデンティティ・イデオロギーが追求されています。[*15] また、陰謀論や反知性主義も右派の専売特許ではなく、左派もかなり陰謀論や反知性主義になびきやすい傾向にあります。さらに、ラテンアメリカでは、左派も政権に就くと家産政治的なことをしますし、ボリビアで見られたように大統領の再選回数が憲法で決められているのに、憲法を変えて現職の大統領がいつまでも大統領を続けようとして（典型的な現代家産制国家であるロシアでプーチンがやったように）、クーデターさえ起こってしまいました。

現代ポピュリズムとの関係について一言しておきますと、旧来の政党政治の機能不全や経済的格差などへの不満からポピュリズム（多くは右翼ポピュリズム）がしばしば発生するのですが、それは社会システムを何も変えず、結局は新興政治勢力がより露骨に新自由主義と家産政治をするだけに終わっています（大阪における維新政治がその典型）。そして、ポピュリスト的政治家への熱狂的人気はただ、憲法や法律をトップの意向に沿って変更するための破城槌として利用されるだけなのです。したがって、昨今のポピュリズムは、伝統的政治勢力による家産政治を――それに対する民衆の不満に便乗しつつ――新興政治勢力によるネオ家産政治へと切り替えるだけであり、自立した政治現象としてではなく、政治の家産制化というより大きな枠組みの中で分析するべきものです。[*16]

3、歴史的諸要因――新自由主義から現代家産制へ

次に、この政治の家産制化の歴史的諸要因を列挙し、それぞれ簡単に分析していきたいと思います。

現代家産政治の前提をつくり出した新自由主義の四〇年

この現代家産政治は何よりも新自由主義の産物です。ここが重要な点です。家産政治というと、国家と私的徒党との結合ですから、新自由主義と対極にあるように思えますが、実際には新自由主義こそが政治の家産制化の前提条件をつくり出したのです。

まず第一に、一九八〇年前後から始まった新自由主義の四〇年は、階級的にもイデオロギー的にも凝集した対抗勢力であった労働者階級の組織された力を破壊し、立憲主義や法治主義を維持する力を決定的に弱めました。そもそも、「法の支配」というのはブルジョア社会の成立とともに自然にできたのではなく、

基本的には労働者階級による下からの激しい階級闘争を通じて成立し、その持続的干渉を通じてかろうじて維持されてきたのです。この力が新自由主義によって徐々に破壊されたことで、皮肉なことに、ブルジョア近代国家の決定的規範である「法の支配」も崩れていったのです。

第二に、新自由主義は、労働者・弱者・一般庶民の生存権や労働権を保障する福祉システムや労働者保護の体系を縮小・解体することで、労働者・市民の自律性をいっそう奪い、したがって下からの制御能力をいっそう破壊しました。

第三に、以上のことと裏腹の関係ですが、大資本と大企業の力が飛躍的に増大し、したがって、国家に対するその支配力・影響力も増しました。独占資本と国家の癒着というのは、戦後マルクス主義によって「国家独占資本主義」として概念化されてきたものなので、われわれにとっては手垢のついた概念なのですが、実は、この「国家独占資本主義」という概念が流行っていた時期（一九五〇〜七〇年代）には、下からの労働者階級の制御や上からの福祉国家の規制のおかげで、独占資本による国家支配は現代ほど露骨ではなかったのです。新自由主義の四〇年間は労働者階級の組織された力を徹底的に弱め、独占大資本の力を著しく増したことで、国家の家産制化の決定的な前提条件をつくり出したのです。

第四に、市場化・民営化・民間委託という新自由主義の目玉政策は、国有財産や公共的業務の切り売りであり、国家的ルールの大規模な改変を伴うわけですから、誰が誰に、誰の便宜のために国家の財産を売り払い、あるいは委託し、国家のルールをどのように変えるかという政治的・利権的思惑が決定的な意味を持ちます。したがって、逆説的なことに、新自由主義時代の方が、政治が利権化しやすいのです。安倍・菅政権時代に電通が優遇され、大阪維新の会が牛耳る大阪府や大阪市で、公的業務の多くがパソナに民間委託されるという事態は、まさにその典型です。

第五に、この民営化・市場化路線は同時に、資本主義国のどこでも労働運動の中心であった公務員や公共部門の労働運動を縮小・破壊するものでもありますから、これは、第一と同じく「法の支配」を維持する労働運動の力をいっそう弱めるというだけでなく、特殊に、国や自治体の内部における利権や職権濫用の横行を制約する力を弱めるものでもありました。

第六に、これと軌を一にした動きですが、新自由主義の時代に錦の御旗になった「反官僚」「反国家」「官から民へ」というキャッチフレーズのもと、組織的にも政治的にも中立的であるべき官僚（公僕）に対する政権トップからの統制・介入が強化され、官僚の政治的従属性が決定的に強まりました。左派は安易に官僚を悪者扱いしがちでですが、官僚がテクノクラートらしく先例を重んじ、公的ルールを重視し、政治的に中立的に振る舞うことは、近代法治国家にとって決定的に重要な柱なのです。新自由主義の四〇年間はこのような官僚の政治的中立性を決定的に破壊しました。

第七に、民営化などと並んで新自由主義の目玉政策の一つである、大企業と大金持ちに対する大減税（そのおかげで今ではビリオネアの払っている税率はわれわれ庶民の所得税率よりも低くなっている）は、それはそれでこれらの連中の資産を一気に増やし、そしてこの経済力の一部は政治献金へと逆流して、中央政治（左右問わず）を根本的に腐敗させるのに使われました。

ソ連・東欧崩壊の三〇年

新自由主義の四〇年と並んで、政治の衰退、家産制化をもたらした決定的な構造的要因は、一九八九〜

九一年にソ連・東欧という「社会主義」圏が崩壊し、曲がりなりにも、資本主義世界に対して外的な制約要因として機能していた国家的勢力が消失し、それとともに、全体としての社会主義的・共産主義的対抗勢力もしだいにどの資本主義国でも衰退していったことです。これは政治の家産制化に行きつくさまざまな否定的影響を与えました。

まず第一に、それは資本主義諸国における政治的緊張を喪失させ、対抗勢力を分散化させました。これはすでに述べた、新自由主義の四〇年間がつくり出した階級的力関係の劇的な変化（大資本とその政治的代弁者にとって有利な変化）をいっそう促しました。

第二に、ソ連・東欧の崩壊は新自由主義的グローバリゼーションの地理的拡大をもたらし、それは一方では、最も不安定で国家からも市場からも守られていない膨大な数の労働者を新たに生み出しました。ソ連・東欧の労働者たちは経済と国家の崩壊のもと、これまでの（国家的・組合的）保護システムから突然放り出され、すでに新自由主義化されていたグローバル市場経済の嵐の中を自力で歩いていかなければならなくなりました。それは、新自由主義的反革命とあいまって、「労働者階級の世界史的敗北」をもたらしました。他方で、新自由主義的グローバリゼーションの地理的拡大は、個々の国家にはとうてい制御できないような巨大多国籍資本を成立させました。このこともまた、資本と労働との力関係を大きく資本の方に有利に変えたのは言うまでもありません。

第三に、西側諸国では、福祉国家体制から新自由主義を経て家産制国家になったのに対して、旧ソ連・東欧では、「社会主義」の崩壊によって、国家の家産制化と新自由主義化とが同時に進行しました。多くの西側知識人は、ソ連・東欧の共産主義体制が崩壊すればそこに自由と民主主義が実現すると宣伝したのですが、ロシアやベラルーシやポーランドやハンガリーなどを見れば明らかなように、実際にそこに成立したのは、最初から家産制的な傾向を強く持った半独裁国家だったのです。

政治の家産制化を憂えているフランシス・フクヤマはかつて、ソ連崩壊後に「歴史の終わり」（リベラルデモクラシーの世界史的勝利）を謳いましたが、皮肉なことに、ソ連・東欧の崩壊は西側でも東側でも家産政治化を加速させ、今ではフクヤマは世界的な規模でのリベラルデモクラシーの衰退と再家産制化に悩む羽目になったのです。[*17]

旧来の保守・革新の政治的対立関係の溶解の二〇年

以上の二つの要因が重なり合って、一九九〇年代以降に、社会民主主義・リベラル政党の新自由主義化が進み、旧来の保守vs革新、ないし自由主義vs社会民主主義の政治的対立関係がしだいに溶解していきました。この現象は、一九九〇年代半ば以降、日本、アメリカ、イギリス、ドイツなど主要な資本主義諸国で同時に進行しました。

まずアメリカでは、サッチャーと並ぶ新自由主義的反革命の主導者であったレーガンの二期と、その後を継いだジョージ・ブッシュに代わって、久しぶりに民主党の大統領になったビル・クリントンは、本来は一二年に渡って続いた新自由主義政策を転換する大統領として期待されたのですが、大統領になった翌年の一九九四年中間選挙で上下院で共和党に敗北して民主党が少数与党になると、急速に新自由主義化していき、レーガン時代以上に積極的に新自由主義を推進する存在となりました。

同じような現象は、アメリカと並んで世界的な新自由主義的反革命を主導したイギリスでも起こりました。イギリスでも、サッチャー、メージャーの保守党政権が十数年続いて、新自由主義政策がさんざんなされた後、一九九七年の総選挙で十数年ぶりに労働党が政権に返り咲いたにもかかわらず、首相となったトニ・ブレアは、労働組合の影響や社会主義色をできるだけ払拭した「ニューレイバー」路線を提唱し、サッチャーやメージャーに代わって着実に新自由主義政策を実行していきました。

同じくドイツでも、保守党のヘルムート・コールによる一六年間にわたる保守党政権が続いた後に、一九九八年の総選挙でドイツ社会民主党は第一党になり、緑の党との連立でようやく政権に返り咲いたのに、首相になったドイツ社会民主党のシュレーダーは「新しい中道」「第三の道」を提唱して、やはり新自由主義政策を実行していきました。とくに二〇〇一年にはこの新自由主義政策の一環として売買春の完全自由化を実行し、ドイツを世界的な人身売買の目的地にしました。

このような流れは、二大政党制ではない日本でも（かなり形態は違っているとはいえ）見出されます。日本でも、中曽根政権を始めとして自民党政権のもとで新自由主義政策が実行され、国民の自民党離れが起きて、当時たくさんできた新興政党と既存野党との連合で一九九三年に非自民党政権が実現し、日本新党の細川護熙が首相になりましたが、その政権がやったのは、新自由主義をもっと速やかに実行するための小選挙区制導入による「政治改革」でした。その後、社会党が、ヨーロッパの社会民主主義政党と同じく、労働組合の影響と旧来の革新色を払拭する方向を追求して社会民主党になり（一九九六年）、一九九八年には新自由主義政策の実行を党是とする民主党が発足するなどして、旧来の保守・革新の政治的対立構造が崩壊しました。その後、小選挙区制の下で、旧社会党系の諸政党がどんどん極小政党に縮小していくと同時に、非自民保守と自民党とのあいだでは対立・和合・離反・再統合の茶番が展開されました。そして、ごく短期間の民主党政権期（二〇〇九〜一二年）を除けば、公明党と手を組んだ自民党の一人勝ちが常態化するようになっています。

このように、旧来の保守vs革新（あるいは自由主義vs社会民主主義）の政治的対立が崩壊したことで、政党対立・政策対立の枠が著しく狭くなり、政治の緊張関係がいっそう衰え、民主主義の衰退をいっそう加速させたのです。

スマホとSNSの日常化の一〇年

これまでの歴史的諸要因と比べると、その重要度はかなり劣りますが、部分的な社会的要因として、このスマホとSNS（ソーシャルメディア）の日常化という問題を最後に取り上げておきます。意見交換をしあうSNSとして世界で最も巨大なのは、フェイスブックとツイッターですが、それらはそれぞれ二〇〇四年と二〇〇六年に設立されました。それが広く普及して、先進国のほとんどの人が、両者のどちらかないし両方をやるようになるのは、この一〇年足らずのあいだです。

このような巨大SNSが支配的になる以前にも、さまざまなネットを通じた意見交換の場が、ネットの掲示板とかメーリングリストなどで存在しましたが、やはりこの二つの巨人的ソーシャルメディアが人々の意見形成に重要や役割を果たしたのは明らかです。さらに、スマートフォンのとてつもない普及（初代iPhoneが二〇〇七年）は、これらのSNSを自宅や職場に置かれたパソコンというハードから解放して、誰もがポケットに入れていつでもアクセスできるものにしました。

インターネットはかつて、官僚的・政治的統制から解放された自由で開かれた討論と情報伝達の場をつくり出すと楽観的にみなされてきましたが、現実には、これまでのどんなメディアよりも深刻な縦割りとたこつぼ化、特定の意見への囲い込み状況をつくり出しました。ＳＮＳにおいて、それぞれの党派・傾向の支持者たちは、フォロワーや「友達」になることを通じて、自分たちと同意見の集団の中に囲い込まれ、その中で自足するようになり、その中でますます意見が偏った方向へと進化し、しばしばその意見を極端化させるようになりました。これは一般にエコーチェンバー現象と言われています。エコーチェンバーとは「反響室」という意味です。反響室で何かをしゃべると、それが室内で反響して大きく増幅されます。それと同じで、人々は日常的にＳＮＳにアクセスし、その中で同意見者集団に囲い込まれ、そうした人々の意見のみをひたすら日常的に見ることで、特定の（かなり偏った）意見が強化され、確信を増していくのです。

ためしにツイッターなどで右派系のアカウントのタイムラインを見てみると、左派から見れば明らかに初歩的な「法の支配」を逸脱しているとしか言いようがない安倍政権や菅政権の言動についても、すべてそれなりにもっともらしい根拠（それはしばしばデマにもとづいていますが）で正当化しているツイートをいくらでも見出すことができます。こうやって、彼らはどんな問題が起きても動揺しなくて済むのです。あるいは一時的に動揺しても、最終的には納得させてくれる意見を読んで安心することができるのです。

このような現象は左派の側でも起こっていて、左右問わず、意見の同質化、異論の暴力的排除が不可逆的に進行しています。「多様性の尊重」という掛け声にもかかわらず、現代は最も多様性と寛容の乏しい時代になっているのです。

ＳＮＳによって人々が囲い込まれる以前は、新聞やテレビが主たる情報源でした。このような主流メディアは一定の社会的フィルターをかけ、極論や明白なデマを排し、記事の主張と異なる意見についてもたとえ形式的であれ掲載するような配慮をしていました。しかし、その後、一九九〇年代以降に、主流メディアも党派化していき（たとえば日本の『産経』やアメリカのFOXニュースなど）、さらに、最初からフィルター機能のないSNSはそうした傾向を一気に推し進めました。人々はSNSを通じて自分たちの意見を形成し、しだいに揺るぎのないものにしていくわけです。そして、新聞やテレビも今ではネット世論の後追いをするようになっており、しだいに報道の客観性をなくしつつあります。

政党でさえ、このようなSNSの影響を直接受けるようになりました。この数年間で、ほとんどの国会議員や地方議員がツイッターアカウントを持つようになっており、ネットでの議論や動向に容易に左右されるようになりました。かつては内部ヒエラルキーでの討論の積み重ねを通じて方針を定めていた共産党のような組織政党でさえ、今ではツイッターでのダイレクトな反応に強く影響されるようになっています。

4、構造的原因——資本主義の諸限界の昂進とその露呈

以上の歴史的諸要因を踏まえて、さらに深く原因を掘っていくと、資本主義の大きな歴史的流れとその変化という構造的要因にたどり着きます。

資本のシステム化と反システム化との矛盾——バランスの崩壊

まずもって資本の本質についておさらいしておきましょう。資本の本質は、自然を略奪し労働を搾取す

ることを通じて、できるだけ多くの利潤を上げて、絶え間なく価値増殖するという、それ自体として無制限であろうとする運動体です。このような運動体が社会の一部（周辺や表面）にとどまるのではなく、社会全体の基本原理になるためには、生産過程を包摂することが決定的に重要なのですが、それと同時に、このような無限増殖運動を可能とする無数の自然的・社会的・制度的・文化的諸条件を確保することも必要でした。資本は、このような諸条件を――旧社会を解体しながら――ある程度自ら作り出すことで存続可能な社会システムへと高まる内在的傾向を持っています。この資本の自己システム化傾向についてはマルクスが『経済学批判要綱』の序説などで明らかにした通りです。しかし、それと同時に、資本というのは、そのような自己の社会的システム性を絶えず破壊し、それを機能不全へと追いやり、またそのシステムの存在条件である自然や社会や人間を破壊する、そういう内在的傾向をも持った矛盾した運動体でもあります。[*18]

このような根本的な内部矛盾についての最初の明確な社会的洞察が、『共産党宣言』で明らかにされた、周期的恐慌による社会全体の均衡と文明の破壊、「野蛮への逆戻り」という現象です。[*19] その後、資本主義のこの内部矛盾は、世界戦争というはるかに巨大で残酷な形態で、社会の存続そのものを脅かすようになりました。そして、この世界戦争の最初のもの（第一次世界大戦）を通じて最初の労働者国家であるソ連が誕生し、二度目の世界戦争（第二次世界戦争）を通じて中国、ベトナム、ユーゴスラビア、東欧などで新たな労働者国家群が生まれ、世界は東西二つの世界に分裂しました。

この東西冷戦を通じて今度は、資本主義は第三の危機でもって人類を脅かすようになりました。核戦争の危機という脅威です。アメリカとソ連が相互に核開発競争、核軍拡競争を繰り広げ、地球を数百回破壊するだけの核兵器が蓄えられるに至りました。ソ連・東欧の崩壊は核戦争の危険性をさしあたり弱めましたが、その代わり、今や地球上の生物全体をも脅かす第四の危機が人類を脅かしています。地球温暖化によるいいいいいいい生態系危機です。核戦争は、それを実際に起こさないかぎりは人類も地球上のその他の生命も脅かしませんが、地球温暖化はいま現在も着々と進行しつつある、最大級の脅威です。

以上を簡単に振り返れば、資本主義が発展すればするほど、それが脅かす危機の規模と深刻さはますます巨大化し、ますます制御不可能なものになっていくという法則性を確認することができるのではないでしょうか。

促進と抑制との均衡の破壊

さて、資本主義というのは、その内的な自己システム化傾向を促しつつ、そのシステム破壊的傾向を一定抑制することではじめて、長期に存続可能な社会システムになることができます。つまり、このような悪無限的運動を成り立たせ、かつそれが自然環境や人類社会と両立するためには、無数の人々の非資本主義的な（共同体的な）日常の諸努力、下からの階級闘争、外からの社会的諸闘争、国家や自治体による上からの制御、あるいは国外の「社会主義」諸国の脅威、等々が必要でした。

しかし、このような促進と抑制とのバランスは、すでに述べた一九八〇年代以降の新自由主義的反革命、一九九〇年前後におけるソ連・東欧の崩壊（＋中国の半「国家資本主義」化）によって根本的に崩れました。労働者階級と社会主義・共産主義勢力による下からの制御が崩壊し、外部からの共産主義的脅威もなくなり、全面的な破壊的傾向を持ったまま資本主義のトータルシステム化がこの数十年間に進行しました。ブレーキを失ってひたすらアクセルを踏み続ける資本主義という巨大な暴走列車が、進路を妨げるあらゆるものをなぎ倒しつつ、経済、社会、自然を破壊していっているというのが、現在の状況です。そして、それは今や政治と民主主義をも劣化させ、衰退させつつあるのであり、それが政治の家産制化、現代家産制という今日的現象なのです。

「封建化する」資本主義

以上の状況と並んで、資本主義の性格にもある重要な変化が生じています。それが、利潤率の傾向的低下を背景にして進行した資本の過剰集中と金融化、そして、拡大再生産による利潤獲得よりも、資産や資源などの私的独占によるレント（地代や使用料を意味する経済用語）の追求[*20]、既存の富と価値の収奪を重視するという傾向です。ある意味で、資本主義は、自由競争、大規模でますます効率化する生産、社会的地位の流動性にもとづく開かれた体制から（それはしばしば単なるイメージだったとはいえ）、私的独占、レントと略奪、社会的地位の固定化にもとづく閉鎖的体制へと変わりつつあります。いわば資本主義は封建化しつつあるのです。

かつて、固定化された身分制、伝統的で閉鎖的な小規模生産、生まれながらの支配者による搾取という特徴を持った封建制に対して、資本主義は自由、進歩、発展を象徴していました。といっても実際には、労働者階級による下からの闘争と制約がまだほとんど存在しなかった初期のころは、イギリスで生まれたばかりの資本主義は封建制以上に残酷で暴力的で、とうてい存続可能でないシステムに見えていました。当時の多くのすぐれた思想家や経済学者（たとえばトマス・カーライルやシスモンディ）が資本主義に三下り半を下したのは、まさに初期の無制約な資本主義が封建制よりも進歩的には見えなかったからです。しかし、労働者階級やその他の被抑圧階層に属する人々による下からの闘争のおかげで、そしてその闘争を通じて導入された労働者保護やその他さまざまな社会的規制や福祉の体系のおかげで、さらには、労働者階級への選挙権付与（これもまたチャーチストたちの闘争の結果です）や有色人種や女性への選挙権付与、あるいはこれらの人々の利害を代表する政党の形成を通じた政治の民主主義化のおかげで、資本主義は、少なくとも先進国では、進歩的な社会的意味を持つことができるようになりました。ブルジョア思想家たちが自慢する資本主義の「進歩性」や「文明性」は実際には、資本家のおかげなのではなく、その大半は労働者階級を初めとする被抑圧階級の絶え間ない闘争のおかげなのです。

しかし、そうした下からの制約も外部からの制約もしだいに取り払いつつある今日の資本主義は、それが持ちえた相対的進歩性を急速に失いつつあります。資本家というのは実は、生産と自由競争による不安定な利潤獲得よりも、独占による安定的な利潤獲得や利子の取得を、そしてもっと安定的なレントの獲得を好むものなのです。現代資本主義は、土地や住宅、天然資源という伝統的なレント対象だけでなく、種子や知識や遺伝情報に至るまで、ありとあらゆるものに私的所有権を設定して、そこから使用料という名目のレントを永遠に取得しようとします。これはまさに、土地の支配から年貢や貢納を絞り取ろうとした封建領主と同じです。

この間、ネットを通じて最も多くの儲けを稼いでいるのは、アマゾン、グーグル、ポルノハブ（Pornhub）、フェイスブック、そして日本では楽天などのいわゆるプラットフォーム型企業です。これらのプラットフォーム型企業は自ら何かを生産したり富を生み出したりしているのではなく、無数の利用者や業者が登録するプラットフォームを提供し、その登録料や利用料、あるいは手数料や広告料やマージンで儲けています。これもプラットフォームという巨大なネット空間を私的に所有することでその利用者からレントを抽出しているのと同じです。コンビニのチェーン店も同じで、大手コンビニの看板の使用と系列商品の販売・調達を保障する代わりに、きわめて高いマージンを取っています。

また封建制においては、支配層（封建領主）は税金を払わず、農民からの税金で贅沢を満喫していましたが、今日、現代の大企業やその経営者たちも税金をほとんど払わずに、逆に一般庶民が収める税金から企業助成金を得ているのですから、まさに封建領主のように振る舞っていると言えます。

さらに、富めるものと貧しいものとのあいだの経済的・社会的格差はますます広がり、固定化し、世代を通じて受け継がれ、新しい世代の労働者階級は自分たちの親の世代の労働者よりも総じていっそう貧しく、いっそう不安定な労働者層になっています。これによって、社会的流動性は深刻に損なわれ、経済的階層はあたかも封建時代の身分のようになりつつあります。こうして、現在、あらゆる面で資本主義の封建化が起きているのです。[*21]

そうした資本主義の構造変化の結果として、国家もまた、資本分派間の利益配分と利権争奪のための道具・舞台となりました。この争いの勝者は、その勝利の当然の報酬として、悪びれることなく、できるだけ国家から甘い汁を吸おうとしており、国家を用いてできるだけ民衆から収奪しようとします。政治家自身も二世、三世が増えており、選挙で選ばれる公職でさえ、身分のように親から子へと受け継がれているのです。

古典的マルクス主義流の「土台と上部構造」という比喩を用いるなら、「封建化する資本主義」あるいは「レント資本主義」という土台の上に「ネオ家産制化する政治」という上部構造がそびえ立っていると言えるでしょう。そして、このような土台と上部構造に照応して、イデオロギーの方も、ポスト・トゥルースと呼ばれるデマゴギーと陰謀論、さまざまな宗教原理主義や民族排外主義、カルト的に凝り固まった党派主義がはびこっています。「封建化する資本主義―家産制化するブルジョア政治―宗教化するイデオロギー」という新しい三位一体が登場しているわけです。その一方で、こうしたシステムに対する社会的・経済的不満は政治的・階級的基軸と凝集性をしだいに失い、右と共通する陰謀論的なポピュリズムと極端なアイデンティティ・ポリティクス（人種と性自認にほぼ特化したそれ）などに拡散しているというのが現状です。

おわりに

さて、私に割り当てられた時間も来ましたので、簡単な締めくくりに入りたいと思います。労働組合の定期大会での基調講演ですので、労働者にフォーカスしてお話しします。

現在のコロナ危機において、「エッセンシャルワーカー」という言葉が頻繁に取りざたされました。このことが意味しているのは、この社会は根本的な意味で労働者の労働なしには一瞬たりとも維持できないという現実です。この世からすべての資本家や高級管理職が消え去っても、社会はまったく困りません。しかし、労働者がいっせいに働かなくなれば、どんな大金持ちであっても（マイクロソフトのビル・ゲイツであれ、フェイスブックのザッカバーグであれ、アマゾンのジェフ・ベゾスであれ）、自ら野菜を育てるか、海に行って魚を釣るかしなければならなくなるでしょう。[*22]

これまでの資本主義の歴史を振り返ってはっきりしているのは、労働者階級が強力で組織され戦闘的であったときにのみ、資本主義は社会の存続と一定両立しつつ相対的に進歩的役割を果たしえたということです。資本主義がそのような条件を破壊して、ブレーキのない暴走列車と化しつつある今日、労働者、労働組合、労働者政党の役割の重要性が改めてクローズアップされています。もちろん、その場合の労働者とは、産業労働者だけでなくサービス&ケア労働者も、正規労働者だけでなく非正規労働者や、形式上個人事業主とされている労働者[*23]も、自国の労働者だけでなく移民労働者も、男性労働者だけでなく女性労働者も含む、多様な労働者が想定されています。

奈落の底に向かって突き進んでいる資本主義の暴走を止め、その暴走をつくり出している利潤原理という時代遅れのエンジンを取り換えるべきときに、歴史は至っています。先に述べた多様な労働者間の連帯と共同をつくり出すことは、その最初の一歩です。

注

＊1　これらの数字はもちろん、この講演がなされた二〇二〇年一〇月末時点のものであって、現在ではその数倍の規模になっている。二〇二一年四月時点で世界の累計感染者数は一・四億人、死者数は三〇〇万以上にのぼっている。

＊2　実際、ロシアの統計庁が二〇二一年二月一日に発表した数字によると、二〇二〇年におけるロシアでのコロナ感染者の死者数は一六万二〇〇〇人以上と発表され、ロシア政府の対策本部が発表した数字（五万七〇〇〇人）よりも三倍以上多かった（「ロシア コロナ死者統計 対策本部と統計庁で三倍の差」、NHK、二〇二一年二月九日）。

＊3　「米国の『超過死亡』三〇万人　新型コロナ、人種で顕著な差―CDC」、『時事通信』二〇二〇年一〇月二一日。

＊4　アメリカ先住民も今回の新型コロナウイルスによって最も大きな打撃を受けた民族集団の一つだ。驚くほど高い失業率（四〇％）と貧困率、病院施設の圧倒的な不足、広大すぎる土地に貧困なインフラ設備などがその原因である。以下を参照。ジョシュア・チータム「ナヴァホ・ネイション、アウトブレイクに立ち向かう先住民コミュニティー」、『ＢＢＣ』二〇二〇年六月二〇日。

＊5　「パリ貧困層二人に一人が新型コロナ感染」、『テレビ朝日』二〇二〇年一〇月七日。

＊6　「中南米に広がるコロナ禍の貧困　破れる中産階級の夢」、『ロイター』二〇二〇年一〇月一一日。

＊7　「新型ウイルスの影響、貧困国と先進国で大きな差＝ＢＢＣ調査」、『BBC』二〇二〇年九月一一日。

＊8　ノーム・チョムスキー「国際主義か絶滅か」、https://www.academia.edu/44129573/ また、本書の「補論2　二一世紀の危機とトロツキー（没後八〇周年によせて）」も参照。

＊9　フランシス・フクヤマ『政治の衰退――フランス革命から民主主義の未来へ』上、講談社、二〇一八年。訳文は若干修正。

＊10　山口二郎「安倍長期政権下で進んだ『家産制国家』への逆行」、『週刊東洋経済』二〇一七年六月二四日号。

＊11　立命館大学の准教授である桜井啓太氏の話題になったツイートを参照。https://twitter.com/sakuey/status/1321710667418644480 このグラフは二〇二〇年一〇月二九日段階のものだが、二〇二一年一月二九日にその後の統計情報を入れたうえで、桜井氏は新しいグラフをツイッターに投稿している。https://twitter.com/sakuey/status/1355071162003283969

＊12　実際、ドナルド・トランプは、一一月三日の大統領選挙で敗北が確実になったにもかかわらず、選挙前から「不正」と「徹底抗戦」を言っていた通りに行動しており、これはついに二〇二一年一月には、連邦議事堂が数万人のトランプ支持者によって占拠されるという事態にまでなった。また、大阪維新の会も一一月一日の住民投票での敗北自体は認めたが、その後、二〇二一年二月には、実質的に都構想と同じ内容の条例案を提出している。

＊13　先に紹介した山口二郎氏は次のように指摘している――「今の安倍政治は近代的な法の支配の否定だと私は批判してきた。これは、為政者の恣意によって権力を使う、前近代的な家産制国家への逆行である」（https://twitter.

com/260yamaguchi/status/869130390027489280)。

＊14 たとえば、明治維新直後の明治政府は、薩長藩閥による典型的な家産制国家だった。最初の司法大臣江藤新平は国家の近代化をめざしたが、それを支える下からの運動がなかったためすぐに挫折した。その後、自由民権運動、大正デモクラシー、ロシア一〇月革命の影響を受けた労働運動の盛り上がりなどのおかげで、しだいに近代国家の体裁を整えていったが、その後のファシズム化と軍部支配によって頓挫した。日本国家が本格的に近代化したのは、敗戦後の戦後改革と下からの階級闘争の結果だった。ただし地方政治は戦後も古いタイプの家産政治が継続している。

＊15 その典型例は、性別が本人の主観的な性自認によって自由に変えられるべきだとするトランスジェンダリズムが世界中のリベラル派によって積極的に推進されていることだ。これは生物学的な身体構造を無視する反科学であるとともに、被抑圧集団としての女性の自律性と安全性をないがしろにするものである。

＊16 ポピュリズムだけでなく、「アラブの春」のような下からの革命的変動が起こった場合でさえ、それは社会システムを変えるのではなく、結局、伝統的な支配層による家産政治から、新興勢力によるネオ家産政治へと変わっただけだった。その典型は、チョムスキーが先に紹介した演説で批判のやり玉に挙げていた、エジプトのシシ政権（アルシジ政権）である。この政権も憲法で定められた大統領の任期終了が近づくと、憲法を改正して、任期の延長と再選可能回数の上限増を行なった。

＊17 この問題については本書の第6章を参照。

＊18 これについては以下の拙稿を参照。森田成也「資本と労働力の社会的再生産――社会的再生産理論（ＳＲＴ）を手がかりに」『思想』二〇二〇年四月号。『マルクス主義、フェミニズム、セックスワーク論』（慶応義塾大学出版会、二〇二一年）の第一章に所収。

＊19 これについては、本書の第2章を参照。

＊20 レントとレント取得資本については、私が書いた以下の教科書の下巻を参照のこと。森田成也『新編マルクス経済学再入門』下、社会評論社、二〇一九年。

＊21 つい最近亡くなったデヴィッド・グレーバーは、大企業において「くそどうでもいい仕事（ブルシット・ジョブ）」が急増し、その多くが封建時代に高級身分の者に仕えていた人々がしていたような仕事に類似していることを指摘している。そしてそのような「ブルシット・ジョブ」に就く者が高給取りである一方で（それでいて幸福感は低い）、「エッセンシャルワーク」をしている労働者の大半は低賃金で、それだけでは生活できないのである（デヴィッド・グレーバー『ブルシット・ジョブ――クソどうでもいい仕事の理論』岩波書店、二〇二〇年）。高給取りのブルシット・ジョブと低賃金のエッセンシャルワークへの労働のこの新たな分割は、資本主義の封建化を労働現場で象徴するものである。

＊22 帝政ロシア時代の優れた風刺作家シチェドリンは、貴族が絶海の孤島に流れ着いたら、まず最初にやることは一人の農奴を見つけ出すことで、その次にやることは、その農奴にその他のいっさいをやらせることだと書いた。

＊23 この種の労働者の最近の典型例がウーバーイーツなどで働いている料理配達労働者（デリバリー労働者）である。新聞報道によると、このような労働者はすでに日本で四万人に上っており、しかも交通事故などの「労働災害」も急増している。以下を参照。「料理宅配員四万人超す　雇用受け皿、外食モデルに転機」、『日本経済新聞』二〇二〇年一〇月九日。「デリバリーの自転車事故、都内で深刻　首都高に進入も」『朝日新聞』二〇二〇年一一月六日号。

補論2

二一世紀の危機とトロツキー

——没後八〇周年によせて

【解題】以下の論考は、トロツキー没後八〇年を記念して執筆し、『週刊かけはし』二〇二〇年一一月九日号に掲載されたものに若干の加筆修正を施したものである。この論考の英語版（The crises of the twenty-first century and Trotsky: in honor of the 80th anniversary of his death）が、オーストラリアの左派のネット雑誌 *Links International Journal of Socialist Renewal*, October 31, 2020 に掲載されている（http://links.org.au/crises-twenty-first-century-leon-trotsky）。

今年はトロツキーがスターリンの放った暗殺者に殺されてから八〇年目に当たる。トロツキーという世界的革命家の偉大さとその悲劇は、彼が生きた時代の偉大さと悲劇に不可分に結びついている。すなわち、一八七一年のパリ・コミューンに始まり、一九九〇年前後におけるソ連・東欧の崩壊と中国の「国家資本主義化」によって幕を閉じた「永続革命の時代」に。

「ブルジョア革命の時代」と『共産党宣言』

この「永続革命の時代」以前には、アメリカ独立とフランス革命を最初の頂点とする「ブルジョア革命の時代」が存在した。一七世紀のイギリス革命によって幕を開けた「ブルジョア革命の時代」は、欧米先進諸国における資本主義的近代化、ブルジョア民主主義の拡張と進化、世界市場の成立と工業化の時代であった。マルクスとエンゲルスの『共産党宣言』は、この時代のダイナミズムを生き生きと鮮やかに表現したことで、同時代の人々の琴線に触れることができた。この時代における「危機」は何よりも周期的に繰り返される全般的恐慌に集約され、急速かつ絶え間ない産業化によって形成される産業労働者、産業プロレタリアートこそが、このような不条理を根絶する革命的主体（『共産党宣言』の巧みな表現によれば「墓堀人」）として想定された。

この天才的予見は、マルクスの時代には、イギリスのチャーチスト運動やドイツ社会民主党を世界史上最初の巨大政党に押し上げたドイツ労働者階級の運動のうちにその確かな徴候を見出したとはいえ、十分には証明されなかった。この時代、労働者は、あらゆるブルジョア革命に積極的に参加したが、その主力は産業労働者ではなく手工業労働者であった。そして、その革命の果実を刈り取ったのはいつでもブルジョアジーかあるいはそれよりも保守的な勢力であった。

マルクスの生きた「ブルジョア革命の時代」は、先進国においてさえブルジョアジー（およびその政治的代表）の革命的意思が衰え、むしろ革命に敵対するようになったことで幕を閉じた。なぜなら、あらゆる革命は先鋭化するにつれて、一般にブルジョアジーの指導と利害を超えて急進化する傾向を持つからであり、他方では資本主義の発展とともに成長してきた労働者階級と社会主義思想の方がはるかにブルジョアジーにとって脅威になったからである。変革主体としての労働者階級の成長こそが、ブルジョアジーを反革命の陣営に追いやったのだ。この徴候はすでに一八四八年革命において見られ、若きマルクスとエンゲルスはそれをけっして見逃さなかった。

結節点としてのパリ・コミューン

しかし、この傾向が決定的になったのは、一八七一年のパリ・コミューンにおいてだった。それは革命的主体の歴史的交代を劇的に示すものだった。普仏戦争でプロイセンに敗れ、フランスのナポレオン三世の体制が崩壊すると、パリで成立した臨時革命政府はただちに、反動的プロイセンにみじめに屈服するか、自国の革命を守るために革命戦争をも辞さないかというジレンマに置かれた。ブルジョア政治家たちは前者の道を躊躇なく選び、パリの労働者を武装解除しようとした。だがプロレタリアートとその政治勢力はそれを許さず、そのためにパリで第二革命を引き起こし、パリ・コミューンを成立させた。このコミューンは手探りしながらもブルジョア民主主義の段階にとどまらず、労働者革命の道を突き進んだ。ベルサイユの反動派は、プロイセンの協力も得ながら、このパリ・コミューンを容赦なく血の海に沈めた。

この事件は、二つのことを世界史に示すことで「永続革命の時代」の開始を告げた。すなわち、第一に、ブルジョアジーはもはやブルジョア民主主義さえ堅持することができず、ブルジョア民主主義を守るよりも、プロレタリアートの弾圧を優先させること。第二に、ブルジョア民主主義を守るためだけであってもプロレタリアートは権力を取らなければならず、権力を取ったかぎりはブルジョア民主主義の段階にはとどまりえないこと、である。

パリ・コミューンはわずか二ケ月で崩壊したので、この二つの決定的な教訓はその後の幾多の社会主義者には十分学ばれなかった。マルクスでさえそうであった。マルクスは『フランスにおける内乱』でパリ・コミューンを激賞しながら、そのずっと後に書かれた手紙の中で、ベルサイユと妥協しなかったことでパリ・コミューンを批判した。[*1] パリ・コミューンの崩壊直後には、パリの労働者はベルサイユに進撃すべきだったと言っていたのに、である。

「永続革命の時代」とトロツキー

いずれにせよ、フランスという先進国でさえブルジョア民主主義革命を下から遂行する能力を失ったブルジョアジーは、各国で時の王朝権力や啓蒙的官僚と結託しながら、資本主義の発展のための枠組みをつくり出すことにのみ専念するようになった。先進国でさえそうなのだから、初歩的なブルジョア民主主義的課題をまだこれから遂行しなければならない後発諸国においてはなおさらであった。

この広大な後発世界において民主主義革命を遂行する歴史的任務は、農民および被抑圧民族と同盟したプロレタリアートの双肩に委ねられた。労農ブロックのヘゲモニーのもとで開始された民主主義革命が社会主義革命へと飛躍するか、さもなくばより野蛮な体制へと大きく後方に投げ戻されるかが、この時期の歴史的選択肢となった。

この永続革命の論理を最もはっきりと定式化したのが、一九〇五年革命をペテルブルク・ソヴィエトの指導者として経験したトロツキーである。一八四八～四九年のマルクスとエンゲルスの戦略を受け継ぎ、一八七一年のパリ・コミューンの教訓を本当の意味で摂取し、自らの一九〇五年革命の経験を通じて確固たる結晶化へと至った彼の永続革命論こそ、この新しい時代の「世界精神」を体現するものであった。

この永続革命論は、後発資本主義国としてのロシア社会に対する具体的分析から生じる直接的な論理の次元と、プロレタリアートの変革能力と自己決定能力に対する根本的な信頼というメタ次元での論理とによって構成されていた。しかし、前者の論理は、実は後者のメタ論理なしには成り立たないのである。一九一七～一八年においてトロツキーの永続革命論が驚くほど急速に現実化し、その後、一九二〇年代のスターリニズムの台頭に対する闘争では同じぐらい驚くほど急速にトロツキーが敗北したのは、ともにメタ次元での論理の作用による。一九一七年にはそれが有利に作用し、一九二〇年代にはトロツキーにとって決定的に不利に作用した。世界戦争、革命、内戦を経てすっかり弱体化し縮小したロシア・プロレタリアートは、一九二〇年代に官僚制の重みに抗することができなくなっていたのである。

戦争、革命、危機

「ブルジョア革命の時代」における「危機」の主要な形態が周期的な産業恐慌だったとすれば、「永続革命の時代」における危機の主要な形態は世界規模の戦争（熱い戦争と冷たい戦争の両方）と、そしてそこから生じる相次ぐ革命そのものであった。慧眼なエンゲルスはすでに一八七〇年代から繰り返しヨーロッパ戦争の可能性を具体的に予測していたが、[*2] それが現実のものとなる以前にこの世を去った。

それ以降、世界は、いつ起こってもおかしくないヨーロッパ規模の世界戦争というダモクレスの剣の下で生きた。そして、それはついに一九一四年に勃発した。平和の時代に形成された第二インターナショナルはたちまち崩壊し、この新しい戦争と革命の時代にふさわしい革命家と革命党が主役の座を奪った。レーニンのボリシェヴィキ、そしてロシア革命のインパクトのもとに組織されたコミンテルンとその各国支部がそうである。トロツキーの永続革命論がこの時代の「世界精神」を理念的に表現していたとすれば、レーニンのボリシェヴィキ的前衛党は同じ精神を物質的に体現していた。この二つが最も理想的に結合した結果がロシア十月革命であった。

だが、その後の、ボリシェヴィキのスターリニスト的堕落のせいで、理念的表現と物質的体現物とは絶えず衝突するようになった。それでも、革命党が本当に革命を勝利に導こうとすれば、必然的に永続革命の道を取らざるをえなかった。それに失敗した場合、国と社会はより野蛮な軍事独裁かファシズム体制へと落ち込んだ。一九二〇年代の第二次中国革命、一九三〇年代のスペイン革命は後者の雄弁な事例である。[*3]

最初の世界戦争よりはるかに大規模で悲惨だった第二の世界戦争は、中国、ベトナム、ユーゴスラビアに下からの革命と労働者国家をもたらし、ソヴィエト赤軍の進撃とファシズムの崩壊は東欧諸国をソ連圏へと編入させた。労働者国家は世界体制となり、その力を背景に、第三世界諸国においても次々と永続革命の動きが起こった。どこでも主役は、共産主義・社会主義勢力に率いられた労働者と農民の革命的ブロックであった。先進国においては労働者革命こそ成功しなかったが、冷戦体制のもとでブルジョア諸国に福祉国家のシステムをとることを余儀なくさせた。

しかし、この、偉大な諸革命と恐るべき悲劇の数々（二つの世界戦争、世界恐慌、ファシズム、ホロコースト、原爆投下、核軍拡競争、等々）の両方を内包した「永続革命の時代」も、一方では、先進国において結局プロレタリア革命が成功せず（一九六八年革命はその最後の偉大な試みであった）、その後に新自由主義反革命が訪れたことによって、他方では労働者国家のスターリニスト的堕落とその最終的崩壊によって、二〇世紀末についに終焉を迎えた。

世界が直面する二重の危機

今日、世界は二重の深刻な危機の真っただ中にいる。歴史上未曽有の客観的危機と、にもかかわらずそれを克服する変革主体の不在という同じぐらい深刻な主体的危機である。一方で、世界は、「ブルジョア革命の時代」におけるマルクスとエンゲルスや「永続革命の時代」におけるトロツキーやレーニンが見ていたよりも、はるかに深刻な危機に直面している。ノーム・チョムスキーはプログレッシブ・インターナショナルのキックオフ集会での講演の中で、この深刻な危機を三つの位相において確認した。地球温暖化による生態危機、核戦争の危機、そして民主主義の衰退である。[*4]

最初の二つはよく知られており、すでに多くの人が指摘している。この危機の深刻さから、少なからぬ人々は資本主義と人類との共存不可能性という結論を引き出し、「エコ社会主義」というオルタナティブを提起している。それに対して、三つ目の危機は最初の二つに匹敵するものではないように見える。だがチョムスキーが慧眼にも見抜いたように、それは最初の二つの危機に対処する人類の能力に直接かかわっているという意味で、実はより深刻なのである。冷戦に勝利したはずの「自由民主主義」は、共産主義勢力という対抗錘をなくすことによって、ブルジョア的な意味でも一種の戯画と化しつつある。

われわれの目の前で進行しているこの「民主主義の衰退」は、「永続革命の時代」における軍事独裁やファシズムのような先鋭な形態をとるよりも（あの先鋭さは実は、当時におけるプロレタリア勢力の強大さの表われでもあった）、法治主義のなし崩し的解体とパペット的政治家の独裁ごっこというパロディ的形態において進行している。「悲劇は二度起こる、一度目は悲劇として、二度目は喜劇として」という言葉を彷彿とさせるかのように、ブルジョア政治はその喜劇的様相において、悲劇的な場合よりもはるかに確実にその命脈が尽きつつあることをわれわれに告げ知らせている。

グレタ・トゥーンベリが言ったように「自分の家が燃えているかのように行動しなければならない」時に、保守・リベラル問わずブルジョア政治家・政党は何のまともな対処もできずに、しだいにカルト化しつつある自分たちの支持者の方ばかり見ている。「自分の家が燃えている」というのは単なる比喩ではない。今年、アメリカのカリフォルニア州では、四〇〇万エーカーもの森が消失するギガ火災がいくつも発生した。今シーズンだけで、同州でこれまでに起きた大規模火災の上位六位中、五件を占めている。すべての国が一致団結して必死で地球温暖化問題に取り組まなければならないというのに、二〇一九年に世界各国が支出した軍事支出は二〇〇兆円以上に上っている。自宅が猛火に包まれつつあるのに、消火活動をするのではなく、ミサイルや戦闘機を買いそろえることに依然として血道を上げているのである。

今回のコロナ危機程度のものに対してさえ既存の政治勢力は驚くほど無力であり、その場しのぎの対処療法に終始している。すでに四四〇〇万人以上が新型コロナに感染し、一〇〇万人以上が亡くなっているが[*5]、感染の勢いは何ら衰えていない。新自由主義の四〇年間によってとことん社会的インフラを破壊した結果がこれである。そんな彼らにどうして、三つの危機に対処する能力があるなどと考えられようか？

だが、今回の危機の本当の意味での深刻さは、衰退したブルジョア政治に代わって、自ら政治と経済の指導権を勇躍して握ろうとする主体的階級勢力が（今のところ）現われていないという点に示されている。この主体的危機は、言うまでもなく、「永続革命の時代」における中心的革命勢力であった産業プロレタリアートの変革能力が、「枯渇した」とまでは言わないにせよ著しく衰弱してしまったのに、それに代わる階級勢力が不在であることから生じている。

人類的危機は克服可能か

だがマルクスが予言したように、プロレタリアートよりも革命的な階級勢力が存在しえないとすれば、いったい人類はどうやってこの未曽有の危機を乗り切ることができるのだろうか？　ヴォルフガング・シュトレークが『資本主義はどう終わるのか』で述べているように、革命による資本主義の終焉を想像するよりも、資本主義とともに人類が終焉する事態を想像する方がはるかに容易になっている時代にわれわれは生きている。[*6]

そうした中で、安直な希望的観測にふけることは、安直な絶望感を吐露するのと同じぐらい危険であろう。下からの「市民」の地道なアソシエーションづくりがやがて資本主義を克服するかのような展望は、上からのグリーン・ニューディール以上に幻想である。人類の最終的危機とは言えなかった「永続革命の時代」においてさえ、人類の一部が資本主義と帝国主義の頸木から離脱するためには二度にわたる世界戦争が必要だったのだ。マイク・デイヴィスが言うように、われわれが前にしているのは「最後の闘争」である。[*7]そこにおいて何か物事が牧歌的に進むと考えることほど愚かしいことはない。新しい変革主体は、大量の流血と泥土のぬかるみの中からしだいに形成されていくしかない。

そしてこの「最後の闘争」において最も重要な鍵を握っているのは、依然として労働者階級である。コロナ危機はエッセンシャルワーカーという言葉をクローズアップさせたが、それが示したのは、結局、社会を動かしているのは労働者（産業労働者のみならず、さまざまなサービス労働者やケア労働者も）であるというごく単純な事実である。どんなビリオネアであろうと、ＧＡＦＡであろうと、どんな巨大帝国であろうと、労働者なしには無力である。今はまだ不在の変革勢力の候補者は、社会の隅々を改めて見渡しても、やはりこの多様な労働者階級の外には存在しないのである。

「ブルジョア革命の時代」には補助的革命勢力としてブルジョアジーに奉仕し、「永続革命の時代」に初めて自律的革命勢力として登場しながら、結局、（党、労働組合、国家の）官僚に奉仕することになった労働者階級は、この二一世紀において、本当の意味で自立した勢力として、この「最後の闘争」を闘い抜かなければならない。そこにおいて奉仕するべき対象はただ一つ、人類社会そのものである。人類は労働者階級の最後の勝利を通じて生き残るか、さもなくば資本主義とともに滅亡するかである。その意味で、労働者階級の変革能力と自己決定能力に賭けたトロツキーの思想と生涯は、今日、かつてなくアクチュアルなものになっているのである。

注

＊1 「マルクスからドメラ・ニーウェンホイスへ（一八八一年二月二二日）」、邦訳『マルクス・エンゲルス全集』第三五巻、一三一～一三二頁。本書の第3章の「補足1」を参照。

＊2 本書の第2章を参照。

＊3 拙書『トロツキーと永続革命の政治学』（柘植書房新社、二〇二〇年）の第五章と第六章を参照。

＊4 ノーム・チョムスキー「国際主義か絶滅か」、https://www.academia.edu/44129573/ 本書の第5章も参照。

＊5 この論考が書かれた二〇二〇年一一月下旬の数字。

＊6 ヴォルフガング・シュトレーク『資本主義はどう終わるのか』河出書房新社、二〇一七年。

＊7 マイク・デイヴィス「これは最後の闘争だ」、https://www.academia.edu/43137073/

第6章

トロツキー永続革命論の現代的意義

――「歴史の終わり」の弁証法

【解題】本稿は、二〇二〇年一〇月における『トロツキーと永続革命の政治学』の出版を記念して、アジア連帯講座の主催で二〇二一年一月二二日に全水道会館で行なわれた講演に加筆修正を施したものである。当日、会場とオンラインでの参加を含めて三〇人を超える参加者を得た。講演後の質疑応答も熱心になされ、充実した学習講演会となった。この講演の要約版は、『週刊かけはし』二〇二一年三月一日号に掲載された。フルバージョンとしては、これが初出である。

本日の講演テーマは「トロツキー永続革命論の現代的意義」というもので、私はその副題を「歴史の終わりの弁証法」としました。先ほど司会の方がフランシス・フクヤマの『歴史の終わり』について触れましたが、それは最初、論文の形で一九八九年に発表され、その三年後に大幅に拡張されて著作として発表されました。[*1] その間にまさにソ連・東欧の崩壊が生じたため、この著作は大きな反響を呼びました。それはいわば当時の時代精神を象徴するものとなり、「歴史の終わり」という言葉は流行語にもなりました。それから約三〇年が経ち、その後の歴史を踏まえて、この予言的著作をいわば舞台の狂言回しのように使うことで、今日の話を進めたいと思います。それゆえ、今日の講演の副題を「歴史の終わりの弁証法」としたわけです。

はじめに――『トロツキーと永続革命の政治学』序文の問題提起

昨年、私は『トロツキーと永続革命の政治学』という著作[*2]を出版し、それを記念するということで今日の講演会が企画されています。そこで、まずこの著作の話から始めたいと思います。

この著作の基になったのはトロツキー研究所での活動です。この研究所は一九九一年に発足し、二〇一九年三月で閉鎖になりました。この三〇年近い年月のあいだに、トロツキーの永続革命論について私が書いた論文がたくさんあり、その中から八本を厳選し、それらにかなりの加筆修正を加えて一冊にしたのが、この『トロツキーと永続革命の政治学』です。そしてそれに付した序文の中で、単に過去のトロツキーの永続革命論について論じるだけでなく、つまりトロツキーの思想的復権ということ以上に、永続革命について論じる意義が現代においてどこにあるのかについて論じました。そこで書いたことを大幅に拡大したバージョンが今日のお話になります。

そこで書いたことを一言で言えば、二〇世紀初頭のロシアにおいてトロツキーらロシア・マルクス主義者が直面した問題というのは、ロシアにおける労働者階級と農民（この二つの階級を合わせると当時のロシアの人口の九割以上を占めていました）の、つまり一般民衆の最もプリミティブで基本的な諸要求（土地や人間らしい労働条件や民主主義）がブルジョア主導の政治・社会のもとで果たして実現できるのかということでした。当時はまだフランシス・フクヤマという日系アメリカ人はいませんでしたけれども、当時フクヤマさんがいたとしたら、彼は、それは十分可能である、ただブルジョアジーの指導のもとでロシアの経済を発展させていけば、おのずとそうした問題は解決するだろうと回答したと思いますが、当時のロシアの状況はそういうものではありませんでした。ブルジョアジーはそうした一般民衆の最も初歩的な要求を実現するためにがんばるどころか、ツァーリ帝政と密接に癒着していました。帝政が与えてくれる資本の自由や労働者への弾圧、あるいは地主への農民の従属、外国市場の軍事的制覇といったものが、経済発展と資本蓄積にとって有利であったからです。ですから、単なる経済発展によっては一般民衆のそうした初歩的要求すら達成できないのであって、それらの要求の実現は労働者階級と農民という二つの階級による闘争に歴史的に委ねられました。そして、単に客観的に委ねられたというだけでなく、そうした課題を遂行する能力、社会を変革する能力がロシアの労働者階級と農民には存在するのだ、これが当時トロツキーが与えた回答だったわけです。そしてこの予想は一九一七年に実際に現実のものとなるわけです。

この問題を、当時のロシア社会の特殊性を超えて一般化するならば、そもそも民主主義的要求や人間らしい生活、まともな労働条件、今日で言えばさらに持続可能な地球環境、そうしたものが資本主義のもとで、その単なる発展を通じて自動的に達成しうるものなのかという問題になってきます。そして、今日の世界をざっと見渡しただけでも、とうていそうは言えないということがわかります。その意味で、トロツキーが二〇世紀初頭に直面し解決しようとした問題は古臭くなったどころか、むしろ逆であって、すでに一部の後発国、後進国にかぎらない人類全体の課題になっているのだと、このように序文で論じたわけです。

以上が今日の議論の骨子ですが、そこにいろいろと肉付けをしながら、今日のお話をしていきたいと思います。

1、「歴史の始まり」と「歴史の終わり」――歴史のブルジョア的観点とマルクス的観点

フランシス・フクヤマが「歴史の終わり」と語ったときの「歴史」とは、さまざまな事件や出来事の単

なる集積やその時間的つらなりのことではありません。そのような意味での歴史というのはもちろん――フクヤマも著作で言っているように――終わるわけではなくて、それは人類が存在するかぎり続きます（もっとも、後で述べるように、この意味での「歴史」も危機に瀕しているわけですが）。そうではなくて、ここで「終わり」が云々されている「歴史」というのは大文字の歴史、この著作で使われている言葉で言うと「普遍的歴史」のことです。これはヘーゲルに由来する言葉であり、人類が発生し、社会を形成し、やがてある一つの法則にのっとって人間社会が発展していって、ついに人類がそれにふさわしい理想状態に到達する、そういう大きな流れを「普遍的歴史」と呼んでいるわけです。ヘーゲルは一八世紀ヨーロッパにおけるブルジョア立憲体制の成立のうちにこのような理想状態を見出したわけですが、フクヤマはこのような観念を復活させます。ただしヘーゲルは祖国プロイセンの専制君主体制を理想化していたので、そこだけは少し変えて、第二次世界大戦後に西側資本主義諸国に成立したリベラルデモクラシー（自由民主主義）の体制こそが、そのような理想状態であると考え、人類の歴史はそこへと至る法則的で普遍的なものだというわけです。この意味での歴史は共産主義の崩壊とともに終わった、なぜなら、自由民主主義体制が勝利し、他のどんなライバルも対抗しえない圧倒的で絶対的な規範として世界に君臨するようになったのだから。これ以降はもはや大文字の歴史は存在しない。存在するのは、この大枠の中での部分的な変化でしかないというわけです。

ブルジョア的な「歴史の終わり」＝資本主義の「歴史の始まり」

しかし、実はそういう意味での歴史が自由民主主義体制ないし資本主義体制の成立とともに終わるという発想は別にヘーゲルやフクヤマに特有なものではなくて、もっと俗流的な形でですが、昔から広く言われていたことです。若きマルクスがまだ二〇代の時に書いた『哲学の貧困』（一八四七年）という著作の中で、すでに次のように批判されています。

> 経済学者たちは奇妙な方法で議論を展開する。彼らにとっては二種類の制度が、人為の制度と自然の制度とが存在するにすぎない。封建制の諸制度は人為的制度であり、ブルジョアジーの諸制度は自然的制度である。……かつては歴史が存在した。しかしもはや歴史は存在しない。かつては歴史が存在したというのは、封建制の諸制度がかつて存在したし、これらの封建制の諸制度のなかには、ブルジョア社会の生産諸関係とはまったく異なる生産諸関係が見出されるからである、ところが経済学者たちは、このブルジョア社会の生産諸関係を自然的なもの、したがって永久的なものとして、通用させようとするのである。[*3]

ここで言われている「経済学者」というのはもちろんブルジョア経済学者のことです。これらブルジョア経済学者にとっては「かつて歴史は存在した」が、今や「歴史は存在しない」。なぜなら、かつては封建制という人為的で誤った制度が存在していたが、今では自然で永久の正しい制度であるブルジョア社会が存在するようになったのだから、もうそれ以降は大文字の歴史は存在しないというわけです。それに対するマルクスの回答はご存じのように、それはブルジョアジーから見た歴史、ブルジョア的な歴史観にすぎない、歴史は終わったどころか、それは資本主義という歴史の始まりを意味するだけであって、それは封建制以上に深刻な内部矛盾を抱えていて、とても自然でも永遠不変でもありえないというものです。

マルクス的な意味での「歴史の終わり」＝人類の「本史の始まり」

このようにマルクスはブルジョア的な意味での「歴史の終わり」論をきっぱりと否定したわけですが、しかしマルクス自身にも独自の「歴史の終わり」論がありました。それは一八五九年に出版された『経済学批判』の有名な序文の一節に見ることができます。

> ブルジョア的生産諸関係は、社会的生産過程の最後の敵対的形態である。敵対的というのは、個人的敵対という意味ではなく、諸個人の社会的生活諸条件から生じてくる敵対という意味である。しかしブルジョア社会の胎内で発展しつつある生産諸力は、同時にこの敵対の解決のための物質的諸条件をもつくり出す。したがってこの社会構成体でもって人間社会の前史（Vorgeschichte, prehistory）は終わる。[*4]

つまり、ブルジョア的生産関係は歴史そのものの終わりを画すものではないが、単に一つの特殊な生産関係というわけでもない。それは、社会的な敵対性にもとづく生産関係の最後のものであり、そしてこのブルジョア社会のもとで、社会的敵対性そのものを終わらせるような諸条件が成熟してくるのであり、この社会構成体でもって「人間社会の前史が終わる」のだとマルクスは言います。つまり、資本主義の発展とその終焉によって、人間社会の前史、すなわち階級と階級との根本的な対立と敵対、少数者による多数者の搾取と抑圧にもとづく歴史は終わりを告げて、人類の本史が、すなわち本来の人間性に合致した歴史が始まるのだということです。マルクス的な意味での「歴史の終わり」とは、したがって資本主義の終わり＝「前史の終わり」のことであり、「人類の本史の始まり」です。

このように「歴史の終わり」をめぐって二つのまったく異なった観点が存在しているということがわかります。ちなみに、フクヤマはマルクスのこの「歴史の終わり」＝「本史の始まり」論を十分に知っていて、それを踏まえて彼流の「歴史の終わり」論を唱えているわけです。つまり、マルクスは資本主義の崩壊と社会主義の開始を「人間社会の前史の終わり」＝「本史の始まり」とみなしたが、その「共産主義」は数十年しか続かず、あっさり崩壊したではないか、歴史の終わりに関するマルクスの見方は結局間違っていた。むしろそれ以前に、ブルジョア的な自由民主主義体制の成立でもって歴史の終わりとみなした人々の方が正しかったではないか、したがって歴史は一時的な逸脱を克服して、本来の大道に戻ってきたのだというわけです。たしかに「歴史は終わった」のだが、それは資本主義の崩壊と共産主義の勝利としてではなく、共産主義の崩壊と資本主義の勝利としてそうなったのだと。つまり一種の「否定の否定」で、最初の肯定に戻って、ブルジョア的な「歴史の終わり」論が結局正しかったというわけです。しかし、フクヤマがブルジョア的な「歴史の終わり」論の勝利を宣言してから三〇年経って、現実はどうだったのか、その宣言の正しさを確認しているのか、それとも歴史の弁証法はなお生きていて、「否定の否定」をもう一度否定することになっているのではないか、ということが今日のお話の後半のテーマになります。

しかし、そのお話に入る前に、「歴史の始まり」と「歴史の終わり」のそれぞれにおいて、当時の知識人たち（マルクス主義者を含めて）が考えたようには歴史は進まなかったこと、生きた現実の歴史はどんな優れた人の予想をも超えた複雑さと独自性を持っていたこと――そこに人間の思惑通りにいかない歴史のエネルギーがあるわけですが――を確認しておきたいと思います。

2、『共産党宣言』から東西冷戦まで――「歴史の始まり」の弁証法

(1) 後発国における「歴史の始まり」――『共産党宣言』からプレハーノフへ

まず最初に「歴史の始まり」の弁証法について見ていきます。舞台は一九世紀前半のヨーロッパです。当時、資本主義の歴史というのは、イギリスやフランスやアメリカのような先発国をモデルにして、そうした先進諸国におけるブルジョア体制がしだいに周辺に広がっていき、資本主義とブルジョア民主主義(当時のそれはまったく不十分でしたが)の恩恵が、時間的遅れを伴いつつも周辺国に享受されていく過程であるとみなされていました。つまり、歴史の進歩が紙の染みのように同心円的に広がっていく過程だと想像されていたわけです。けれども、実際にはそうはなりませんでした。そのことはすでに、当時のヨーロッパにおける後発国ドイツの革命家であるマルクス、エンゲルス、および同時代のその他の慧眼な人々によって理解されていました。

『共産党宣言』における永続革命論の萌芽

マルクスもエンゲルスも、後発国の歴史は先発国の歴史を時間差を置いて単純に繰り返すものだとは考

えていませんでした。たしかに『資本論』の初版序文には、「産業の発展のより高い国は、その発展のより低い国に、ただこの国自身の未来の姿を示しているだけである」[*5]という有名な一節がありますから、そのような単純な歴史観を信奉していると考えられがちですが、そうではありません。全体をよく読めば、そのような普遍的命題を語ったものではないことがわかります。ちゃんと前後の文章を読めばわかるように、労働者階級が資本によってこうむる悲惨な状況というのが、当時のドイツではまだそれほどひどくなっていないけれども、資本主義が発達したイギリスの状況を見ればわかるように、いずれドイツもそうなるよということを言っているにすぎません。このように非常に限定された意味で、産業的に進んだ国は遅れた国の未来を示すと言っているだけで、何らかの普遍的な歴史観として言ったわけではありません。

それはさておき、マルクスもエンゲルスも若い頃から、後発国ドイツの特殊性を正しく認識しており、その認識がまさに後に「永続革命論」として総括されるようになる見方の萌芽に示されているわけです。その代表的なものが、『共産党宣言』における有名なドイツ革命の展望に関する次の一節です。

> 共産主義者はドイツに主な注意を向ける。なぜなら、ドイツはブルジョア革命の前夜にあり、しかもドイツが、この変革を一七世紀のイギリスや一八世紀のフランスと比べてヨーロッパ文明全体のより進んだ諸条件のもとで、そしてはるかに発達したプロレタリアートでもって遂行するので、**ドイツのブルジョア革命はプロレタリア革命**の直接の序曲となるほかないからである。[*6]

しかし、ここでの予言そのものは一八四八〜四九年革命の中では現実のものとはなりませんでした。ずっと後にエンゲルスが「『フランスにおける階級闘争』一八九五年版序文」などで指摘しているように、この予言を現実のものにできるほどドイツの資本主義もドイツのプロレタリアートも発達していなかったからです。ドイツはたしかに一八四八年革命の嵐の中でブルジョア革命へと突入しましたが、それはけっしてプロレタリア革命の序曲にはなりませんでした。

しかし、このことをもってマルクスとエンゲルスの予言は最初から間違いであって、後発国は結局、先発国の歴史を繰り返すしかないという結論を出すのは大間違いです。そうではなく、ドイツのブルジョア革命がプロレタリア革命の序曲にならなかっただけでなく、ドイツのブルジョア革命そのものも最後まで遂行されえなかったのであり、そのことのうちにまさに、後発国は先発国の歴史を繰り返さないという命題の正しさが示されているわけです。もし一八四八年のドイツ革命が成功して、ブルジョア民主主義勢力が権力を掌握して、プロイセンやオーストリアの専制君主体制が崩壊したとすれば、マルクス・エンゲルスの予測は単純に間違っていたということになります。しかし、ドイツのブルジョア革命がプロレタリア革命の序曲にならなかったことで、ブルジョア革命も中途半端に終わり、専制君主体制が復活を遂げました。ドイツやオーストリアのブルジョア政治家たちは革命の上げ潮の中で権力の高みにまで押し上げられたにもかかわらず、権力を行使して革命を遂行するのではなく、どこでも旧体制と妥協し、せっかく手に入れた権力を早々に手放して、専制体制の懐に逃げ込んだのです。

この歴史的事実が示しているのは、後発国ではブルジョアジーないしその政治的代理人たちはもはやブルジョア革命においてさえその主導者になれないということでした。マルクスもエンゲルスもこのことをすでにある程度、革命前から洞察していましたが、革命の過程の中でこのことを完全に確信するに至ります。ただ間違っていたのは、このブルジョアジーに代わってドイツ・プロレタリアートが革命の主体になりうるだろうと予想したことです。残念ながら、当時のドイツではプロレタリアートはまだほとんど発達しておらず、その大多数は産業労働者ではなく、小規模な職人労働者でした。ですから、この予言は実現しませんでした。しかし、革命的産業労働者がブルジョア革命をプロレタリア革命の序曲にしうるという発想は、まさにプレハーノフからレーニン、トロツキーにまで至る後進国革命論の決定的な端緒となるものでした。

永続革命的展望からの後退

その後、マルクスとエンゲルスは一八五〇年代から六〇年代になりますと、まだドイツでは資本主義が十分に発展しておらず、次の時代の担い手となるプロレタリアートもまだまだ弱いので、プロレタリア革命の順番はまだずっと先であるという認識を持つようになります。そして、以下の引用文にあるように、ドイツ資本主義とドイツ・プロレタリアートが十分に発達していない段階で、ドイツ革命が「永続的」性格を取ってしまい、プロレタリアートが権力に就いてしまうことに対する強い警戒心さえ表明されるようになります。

そういう予感がするのだが、他のあらゆる党が無力で意気地がないせいで、われわれの党がある日突然、政権の座に就くことを余儀なくされ、結局は、直接われわれの利益ではなく、一般に革命的で特殊に小ブルジョア的な利益にもとづく政策を遂行するはめになるのではなかろうか。その場合、われわれは、プロレタリア民衆によって駆り立てられ、自分たち自身のすでに発表した声明や計画――多かれ少なかれ間違って解釈され、党派闘争の中で多かれ少なかれ激情に駆られて書かれたもの――に縛られて、共産主義的実験や飛躍を、それがどんなに時宜にかなっていないか誰よりも自分がよく知っていながら、実行するはめに陥るだろう。……

ドイツのように後進国でありながら先進的党を有し、しかもフランスのような先進国といっしょに先進的革命に巻き込まれるなら、何らかの本格的な衝突が起こるやいなや、また現実の危険が現われるやいなや、不可避的に先進的党の出番が回ってくる。しかもいつの場合もその本来の時期より前に回ってくるのだ。[*7]

この引用文では『共産党宣言』と同じく、「ドイツのように後進国でありながら先進的党を有し、しかもフランスのような先進国といっしょに先進的革命に巻き込まれる」事態が想定されているにもかかわらず、それに対する態度は『共産党宣言』とは正反対であり、ドイツにおけるブルジョア革命がプロレタリア革命の序曲にすることへの呼号ではなく、そうした事態がいかに党にとって最悪の災難であるかが語られています。これほど鮮やかに『共産党宣言』の立場からの転換を示唆する文章はないでしょう。

しかし、これはけっして間違いではありません。当時のドイツの状況からすると、ここで書かれたエンゲルスの懸念というのは間違ってはいませんでした。ドイツ資本主義はその後の三〇～四〇年間でようやく本格的な発展を遂げ、ドイツ・プロレタリアートとその先進的党が成長してくるのです。

ドイツ革命論におけるマルクスとエンゲルスのジグザグの弁証法的性格については、二〇一七年のロシア革命一〇〇周年の時に、「永続革命としてのロシア革命――マルクス・エンゲルスからトロツキー・グラムシまで」という四回連続の講座の第一回目で詳しく説明しておきましたが、[*8]今回引用した一八五三年のエンゲルスの手紙はその時の講義で紹介しなかったので、ここで紹介しておきました。

エンゲルス晩年における再転換

その後の一八七〇年代はドイツ革命論に関しては、再度の転換に向けた一種の過渡期ですが、この時期は飛び越して、エンゲルス晩年の革命論を見ていきましょう。先ほど見たように、一八五〇~六〇年代には『共産党宣言』での永続革命的観点は後景に退きますが、その後、ドイツ資本主義の発達とドイツ・プロレタリアートの成長、そしてドイツ社会民主党の強大化という事態を受けて、しかしそれにもかかわらずブルジョア諸政党は自ら権力を取ろうとせず、なおドイツの専制君主体制が維持されていたという事態を踏まえて、一八七〇年代以降に再び転換が起きています。

それを示す文章はたくさん存在しますが、ここで紹介するのは、先の引用文と同じく二〇一七年の連続講座では紹介しなかったものです。それは、エンゲルスが亡くなる二年前一八九三年にエンゲルスがポール・ラファルグに宛てた手紙です。ポール・ラファルグというのはフランスの社会主義者で、フランスではすでに共和制を実現しているのに、ドイツではまだ専制君主体制が残っていたわけですが、そのラファルグに宛てた手紙です。

共和制の形態は、たんに君主制の否定にすぎない。君主制の打倒は革命の単なる随伴現象として行なわれるだろう。ドイツでは、ブルジョア諸政党は完全に破綻してしまっているので、われわれは君主制から直接に社会的共和制に移行しなければならないだろう。そうなれば、諸君は、君たちのブルジョア共和制を、他の諸国民にとっての努力目標として、もろもろの君主国に対置することはもはやできなくなる。諸君の共和制とわれわれの君主制とは、プロレタリアートに対してはまったく同一のものだ。[*9]

つまり、ドイツで君主体制を打倒してようやくブルジョア的発展の長い長い時代が始まって、それからようやく社会的共和制、すなわち社会主義体制に進むのではなく、この君主制のもとですでに十分に資本主義が発展して、お隣のフランスよりも強力なプロレタリア党が成長してきているのだから、そしてその一方でブルジョア政党が完全に破綻してしまっていて、君主制打倒の課題を担えないのだから、君主制の打倒の課題を担うのは当然ドイツの社会主義的プロレタリア政党になる、そして、その社会主義政党は君主制を打倒したら、ただちに社会主義的措置へと進むだろう、ということです。これは明確に永続革命的な観点への回帰であり、しかも高次回帰です。なぜ「高次」かというと、『共産党宣言』が書かれた一八四八年段階では大衆的な社会主義政党はまったく存在していなかったし、プロレタリアート自身もきわめて小規模であったのが、それから四五年経った一八九三年の時点では、ドイツはヨーロッパにおいてイギリスに次ぐ大工業国に成り上がっていて、プロレタリアートも百万単位で存在していて、ドイツ社会民主党も議会で百万票以上取る大政治勢力になっていたからです。[*10]こうした状況を踏まえての発言ですから、もはや単に威勢のいい急進的発言ではありません。

ただしエンゲルスはこの立場を何か明確な文章として発表したわけではなく、手紙の中で個人的に言っているにすぎないので、こうした立場がドイツ社会民主党の中で支配的になったとは言えません。

プレハーノフとロシア・マルクス主義

さて、われわれはドイツからロシアに視線を移します。帝政ロシアはプロイセン＝ドイツ以上に後発国でした。マルクス存命中のロシアはドイツよりもはるかに資本主義が発達しておらず、ロシアにおけるプロレタリアートの数は、当時の統計はきわめて不十分ですが、せいぜい一〇〇万足らずと考えられています。当時のロシア全体の人口が一億人ぐらいでしたので、人口比で言うとわずか一パーセントでした。とてもではありませんが、革命を担えるような水準にありません（ちなみに、一九〇〇年代初頭には、一〇〇〇万人以上に増大しています）。ですから、マルクスもエンゲルスもロシアで永続革命的な過程が可能になるとは考えませんでした。

ただし、晩年のマルクスはかなりナロードニキに傾倒していて、むしろその歴史的な発展の遅れこそが――ヨーロッパにおけるプロレタリア革命の援助を受けたうえでのことですが――ロシアの古い農村共同体を共産主義の出発点にする可能性を与えるという展望を語りましたが、ロシアの労働者階級が変革主体になるという話はいっさい出てきません。

そうした中で、プレハーノフという優れたマルクス主義者がロシアから出てきて、マルクス晩年の親ナロードニキ的な展望ではなく、むしろ『共産党宣言』におけるドイツ革命論を取り上げて、それをロシアに創造的な形で適用しました。

昨年（二〇二〇年）、トロツキー没後八〇年ということで、フランスのトロツキストであるミシェル・レヴィという人が記念論文を書いて、『週刊かけはし』の新年号にその翻訳が掲載されたのですが、それを読むと、プレハーノフがあたかも機械的な経済主義者で、トロツキーの永続革命論とまったく無縁の人物であるかのように描かれていたのですが、それは非常に一面的な評価です（本書の補論3参照）。プレハーノフはそんな単純な立場ではありませんでした。当時におけるプレハーノフの（およびその他のロシア・マルクス主義者）におけるロシア革命の展望については、次の四点にまとめることができます。

まず第一に、ナロードニキに反対し、ブルジョア革命と社会主義革命との混同を批判し、両者を明確に分離したうえで、当面する革命をツァーリ専制の打倒を中心とするブルジョア民主主義革命とみなしたことです。これだけを見れば、機械的な段階革命論者に見えますけれども、そうではありません。まずはナロードニキを批判する必要があったのです。そこからすべてが始まるわけです。すなわち、ロシア農村のミール共同体を基盤にして、資本主義段階を飛び越して直接に共産主義社会に移行するという展望を明確に否定する必要があったのです。それはちょうど、一八五〇～六〇年代にマルクスとエンゲルスがドイツでもっと資本主義が発達してプロレタリアートが強大にならなければドイツにおける革命の展望が本当の意味では開けないとみなしたことが、間違いだと言えないのと同じです。まずはブルジョア革命と社会主義革命とを明確に分離し、当面する革命をブルジョア民主主義革命と定め、ツァーリ専制を打倒して、自由と民主主義の体制を勝ち取らなければならないことを明確にする必要があったのです。

第二に、将来のこのブルジョア革命においては労働者階級とブルジョアジーとの連合が中心勢力であるとみなしたことです。この第二の命題には重要なことが二つ含まれています。一つは、労働者階級がブルジョア革命における主要勢力（少なくともその一つ）だとみなされたことです。先ほど見たように、マルクスはその最晩年に至るまでそうした立場に立つことができませんでした。それもある程度やむをえない面があります。当時ロシアの労働者階級は一〇〇万足らずしかいなかったのですから。ところが、プレハーノフは、この時点ですでに、将来におけるブルジョア革命の主体にロシア労働者階級を指定したのです。現在はその程度の数かもしれないが、今後、専制政府による上からの産業化と相まって、ロシア労働者階級はどんどん増大・成長するだろうし、それと同時に、五〇年前のドイツ労働者階級と違って、最初からヨーロッパの強力な社会主義勢力とマルクス主義的イデオロギーの影響を受けて成長するので、より強力な力を発揮するだろうと考えました。

二つ目は、とはいえ、労働者階級はまだまだロシアでは少数派だから、ブルジョア革命においてはブルジョアジーと協力しなければならないと考えたことです。プレハーノフは、ブルジョアジーを「赤い妖怪」で脅してはならないという言い方をしばしばしていますが、このような発想が後々、レーニンやトロツキーと対立するに至る要因になります。

第三に、労働者階級は解放運動においてヘゲモニー的役割を担うが、権力を握るのはあくまでもブルジョアジーだということです。ここにすでに「ヘゲモニー」と「権力」とを区別する発想が見られます。そもそも「ヘゲモニー」という言葉自体、それを最初にマルクス主義的な文脈で使ったのは、プレハーノフやアクセリロートらロシアの初期マルクス主義者たちなのですが、そこでの含意はまさに、「権力」と区別された政治的な指導力を指すためでした。後にロシア社会民主労働党が結成されて、さらにボリシェヴィキとメンシェヴィキが分裂したときも、ロシアのマルクス主義者たちはみな当面するロシアのブルジョア民主主義革命においてヘゲモニー的役割を果たすのは労働者階級であり、したがってその前衛たる社会民主党であると考えていました。これは、トロツキーの永続革命論を準備することになる決定的な認識でした。しかし、プレハーノフにとっても、また後のメンシェヴィキにとっても、権力を取るのはあくまでもブルジョアジーないしその政治的代理人でした。革命運動において労働者階級とその政治的前衛がヘゲモニー的役割を果たすのであれば、革命が勝利した暁には権力をも取ることになると考えてもよさそうなものですが、ここはやはり段階発展論の図式にもとづいて、あくまでも権力を取るのはブルジョアジーとその政治的代理人であるとみなしたのです。

第四に、たしかに、ロシアのブルジョア革命はブルジョアジーを権力に就けるけれども、そこから長い資本主義的なブルジョア共和制の時代が始まるのではなくて、そのブルジョア革命によって実現された民主主義的手段を使ってロシア労働者階級はただちにその社会的解放に向けた闘争を開始することができるだけでなく、その闘争をすみやかに勝利に導くことができるのだ、としたことです。つまり、ブルジョアジーの権力は長続きしないということ、つまり、後発国の歴史は先進国の歴史を単純には繰り返さないということです。なぜなら、ロシアの労働者階級は一八四八年のドイツよりもはるかに発達しているし、国際的にもヨーロッパ先進国では社会主義革命が日程に上っているからである、と。

以上の立場は、プレハーノフがマルクス主義者になって書いた最初の著作である『社会主義と政治闘争』においてはっきりと示されています。

このように、一方では政治的自由をめざす闘争、他方では未来の独立的で攻勢的な役割のための労働者階級の準備教育、われわれの意見ではこれらが現在ただ一つ可能な「党の課題の提起」である。絶対主義の転覆と社会主義革命のような本質的に異なった二つのことがらを一つに結びつけ、社会発展のこれらの契機がわが祖国の歴史においては同時に起こるであろうという考えで革命闘争を行なうこと、これは二兎を追って一兎も得ないことを意味する。しかし、これら二つの契機を近づけるのはわれわれしだいである。われわれは、『共産党宣言』の文言によれば、「ブルジョアジーが革命的に行動するときには、ブルジョアジーと共同して、絶対君主制」と闘い、同時に「ブルジョアジーとプロレタリアートの敵対的な対立についてのできるだけ明瞭な意識を労働者のあいだにつくりだすことを、一瞬も怠らなかった」ドイツの共産主義者の立派な手本にならわなければならない。このように行動しながら、共産主義者は「ドイツのブルジョア革命はプロレタリア革命の直接の序曲となる」ことを望んでいた。

　ブルジョア社会の現状および各文明国の社会的発展に対する国際関係の影響は、ロシア労働者階級の社会的解放が絶対主義の崩壊のすぐ後に続くことを期待する権利をわれわれに与える。もしドイツのブルジョアジーが「やって来るのが遅すぎた」なら、ロシアのブルジョアジーはさらに遅れ（запоздала）、その支配は長つづきしないだろう。[*11]

　ここで「遅れ」とある部分のロシア語原文は「запоздалы」で、これは実はトロツキーが後に自分の永続革命論や不均等複合発展について説明する際によく用いた形容詞であり、単なる「後進性」ではなく、「後発性」（遅れてやって来ること）を意味する単語です。

ですから、このプレハーノフの立場は、たしかに段階革命論ではあるが、二つの段階はかなり近接して起こるという「近接型段階革命論」であると言うことができます。そしてこのような展望こそ、後にレーニンの労農民主独裁論やトロツキーの永続革命論の原型となるものなのです。

(2)「歴史の始まり」と「歴史の終わり」との攻防

このように、後発国における「歴史の始まり」というものは先発国における「歴史の始まり」を単純に繰り返すものではなく、さまざま矛盾と逆説に満ちた弁証法的なものであったとすれば、それ以降における歴史というのは、「歴史の始まり」のダイナミズムと「歴史の終わり」のダイナミズムとが激しい攻防を繰り広げる時代となります。この場合の「歴史の始まり」は二重の意味です。すなわち、ブルジョア的な意味で資本主義体制が始まるという意味での「歴史の始まり」と、人類の本史が始まるというマルクス的な意味での「歴史の始まり」の二重の意味を持っています。「歴史の終わり」も同じく二重の意味を持っており、古い封建的ないし非資本主義的体制が終わるというブルジョア的な意味での「歴史の終わり」と、資本主義システムが克服されて、人類の前史が終わるというマルクス的な意味での「歴史の終わり」です。このそれぞれ二重の意味を持った「歴史の始まり」と「歴史の終わり」とが絡み合い、激しい攻防を繰り広げるのが、その後の歴史です。

攻防の第一段階――一九〇五年革命と革命論の分岐

この攻防の最初の大掛かりな歴史的舞台となったのは言うまでもなくロシア革命であり、その最初の爆発である一九〇五年革命でした。先ほど述べたように、プレハーノフの命題における革命主体は主として労働者とブルジョアジーとの同盟でした。これは、ボリシェヴィキとメンシェヴィキとが分裂した後には、メンシェヴィキ全体に共有される観点です。それに対して、レーニン（ボリシェヴィキ）とトロツキーの両者は、それを労働者階級と農民との連合というように階級的組み換えを行ないます（労農同盟論）。労働者階級のヘゲモニー的地位は変わらないが、その主たる同盟相手はブルジョアジーから、人口的に圧倒的に多数でありまた深く抑圧されている農民に転換されたのです。

労働者とブルジョアジーとの同盟論では、労働者階級のヘゲモニーによってブルジョア革命が成功しても、権力を握るのはブルジョアジーであるということになります。さすがに労働者政党とブルジョアジーとが仲良く政権に入るというような事態はプレハーノフにもメンシェヴィキにも想像不可能なものでした（実際には、一九一七年の二月革命以降にまさにそのような事態になった）。しかし、革命の主体が労働者階級と農民との同盟だということになると、ブルジョア革命の勝利後にブルジョアジーが権力を取るという事態は最初から排除されます。かといって、農民政党が単独で革命権力を行使するというのも、あまりにも非現実的です。したがって、当然にも、労働者政党が政権に入り、権力を行使することになります。ではこの労働者政党と、同盟者たる農民との関係は、権力獲得後にはどうなるのか、この問題をめぐって、レーニンとトロツキーとの分岐が起こるのです。

レーニンは、労働者の政治的先進性と凝集性が農民の数の多さと均衡しあうことで、両階級が権力を分かち合うことができるという労農民主独裁論を唱えました。それに対してトロツキーは、農民はその数の多さにもかかわらず、プロレタリアートと並んで権力を振るうことはできないのであって、プロレタリアートの同盟者にとどまり、したがって「農民に依拠したプロレタリア独裁」論を唱えました。

しかし、この分岐についてはこれ以上詳しく述べることはせず、トロツキーの永続革命論に直接話を移しましょう。

トロツキー永続革命論における三重の結合

トロツキーの永続革命論にあっては三重の結合、三つの重なり合った有機的結びつきというものが存在し、それが重要な特徴になっています。

ここでは「歴史の始まり」と「歴史の終わり」という話と絡めて説明します。まず第一に、後発国ロシアにおける「ブルジョア的歴史の始まり」(つまりブルジョア民主主義革命)と「人間社会の前史の終わりの始まり」(つまり社会主義革命の開始)とが有機的に結合するということです。歴史というものを単純な直線上に位置する「点」としての出来事の連なりとみなすなら、「歴史の始まり」(それをどのように規定するのであれ)と「歴史の終わり」とは、直線上に大きく隔って存在する二つの時間的点によって表現されます。プレハーノフは、後発国においては、この二つの点はぐっと接近するとみなしたわけですが、それは接近するだけであり、またやはり依然として離れて存在する「点」にとどまっていました。しかし、トロツキーはこの二つを点としてではなく一定の幅を持った「線」とみなし、この二つの線は、ロシア革命のダイナミズムにおいて部分的に重なり合い、絡み合う過程になると考えたのです。これがまず第一の結合です。

第二の結合はこうです。ロシアにおける「前史の終わりの始まり」と先進国における「前史の終わり」

との有機的結合です。先進国において起こると展望されたのはもはや「前史の終わりの始まり」ではなく、「前史の終わり」そのものです。当時、トロツキーも、そしてその他の多くのマルクス主義者も、ヨーロッパ先進国においてはすでに社会主義革命の前提条件は成熟していると考えていたので、トロツキーは、ロシアにおける「前史の終わりの始まり」がヨーロッパにおける「前史の終わり」と結合するとみなしました。

　この二つの有機的結合に加えて、三つ目の結合があります。それは何かというと、この二つの結合の展望それ自体が相互に結合しあっているということです。つまり、ロシア革命というものがヨーロッパ革命に波及してロシア労働者国家が西欧社会主義世界に統合され、こうして本来の意味での社会主義へと前進できるか、つまり本来の意味での「前史の終わり」と「本史の始まり」へと前進できるか（進歩的統合）、あるいは、ヨーロッパで社会主義革命が不発に終わった場合には、ロシアでは社会主義社会に至るはるか以前に労働者国家が崩壊して西欧帝国主義世界に再統合され、西欧的自由民主主義体制からも程遠い独裁的な資本主義国家となるか（反動的統合）、こういう二者択一だということです。

　つまり、ロシアにおけるブルジョア革命と社会主義革命との結合（第一の結合）はそれ自体として完結しうる過程ではなく、ロシア革命とヨーロッパ革命との結合（第二の結合）がうまくいって初めて第一の結合も本当の意味で実現するのであり、もしこの第二の結合がうまくいかなければ、第一の結合は、たとえ一時的に実現したとしても、結局はこの結合も崩壊し、過去への後退という大きな揺り戻しが起こる。つまり、ブルジョア民主主義体制の実現というブルジョア的な意味での「歴史の終わり」も達成できない結果になるということ、それよりもはるかに後進的な独裁的な国家になるということです。

　こういう相互に重なり合った三重の結合というものがトロツキーの永続革命論の核心にあったもので

す。

一九一七年のロシア革命

では、一九一七年のロシア革命以降の現実はこの三重の結合に関してどのような結果になったでしょうか？ まず第一の結合は実現しました。しかし第二の結合は一時的・部分的にのみ実現され、後に分離しました。したがって第三の結合は実現しませんでした。ところが、第二の結合が実現されないかぎり、第一の結合も実現されず、労働者国家はすぐに崩壊するとみなされていたわけですが、ヨーロッパ革命が起こらなかったにもかかわらず、ロシア労働者国家はかろうじて崩壊しませんでした。たとえヨーロッパ革命が起こらなくても、何としても生き残ろうとするロシア労働者階級とその政治指導層の必死の行動が――種々の客観的条件を伴いつつ――この生き残りを可能にしたのです。その過程で革命の理想が大きく裏切られることになり、一九二一年初頭にはクロンシュタット事件のような悲劇も起こる事態になります。[*12]

こうして、ヨーロッパ社会主義合衆国にロシア労働者国家が統合されるという意味での、つまり人類の前史をともに終わらせるという意味での進歩的統合も起こりませんでしたし、逆に反動的統合も起こりませんでした。つまり、帝国主義ヨーロッパにロシアの資本主義独裁が包含され、ブルジョア的な意味での「歴史の終わり」も起こらないという意味での反動的統合も起こりませんでした。

これはトロツキーを含め、当時のロシア・マルクス主義者およびヨーロッパのマルクス主義者の誰も予想しなかった事態です。生きた現実の歴史というものが、どんな洞察力のある理論家をもってしても洞察しきれない、予測不可能な矛盾と逆説に満ちたものであるということがわかります。

スターリニズムの成立と世界の東西分裂

こうして一種の「歴史の釘付け」状態が生まれました。進歩的統合も反動的統合も起こらなかったことで、世界は大きく二つの世界に分裂します。スターリニズムのイデオロギー的正統性理論としての一国社会主義というのは、いわばこの「歴史の釘付け」状態を正当化する理論であったと言うことができます。そして、労働者国家が本来持っていた理想主義というものが大きく後退し、スターリニズムというかなり醜悪な官僚体制が長期的なものとして成立したことも、この「歴史の釘付け」状態の一つの帰結であると言えます。

しかし、「歴史の釘付け」といっても、いったん成立したものが同じ状態で、同じ場所にとどまるということはありえません。歴史というものはけっして歩みを止めません。この分裂した状態で、深く相互作用しあいながら、それぞれが独自の進化の過程をたどります。

第一に、労働者国家の側から見ると、まず労働者国家の量的拡大が起こりました。第二次大戦後の東欧諸国、中国、ベトナム、北朝鮮、そしてそれからかなり経ってからですが、キューバやいくつかのアフリカ諸国です。同時に、一定の質的高度化も起こります。一党独裁と官僚体制という枠組みの中でも、生産力水準や分配面に関してはかなりの質的高度化が起こりました。医療や教育の無料化、住宅の普遍的保障や完全雇用、高齢者福祉、女性の地位向上、等々という面では、労働者国家は、同程度の生産力水準にある資本主義諸国と比べてはるかに高度な水準を実現したのです。

第二に、西側先進資本主義国ではどうかというと、こちらでも、高度な福祉国家体制とケインズ主義が発達していきます。これは、東西世界がそれぞれに影響を与え合った結果です。東側諸国は、自分たちの「社会主義」体制が資本主義よりもすぐれていることを証明しなければなりませんから、生産力と技術の向上に国家的に努力するだけでなく(一時的には、スプートニクの打ち上げに見られるように、ソ連は宇宙開発競争でアメリカより優位に立った)、福祉や教育の面でも優位性を示す必要がありました。同じことは西側諸国にも言えます。

西側諸国は二重の意味で、ロシア革命の恩恵を受けています。「恩恵」というと奇異に感じるかもしれませんが、やはり一種の「恩恵」です。西欧諸国は、ロシア革命の結果およびその影響で成立した東側諸国の社会体制に対抗して、福祉や労働者保護、賃金水準などの面でそれなりの進歩的体制を構築しなければなりませんでした。さらに、西側諸国内部に存在する左派の社会主義政党、共産主義政党、あるいはそのさらに左にいる新左翼党派もまたロシア革命の影響のもとにあったわけですが、そうした政治勢力が下から資本主義国家に絶えず圧力をかけてくるわけですから、それに対抗する上でも一定の福祉体制を作らざるをえませんでした。

では、東西どちらでもない第三世界はどうか。この第三世界においては、今度は、この両世界の力の作用を受けて、軍事独裁と社会革命との激しいせめぎ合いが起こりました。軍事独裁というのは基本的にアメリカ帝国主義のバックアップを受けた軍部による独裁であり、他方では、そうした体制に反発して実際に社会革命が起きた場合には、何らかの「社会主義」を標榜する政権ないし労働者国家が成立することになります。

こうして「歴史の始まりの弁証法」は、誰も予想しなかったような形でその後の歴史を形成していったのです。

3、一九六八年革命から現代まで——「歴史の終わり」の弁証法

かなり話が長くなってきましたので、話を一気に今度は「歴史の終わりの弁証法」に移します。

(1) ソ連・東欧の崩壊と「歴史の終わり」論

新自由主義の開始とソ連・東欧の崩壊——世界史的反革命

ロシア革命がつくり出した大きな革命的エネルギーは、先ほど述べたように、ロシアを震源地として、東欧諸国、アジア諸国、さらにはラテンアメリカやアフリカにまで広がっていきますが、この波はやがて欧米先進国にまで押し寄せます。それが一九六八年を頂点とする世界的な変革運動の盛り上がりであり、これはさらにチェコスロヴァキアのプラハの春に見られるように官僚的労働者国家にまで及びます。

しかし、この大波は結局、挫折してしまいます。西欧諸国では、資本主義体制を大いに揺るがしたけれども体制変革までには至らず、また東欧諸国でもプラハの春はソ連の戦車で粉砕されました。これによって、進歩的統合に向けた歴史の上昇線は限界に至ります。

その後もなお、こちら側が勝利したり向こう側が勝利したりするせめぎあいがしばらく続きます。一九七〇年のチリ革命(アジェンデ政権)と一九七三年のクーデター(そしてピノチェト下での新自由主義)、

一九七四年のポルトガル革命とその挫折、一九七五年におけるベトナム戦争の勝利とポルポトの惨劇、一九八〇年代のポーランド連帯の闘争とその敗北、等々。しかし重要なのは、一九七九年のニカラグア革命を最後の永続革命として、第三世界諸国あるいは後発工業国でも、重要な民主的変革が社会主義革命へと連続しなくなったことです。たとえば一九八七年の韓国民主化でも、一九九一年の南アフリカでアパルトヘイト廃止でもそうでした。あるいは一九八〇年代や九〇年代におけるラテンアメリカでの軍事独裁の崩壊においてもそうでした。これらはいずれも社会主義革命に連続しなくなります。

とくに衝撃的だったのは一九七九年、ニカラグア革命と同じ年に起こった、きわめて急進的で大規模な大衆動員を伴ったイラン革命が、社会主義ではなくイスラム原理主義体制へと連続したことです。そして同じ年の一二月にソ連のアフガニスタン侵攻が起こります。この侵攻自身はもちろん非難されるべきものですが、以前であれば、このような外部からの介入であっても、それなりに安定した「労働者国家」体制を再建できたのですが、アフガニスタンへの侵攻はそうはならず、イスラム勢力との泥沼の長期的内戦をもたらし、ソ連それ自体の国力と威信を決定的に弱める役割を果たしました。ソヴィエト体制の「終わりの始まり」です。そして、みなさんもご存じのように、アメリカ帝国主義はこれを千載一遇のチャンスと見て、イスラム原理主義勢力に資金と武器を大規模に提供し、戦争の仕方から拷問の仕方にいたるまでさまざまなノウハウを教え込み、彼らを強力な軍事勢力に仕立て上げていきました。それがソ連を徹底的に苦しめて、やがてソ連を崩壊に導きます（後にこのイスラム原理主義勢力はアメリカ帝国主義に対しても牙をむきます）。

この同じ一九七九年から一九八〇年にかけて欧米で本格的な新自由主義政権があいついで成立し、

一九八〇年代における新自由主義的反革命を開始します（レーガン、サッチャー革命）。さらに一九八五年にはソ連でゴルバチョフ政権が成立して、ようやくソ連の自己改革が本格的に始まりますが（ペレストロイカ）、時すでに遅しでした。一九六八年を頂点とする世界全体の歴史的上昇の波がまだ衰退していない時期にこのような改革がもし起こっていれば、この改革はより民主主義的でより強力な労働者国家体制へとソ連を導いたかもしれませんが、すでにそのような左翼的運動の大波が完全に引いた後に、そしてその逆に新自由主義的反革命という歴史的逆流が席巻しつつある時期に起こったこの改革は、トロツキーが展望した「反官僚補足革命」ではなく、労働者国家そのものの崩壊へと連続する結果になりました。

一九八九〜九〇年に東欧労働者国家がドミノ倒しのようにあいついで崩壊し、一九九〇〜九一年にはソ連も崩壊するにいたります。こうしてついに、一九一七年のロシア革命以来、東西に分裂していた世界は反動的統合へと収束するに至るのです。トロツキーの永続革命論における「第三の結合」論が否定的な形で現実のものとなったのです。しかしながら重要なのは、その時点での西側世界というのはすでに従来の福祉国家体制ではなくて、新自由主義化しつつあったことであり、これによって新自由主義グローバリゼーションというものが一気に加速化することになります。

一九八〇〜九〇年代に起きた西側世界における新自由主義的反革命とソ連・東欧の崩壊という二つの決定的な変化は、世界史的な意味での反革命を構成します。世界史の発展曲線はそれ以降大きな屈折を遂げることになります。

フクヤマの『歴史の終わり』の展望

このような時期に書かれたのが、今日の話の冒頭で紹介したフランシス・フクヤマの『歴史の終わり』でした。東欧諸国崩壊の真っただ中の一九八九年に最初に論文で発表され、ソ連・東欧の崩壊が一通り終わった後の一九九二年に著作として出版されました。そこでの趣旨はこうです。これまで歴史はいろいろと逸脱したり遠回りしたりしたけれども、いわゆる「共産主義」の崩壊と「リベラルデモクラシー（自由民主主義）」の勝利は、共産主義という最大のライバルを敗北に追いやることによって、ついに歴史はその本道に立ち戻り、自由民主主義体制の世界史的勝利という形で歴史は収束した。もはや「資本主義、自由市場、リベラルデモクラシー」という三位一体に本格的に挑戦できるような存在は世界からなくなり、その意味で歴史は終焉を迎えた。後はもう、この三位一体のもとで民主主義的な切磋琢磨や部分的な改良がなされていけばいいのであり、もちろん一時的な逸脱も時には起こるだろうが、もはや体制変革というのは起こらず、自由民主主義体制の世界的支配が半永久的に続くのだ、と……。

そうなるはずでした。しかし、フクヤマがそう断言した直後から、「歴史の終わり」の弁証法が発動します。歴史は結局、「整理」されませんでした。ちょうど一九一七年のロシア革命直後に、多くの人々が今後は世界的な社会主義革命の時代が始まって、世界はまたたく間に社会主義世界へと転化していくだろうと展望したのが間違いだったように、資本主義のもとでの自由民主主義体制が世界をまたたく間に飲み込んでいくだろうというフクヤマの展望も間違いだったことが明らかになります。歴史は皮肉と逆説に満ちていて、常に思惑通りには進まないのです。

（2）ソ連・東欧崩壊後の歴史の混沌

ソ連・東欧崩壊後、フクヤマがほとんど予想しなかった、あるいはある程度予想してもひどく過小評価していた大きな三つの事態が起きます。一つ目は、「共産主義」というライバルに代わる新たな「外部」が出現したこと、二つ目は、勝利したはずの欧米における自由民主主義体制それ自身の衰退が起きたこと、三つ目は、欧米だけでなく世界全体を包含するさまざまな人類的問題が出現したことです。それぞれ簡単に見ていきましょう。

新たな「外部」の出現と台頭

フクヤマが予想しなかった第一のことは新たな「外部」の出現と台頭です。フクヤマは共産主義こそが自由民主主義体制にとっての歴史上最大で最強のライバルとみなしていたので（それはまったく正当な評価だと思いますが）、それが崩壊した今では、たとえ自由民主主義体制に反発するものが現われても、すべて取るに足りないものだと考えましたが、けっしてそうではありませんでした。

まずはイスラム原理主義の台頭です。イラン革命の影響とソ連・東欧の崩壊によるオルタナティブの消失は、イスラム圏においてはイスラム原理主義にオルタナティブを求めるという大きな流れをつくり出しました。イスラム教が強い地域だから自動的にイスラム原理主義が強くなるというのは単純に過ぎる理解で、イラン革命以前は、イスラム圏でも基本的に、欧米帝国主義のバックアップを受けたブルジョア独裁か、社会主義思想ないしソ連や中国に鼓舞された共産主義・社会主義勢力かという対立軸が存在していました。しかし、イラン革命の衝撃、アフガニスタンにおけるアメリカのイスラム原理主義勢力の育成、ソ連・東欧の崩壊による社会主義的な意味での進歩的オルタナティブの消失、等々が、イスラム原理主義という新しい、そしてきわめて強力な「外部」の台頭をもたらしたのです。

つまり、フクヤマがリベラルデモクラシーの勝利とみなしたソ連・東欧の崩壊こそが、リベラルデモクラシーにとって共産主義よりもずっと厄介なイスラム原理主義の台頭をもたらしたのです。まさに歴史のアイロニー、歴史の弁証法です。共産主義よりも厄介というのはどういうことかというと、共産主義といっても実際は、政教分離、男女平等、労働者の権利保護を始めとする近代的価値観の多くを自由民主主義体制と共有していました。どちらの体制においてもこれらの価値観は実際には必ずしも守られていませんでしたが、建前上は肯定されていました。しかし、イスラム原理主義はそうした価値観を建前の上でも否定します。

イスラム原理主義の台頭は、欧米のブルジョア知識人のかなりの部分をフクヤマ式の楽観的な「歴史の終わり」論からハンチントン式の悲観的な「文明の衝突」論へと移行させる結果になりました。フクヤマの「歴史の終わり」論とハンチントンの「文明の衝突」論は、欧米のブルジョア「民主主義」を絶対視する西洋中心主義という意味では共通していますが、歴史に対する見方は正反対です。フクヤマは、どのような歴史や文化に属していようとも、世界はすべて欧米式リベラルデモクラシーの体制と自由市場を受け入れていくだろうという根本的な楽観主義に基づいています。フクヤマの本を見ると、たしかにイラン革命によるイスラム原理主義のことも触れられていますが、これは結局イスラム教の強いごく一部の地域でのみ見られる局地的現象であり、およそリベラルデモクラシーのライバルたりえないとみなしています。

今から見ると何とも能天気な楽観論です。

ハンチントンの「文明の衝突」論はそれとは正反対に、欧米のリベラルデモクラシーの体制は西洋文明にのみ生まれ定着することができるのであって、それ以外の文明、すなわちイスラム文明やアジア文明では、ごく一部の例外を除いて、西洋式リベラルデモクラシーはけっして定着しえないのであって、異なった文明間の衝突が今後の歴史を左右するだろうと主張します。ちなみに、デヴィッド・グレーバーという最近亡くなったアナキスト理論家は、このハンチントンの議論をまったく別の視点から批判し、そもそも西洋文明と民主主義とを本質的に結びつける根拠は何もないと説得的に論じています。[*13] いずれにせよ、ハンチントンの悲観論はフクヤマの楽観論よりも説得力をもって欧米知識人に受け入れられていきました。

第二の「外部」として台頭してきたのが、二一世紀の「世界の工場」としての中国型「国家資本主義」です。「国家資本主義」といってもあくまでもカッコつきで、中国の体制規定については自分の中でまだ明確にできていないので、いつもカッコつきで「国家資本主義」と呼んでいますが、この国家体制は一九九〇年代以降、驚くほどの経済成長を記録しました。

この中国についても、フクヤマの本を見ると、恐ろしく過小評価されています。ちょうど中国で天安門事件（一九八九年）が起こった数年後にフクヤマの著作が出されているのですが、フクヤマは、天安門事件までは中国は一定の自由化と民主化を試みたが、天安門事件でそうした動きを弾圧・一掃してしまい、再び官僚独裁体制に舞い戻ってしまったので、中国は欧米諸国のライバルになりえないとみなしています。

ところが、まさにこの本が出た頃から、中国は歴史上未曽有の長期にわたる高度経済成長を開始して、ＧＤＰ水準で日本を含む先進資本主義諸国をごぼう抜きにして、アメリカ帝国に対抗しうる唯一の超大国になりました。そして、今日では、新型コロナ・パンデミック下において中国は圧倒的に「一人勝ち」状態を享受しています。

余談ですが、フクヤマがこの本を書いたとき、日本はちょうどバブルがはじけた直後ぐらいで、まだGNP世界第二位の地位にあって、世間的には日本こそが今後とも技術面で世界をリードする存在だとみなされていました。フクヤマの本にもそうした認識がそこかしこに散見され、今から見ると苦笑いなしには読めません。たとえば、当時新しいエレクトロニクスの新製品というのはほとんど日本が作っていましたから（ソニーのウォークマンやキャノンのゼロックス、ファックス、任天堂のファミコン、ポケットベル、等々）、この本の中では、アメリカ人がいま熱狂している流行の製品を凌駕する新しい製品をすぐに日本人が作ってしまうだろうから、そういう消費財はすぐに陳腐化すると書かれていて、思わず笑ってしまいました。日本人が新しい画期的な製品をつくるどころか、日本ではいまだにファックスが現役で使われています。たとえば病院では、新型コロナウイルスの陽性患者が発生したら、本当にファックスで保健所に通知しています。これはけっして都市伝説ではありません。

フクヤマの本が出てからの三〇年間に起きた最も劇的なことの一つは、中国の右肩上がりの急成長と日本の右下がりの衰退です。この見事なまでの鋏状の変化をフクヤマの本はまったく予想していないし、恐らく当時の誰も予想していなかったでしょう。

第三に、ユーゴスラビアの崩壊による激しい民族紛争は多くの人が記憶しているでしょうが、それだけでなく中東諸国でも、アフリカ諸国でも、最近ではアジア諸国でも、部族、種族、人種、宗教、宗派、等々が入り乱れての激しい混とん状態と内乱が頻発していて、まったく自由民主主義体制への収斂など起きていないことです。

イラクのフセイン政権を軍事力で打倒しても、アフガニスタンのタリバーン政権を打倒しても、どちらにも自由民主主義体制は生まれなかったし、二〇一一年には「アラブの春」が起きて、チュニジアのベン＝アリ政権、リビアのカダフィ政権、エジプトのムバラク政権など、欧米諸国が敵視してきた諸政権が次々と倒れたけれども、どこにおいてもやはり自由民主主義体制はつくられず、混とん状態か新しい独裁体制になっただけです。ここでも、永続革命を通じて社会主義革命へと至らないかぎり、自由民主主義体制よりもはるかに反動的な独裁体制にしかならないないという法則が当てはまります。

第四に、フクヤマが何よりもリベラルデモクラシーの勝利だとみなしたソ連・東欧諸国の崩壊後におけるポスト東側諸国でも、欧米型のリベラルデモクラシーへの同化はほとんど生じませんでした。さまざまな紆余曲折がありましたが、現在そこに成立しているのは、ロシアのプーチン政権、ベラルーシのルカシェンコ政権、ハンガリーのオルバン政権、ポーランドの極右政権などに顕著に見られるように、醜悪な独裁政権であり、国の富や産業を一族や支持者たちが独占し、メディアが政権によってコントロールされ、労働者や女性の権利が大きく侵害されています。共産主義が崩壊してリベラルデモクラシーが実現するどころか、かつての共産主義時代よりもある意味でひどい反動的腐敗がはびこっています。共産主義の時代は、たしかに独裁ではあったけれども、それでも医療や教育、住宅や雇用が保障されていましたし、女性の権利や平等も一定保障されていました。しかし、現在はそうした保障や平等がなくなったうえで、なお腐敗した独裁が成立しているわけです。これは、フランシス・フクヤマが考えたような「歴史の終わり」とは似ても似つかない状況です。

西側先進資本主義社会そのものの内的変質

では問題は外部だけかというとそうではありません。西側先進諸国そのものも大きな変質を遂げ、「リベラルデモクラシー」の体制からしだいに離れつつあります。実に皮肉なことに、フランシス・フクヤマがまさにリベラルデモクラシーの最大のライバルとみなした東側諸国がなくなったことで、西側諸国の「リベラルデモクラシー」そのものが崩れていくわけです。ソ連・東欧があったおかげで、あるいは内部の共産主義・社会主義勢力があったおかげで、西欧諸国は民主主義的たろうとしたし、労働者の要求にもそれなりに応えようとしたわけです。しかし、そうした外部の脅威が崩壊し、内部においても共産党はほぼ壊滅し、社会民主主義勢力は新自由主義化しました。となれば、もう西側の体制を脅かすものはないのですから、フクヤマの観点からすればここから本格的なリベラルデモクラシーの時代が訪れるはずだったのに、その逆に、自由でも民主主義でもない方向へと発展していくことになります。

西洋知識人が絶賛する「リベラルデモクラシー」の体制は超歴史的な「西洋文明」なるものから自動的に生まれてきたものでもなければ、自由市場体制によって必然化したものでもなく、資本主義という無慈悲な搾取体制を克服しようとする労働者階級や社会主義者たちの闘争によって不安定に成立し、動的に維持されてきたものだったのです。したがって、ソ連・東欧の崩壊と共産主義政党の崩壊による「リベラルデモクラシー」の勝利はただちにその衰退過程の開始を意味したわけです。これこそまさに「歴史の終わり」の弁証法です。

その衰退の詳細な過程については、昨年（二〇二〇年）の一〇月三一日に地域の労働組合対象に行なった講演で詳しく述べていますので（本書の第5章参照）、ここでは主要な特徴を何点かにわたって指摘するだけにしておきます。

まず第一に、新自由主義の四〇年間、とりわけソ連・東欧の崩壊によって加速化された新自由主義的グローバリズムの三〇年間によって、社会の荒廃、経済格差の異常な広がり、医療・福祉の削減などが資本主義各国で進行したことです。このことは、今回の新型コロナ・パンデミックによってより露骨な形で示されました。

第二に、新自由主義の支配とソ連・東欧の崩壊によって、既存の安定した政党政治のシステムと階級政治が解体され、リベラルデモクラシーとはほど遠い反動的ポピュリズムの台頭とネオ家産政治の席巻が生じたことです。ポピュリズムはたいていは極右によるものですが、時に左翼的体裁をとることもあります。「ポピュリズム」という用語は非常に曖昧にご都合主義的に使われているので、その使用には一定の慎重さが必要ですが、カリスマ的な指導者を中心に既存の政党や政治制度の外部から出現し、デマゴギッシュなスローガンにもとづいて広く大衆を動員する政治的潮流をとりあえず反動的ポピュリズムとみなすと、それが欧米諸国で急速に広がったことは間違いありません。

そして、それと相互補完関係をなすものとして、「ネオ家産政治」が広がっています。マスコミではポピュリズムばかりが目立っていますが、「ネオ家産政治」ないし「現代家産政治」はポピュリズムと補完し合う現象です。「家産制」というのは、為政者やエリート集団が国の公的な財産や制度、ルールをまるで自分ないし一族の私有財産、私的ルールであるかのように取り扱うシステムのことですが、形式的には立憲主義や議会制度を維持しつつ、実質的にこのような家産的政治が行なわれるようになっています。日本における安倍政治というのはまさに、公共の財産や制度、ルールを自分やその家族、お友達に有利なように利用しながら、それに対するまともな説明責任（アカウンタビリティ）を果たさないという点で、非常に家産政治的でした。ポピュリズムはしばしばこのようなネオ家産政治に対する反発として巻き起こりますが、ポピュリストが権力に就くと、より露骨な家産政治を実行します（たとえば大阪の維新政治）。

皮肉なことに、フクヤマは最近『政治の衰退』という本を書いて、欧米民主主義がしだいに家産政治化していることを嘆いています。『歴史の終わり』という本を出して三〇年も経ったのだから、本来ならリベラルデモクラシーの世界制覇三〇周年を祝っていてもおかしくないはずなのに、リベラルデモクラシーが世界を制覇するどころか、自由民主主義体制のおひざ元で深刻な「政治の衰退」が生じているのです。

第三に、偏狭なイデオロギー政治と偏狭なアイデンティティ政治の両極化が生じていることです。保守派ないし右派においては、馬鹿げた陰謀論にもとづく極端なイデオロギーが支配的となり、それが（いつの時代にも一定数いる）一部のマージナルな人々だけにとどまらず、保守派全体に広範な影響力を発揮しています。それは、たとえばアメリカでは、セクハラ不動産王トランプを大統領に押し上げるまでになりました。リベラルデモクラシーの勝利どころか、民主主義の大前提である、事実と歴史をめぐる最低限の共通の了解さえ不可能になっているのです。そして、トランプがかろうじて二〇二〇年の大統領選で敗北した後に（それでも彼は、それ以前のどの大統領候補よりも多い七〇〇〇万票以上を獲得したのですが）、怒った数万の支持者たちが連邦議事堂を占拠するという前代未聞の事態が起こりました。アメリカが最も大きな社会変動に見舞われていた一九三〇年代や一九六〇年代においてさえ、そんなことは起こらなかったというのにです。

保守派や右派の側がこのような偏狭なイデオロギー政治にもとづいているとすれば、欧米のリベラル派や左派は今度は同じぐらい偏狭なアイデンティティ政治を信奉しています。新自由主義の支配による個人主義の席巻と、共産主義の崩壊によって生じた階級的対抗軸の崩壊は、左派であること、あるいはリベラル派であることの「証明」が「階級政治」の集団的遂行よりも、個々人のアイデンティティ（最近ではとりわけ性自認）の絶対化と押しつけに移行しています。

第四に、資本主義そのものも大きく変容しました。一九八〇～九〇年代以降、先進資本主義国においては、「産業」から「金融」へ、「生産」から「略奪」へ、そして、「利潤」から「レント」へという大きな流れが生じました。この最後の「レント」についてだけ説明しておきますと、これは経済学の用語で、一般に「地代」と訳されている言葉です。「地代」というのは、土地を私的に所有し、それを誰かに貸し与えることで受け取る使用料ないし賃料のことです。土地に限らず、社会生活にとって、あるいは人が生きていくうえで必要不可欠なモノや情報が誰かによって私的に所有され独占されてしまうと、それを利用するためには所有者に使用料を払わなければならなくなります。この使用料がレントです。

本来、資本主義というのは、マルクスが『資本論』で詳細に分析したように、何か有用な財を生産し、それを販売して利潤（剰余価値）を獲得するシステムです。それこそが資本主義の進歩性を示すものだったし、封建社会との闘争で資本主義に勝利をもたらした最も重要な要因です。

封建社会というのは一種の完全レント社会です。封建領主ないし地主が、最も主要な生産手段である土地や水やその他の生産・生活手段を身分的に独占しており（必ずしも資本主義的な意味での私的所有ではないにせよ）、それらを使いたかったら年貢や地代を支払いなさいというシステムですから、身分的に固定されたレント社会です。資本主義はそれに対して、財産や仕事や地位の伝統的独占と固定化をなくしてそれらを流動化させ、既存の富の独占とそこからの収奪によってではなく、富そのものを絶えずより大きな規模で生産することで、その一部を資本家が（貨幣形態で）取得するシステムです。こうして資本主義は、封建社会に対して、よりオープンで、より自由で、ますます豊かになっていく社会として自己を歴史的に正当化することができたわけです。

ところが、資本主義の発展とともに利潤率がどんどん下がっていって、生産に大規模に投資しても、得られる利潤はわずかであるという状況になってくると、そうした回りくどいやり方よりも、人々が生きていくのに必要不可欠なもの（現在ではコモンズと言われているもの）に私的所有権を勝手に設定し、そこからレントを稼ぎ出す方がはるかに安定的に儲けが得られると資本家たちは考えるようになります。新自由主義による市場化や自由化は、そうした私的所有権の設定領域を格段に広げました。こうしてあらゆるものにどんどん私的所有権が設定されていき、あらゆるものがレントの源泉になっていきつつあります。その中には、遺伝情報とか、薬の調合方法とか、単なる一般的な名称にまで私的所有権が設定され、それを使いたければ特許料や使用料という名のレントを払えと言ってくるわけです。

生活に必要不可欠なものの独占から得られるレントは半永久的なものです。家賃は半永久的ですよね。借り手が死ぬかホームレスにでもならないかぎり、ずっと払い続ける必要があります。通常の商品としてのモノはそういうわけにはいきません。何度も同じモノを売ることはできないし、ある程度、その商品が普及してしまえば、それ以上売ることはできません。ところがレントではそれが可能なのです。こうして、資本主義における儲けの源泉がどんどんそういうものに移行していっています。これを「封建化する資本主義」とか「ネオ封建主義」などと呼んでいる人々が、マルクス主義者だけでなく、ブルジョア学者のあいだでも増えています。[*14]

地球全体を包含する諸問題の出現

さらにフクヤマが想定していなかった第三の事態は、地球全体を包含するような深刻な諸問題が一九九〇年以降の三〇年間に次々と登場するようになったことです。一つが、資源・食料・水などの枯渇という問題です。この問題はたしかにすでに一九九〇年代初頭には、たとえば石油資源の限界(ピークオイル)という形でしばしば取り沙汰されていましたから、フクヤマも『歴史の終わり』で少し取り上げています。しかし、それも結局は技術的に解決されるのだと非常に楽観的に語られています。その技術的解決の一つがおそらくは原子力発電だったのでしょうが、それがどのような悲惨な結末を迎えたかは、今からちょうど一〇年前にこの日本で証明されたことです。そうした化石燃料というエネルギー資源だけでなく、食料のための農業用地、そして人々が生きていくのに決定的に重要な水、そしてセメントの材料となる砂や砂利さえも、資本主義の乱開発と中国の天文学的な経済成長のもとでしだいに枯渇しつつあり、これはまさに全人類的な問題になっています。

第二に、言うまでもなく地球の温暖化とそれによってつくり出されている巨大(メガ)災害です。この問題についても、フクヤマは『歴史の終わり』の中で一言、二言述べていますが、それはせいぜい北極圏で氷が少し溶けてきてホッキョクグマが大変だという程度の話として認識されており、これもまた技術が発達すれば、そうした問題も解決するのだとフクヤマはみなしています。まさか、毎年のように、何十万エーカーも森林を焼き尽くすようなメガ火災やギガ火災がいくつも起こるような事態はまったく想定されていないわけです。

たとえば、二〇一九年から二〇二〇年にかけてオーストラリアで起こった大火災では、ポルトガルの国土面積よりも広い面積の森林が火災に見舞われ、焼け死んだり生息地を失った動物の個体数は三〇億匹を超えると言われています。アメリカのカリフォルニア州でも昨年、過去最大規模のメガ火災がいくつも起きました。さらに、北極圏の氷が溶けると、ホッキョクグマの生息地がなくなるというレベルではなく、各国で海岸の水位が著しく上昇し、海に面した多くの地域が海に沈む事態になるわけですが、そういうこともフクヤマの本はまったく想定していません。もちろん、当時の科学的予測の範囲では難しかったでしょうが、いずれにせよ、その後の事態はフクヤマの楽観論を完全に打ち砕いたわけです。

第三に、現在の状況に即して言うならば、新しい大規模な感染症や疫病の蔓延といったことも、当然フクヤマの本には出てきませんし、当時はまったく予想されていなかった地球規模の深刻な問題です。マイク・デイヴィスがすでに『感染爆発』という著作で警告していたように[*15]、そして現在のパンデミックの中で再び説得力を持って警告しているように[*16]、新自由主義的グローバリゼーションによる過剰開発と急激な環境変化とは、絶えずより恐るべき新しい感染症を生み続ける可能性があります。

このように、フクヤマがついに歴史が終わった、リベラルデモクラシーの体制はついに世界史的勝利を収めたと凱歌を挙げた瞬間に、歴史はその意地悪な弁証法を発動し、その能天気な楽観論に復讐を遂げたわけです。

おわりに——永続革命と人類の未来

このような「歴史の終わりの弁証法」が示しているのは、結局、冒頭で提起した問い、すなわち、資本主義のこれ以上の存続と、その中で生活している大多数の人々の最もプリミティブな要求や民主主義的な要求といったものとが両立するのか、資本主義の一元的支配のもとでそのような要求は持続可能な形で実現できるのかという問いがわれわれの前に提起されているということです。そして、歴史の現実、現在の厳然たる状況を前にすれば、フクヤマが楽観的に考えたような、何らかの技術によって結局あらゆる問題は解決され、資本主義と自由市場とリベラルデモクラシーの三位一体の体制は永遠に持続可能であると、とうてい言うことはできないことがわかります。

したがって、われわれは、二〇世紀初頭にトロツキーが直面した問いに、はるかに大規模ではるかに深刻な形で、再び直面しているわけです。ここにトロツキー永続革命論の現代的意義があります。それはもはや後発国ロシアの局地的問題ではなく、全地球的な問題であり、二〇世紀初頭という時間軸ではなく、人類史という時間軸で、われわれに迫ってきている問題なのです。

昨年八月にATTACで『共産党宣言』について講演した際に、同じ「永続革命論」といっても、戦術的永続革命論（戦術的な意味での永続革命論）、戦略的永続革命論（戦略的な意味での永続革命論）、歴史的永続革命論（歴史的な意味での永続革命論）という三つの意味が存在するという話をしました。[*17]

戦術的永続革命というのは、いったん急進的な革命が起こると、革命の形態や要求がどんどん先鋭化していって、時に歴史的に達成可能な課題を超えた急進性を帯びるという戦術的な急進化の流れを指しています。それに対して歴史的永続革命論というのは、どういう要求や課題から革命が始まろうとも、最終的には資本主義の転覆にまで進まないかぎり、真の自由も民主主義も、真に豊かな生活も達成されない、つまりヘーゲルやフクヤマが言うような、人間の本性に合致した理性的で理想的な社会に到達することはできないという、歴史的に長いスパンを持った永続革命論です。そして、この両者を媒介するのが、トロツキーの戦略的永続革命論であり、それが本来の永続革命論です。後発国ロシアの特殊な（客観的・主体的な）諸条件のもとでは、ロシア民衆の最も初歩的な諸要求（土地、共和制、まともな労働条件、等々）を実現する課題は社会主義革命と結合しなければならないというものです。

そして、今日人類が直面しているのは、後発国における「戦略的永続革命」ではもはやなく、それを全地球的な規模へと拡張することであり、先進国であれ、第三世界諸国であれ、ポスト東側諸国であれ、そうした全体を包括したものへと発展・拡張する必要性です。したがってそれは、人類史的な意味での「歴史的永続革命」へと重なり合い、「成長転化」することを意味します。資本主義とともに人類が「前史」で終わってしまうのか、それとも資本主義システムを変革して人間社会の「本史」を迎えることができるのかどうか、このことに人類の未来はかかっているのです。

（二〇二一年一月二三日講演）

注

＊1　翻訳は以下の通り。フランシス・フクヤマ『歴史の終わり――歴史の「終点」に立つ最後の人間』三笠書房、一九九二年。

＊2　森田成也『トロツキーと永続革命の政治学』柘植書房新社、二〇二〇年。
＊3　マルクス「哲学の貧困」、邦訳『マルクス・エンゲルス全集』第四巻、大月書店、一四三～一四四頁。
＊4　マルクス「『経済学批判』序文」、邦訳『マルクス・エンゲルス全集』第一三巻、七頁。
＊5　マルクス『資本論』、邦訳『マルクス・エンゲルス全集』第二三巻第一分冊、大月書店、九頁。
＊6　マルクス&エンゲルス『共産党宣言』光文社古典新訳文庫、二〇二〇年、一一一～一一二頁。
＊7　「エンゲルスからヴァイデマイアーへの手紙（一八五三年四月一二日）」、邦訳『マルクス・エンゲルス全集』第二八巻、四六九頁。訳文は以下から。前掲マルクス&エンゲルス『共産党宣言』、一八〇～一八一頁。これと同じ懸念は、エンゲルスが同時期に書いた『ドイツ農民戦争』でも語られている。
＊8　森田成也「マルクス・エンゲルスのドイツ革命論の弁証法的変遷」（https://www.academia.edu/45166236）。
＊9　「エンゲルスからポール・ラファルグへ（一八九三年六月二七日）」、邦訳『マルクス・エンゲルス全集』第三九巻、八〇頁。
＊10　一八九三年の総選挙でのドイツ社会民主党の得票数は約一七八万票で、得票率は二三%。得票率で見るとドイツ社会民主党はすでに議会内の第一党であった。
＊11　プレハーノフ『社会主義と政治闘争』国民文庫、一九七三年、一〇三～一〇四頁。訳文は必ずしも既訳に従っていない。
＊12　以下の拙稿を参照。森田成也「クロンシュタットの悲劇と『歴史のアイロニー』――事件勃発一〇〇周年によせて」、『科学的社会主義』二月号、二〇二一年。
＊13　デヴィッド・グレーバー『民主主義の非西洋起源について――「あいだ」の空間の民主主義』以文社、二〇二〇年。
＊14　たとえば以下の記事を参照。Jodi Dean, "Neofeudalism: The End of Capitalism?," *Los Angels Review of Books*, 12 May 2020.
＊15　マイク・デイヴィス『感染爆発――鳥インフルエンザの脅威』紀伊国屋書店、二〇〇六年。
＊16　マイク・デイヴィス「これは最後の闘争だ」、https://www.academia.edu/43137073/
＊17　本書の第3章の「3」参照。

補論3

トロツキーの永続革命論とロシア・マルクス主義の遺産

——レヴィ論文への異論

【解説】この論考はもともと、二〇二〇年一二月に私のフェイスブックにアップした文章だが、今回、収録するにあたって、さらに若干の加筆修正を行なっている。これの増補英訳版が以下に掲載されている。Trotsky's theory of permanent revolution and the legacy of Russian Marxism: A dissent to Michael Lowy's piece, *Links International Journal of Socialist Renewal*, March 5, 2021, http://links.org.au/trotsky-theory-permanent-revolution-legacy-russian-marxism-dissent-michael-lowy

『週刊かけはし』の二〇二一年新年号に掲載されたミシェル・レヴィの論文「レオン・トロツキー（一八七九〜一九四〇年）——トロツキー没後八〇周年にあたって」[*1]は全体としてすぐれた力作であるが、ロシア・マルクス主義に関していくつか明らかに誤解と思われる記述があったので、それについて指摘しておきたい。

プレハーノフは機械的な経済主義者か

レヴィは、ロシア・マルクス主義者がマルクス晩年のロシア革命論（『共産党宣言』ロシア語版序文で披歴されたもの）を放棄したことを次のように否定的に評価している。

> マルクスとエンゲルスはためらうことなく、『共産党宣言』のロシア語版序文（一八八二年）の中で次のように示唆していた。すなわち、「ロシア革命が西欧におけるプロレタリア革命の合図となり、こうした両者が互いに補いあうなら、現在におけるロシアの土地の共同所有は共産主義的発展の出発

点となりうるだろう」[*2]と。しかしながら、二人の死後、ロシアのナロードニキの展望に類似することになるのではないかとする疑念を生じさせるロシア革命の展望のこのコースは放棄されてしまった。

しかし、まず第一に、ロシア・マルクス主義者（より限定的に言うなら、労働解放団の創設者であるプレハーノフとザスーリチとアクセリロート）がこの発展コースを「放棄した」のは「二人の死後」ではなくエンゲルス存命中のことであり、第二に、この放棄それ自体は完全に正しかった。トロツキーもレーニンもこの「放棄」を前提にしている。そもそも『共産党宣言』ロシア語版序文には、ロシア革命の主体については何も書かれていない。いったい誰が、あるいはどの階級が、あの巨大な帝国においてブルジョア民主主義革命という巨大な歴史的課題を担うというのだろうか？ ロシアのテロリスト的インテリゲンツィアか？ それとも帝政に従属している「自由主義」官僚か？ それとも膨大な共同体農民か？ ロシア語版序文は沈黙を守っている。マルクスも最後までそれを明示することができなかった（ザスーリチへの手紙の草稿であれこれ不明瞭に触れているとはいえ）。エンゲルスはかろうじて、その生涯の最後の時期になってようやく、まさにロシア・マルクス主義者たちに、何よりもプレハーノフに促されて、革命主体としてのロシア労働者階級に目を向けるようになった。

プレハーノフを筆頭とするロシア・マルクス主義の第一世代は、この決定的な問題に対して正しい回答を示した唯一の革命家集団だった。未来のロシア革命の主役は、今後、必然的に上から温室的に育成されていくロシア資本主義によって不可避的に形成されるロシア・プロレタリアートであり、したがってそのことによって、革命的インテリゲンツィアや共同体的農民は、その同盟者になりえても、けっして革命の主役たりえないと明確に指摘したのである。これは、「ナロードニキの展望に類似」しないために取った路線なのではない。逆である。プレハーノフもザスーリチもアクセリロートもみな元々ナロードニキだったのであり、その経験から抱くようになった、ナロードニキの路線と戦術に対する根本的疑問に基づいて、マルクス主義へと接近したのである。彼らは自主的にマルクス主義の理論的ツールに基づいてロシア社会の特殊性を分析し、そして独自の戦略的展望に到達した。

当面する革命が純粋にブルジョア民主主義的なものであると彼らは確信していたにもかかわらず、そのヘゲモニーを握るのは、西欧世界のかつてのブルジョア革命期におけるような都市小ブルジョアジーでも自由主義インテリゲンツィアでもなく、革命的プロレタリアートであると彼らはみなした。ブルジョア革命における「プロレタリアートのヘゲモニー」という概念を初めて明確に提起したのは彼らであった（彼ら自身が「ヘゲモニー」という言葉を用いている）。まさにこの決定的なブレークスルーの延長上に、レーニンの労農民主独裁論も、トロツキーの永続革命論も存在するのである。

プレハーノフやザスーリチらロシア・マルクス主義の第一世代の偉大さは、土着の支配的革命勢力であったナロードニキ（マルクスとエンゲルスも彼らを支持していた）に政治的・組織的に抗して、そして何よりマルクスとエンゲルス自身の理論的権威にさえ抗して、自らの判断、分析、研究にもとづいて、このような大胆な結論に到達したことである。「創造的マルクス主義」という言葉が真にふさわしいのはまさにこれらの人々に対してである。「ロシアの革命運動は労働者階級の運動として勝利するか、さもなくばまったく勝利しないかだ」とプレハーノフが第二インターナショナルの創立大会で宣言した時、[*3]その驚くほど正確な予言性に気づいた人は当時一人もいなかった。エンゲルスでさえそうだった。ロシア・マルクス主義の第一世代は、その絶対的な政治的・理論的孤立にもかかわらず、自分たちの立場を断固として保持し、その驚くほど旺盛で徹底した理論活動と啓蒙活動を通じて、ついにロシア・マルクス主義の知的・政治的ヘゲモニーをロシアの革命勢力の間で確立するのである。プレハーノフがいなければ、レーニンもトロツキーもいないし、もちろんロシア革命も（少なくとも一九一七年に起きたような形では）起こらなかっただろう。

このような功績に照らすなら、「トロツキーは、プレハーノフのマルクス主義の本質的特徴をなす経済主義を公然と退け」たというようなレヴィの判断が単なる偏見の吐露にすぎないことがわかる。もちろん、プレハーノフに経済主義的側面がなかったと言っているのではない。しかし、それはけっして彼のマルクス主義の本質的特徴ではなかった。第一次世界大戦においてプレハーノフが帝政ロシアを支持したのは、まさに彼の経済主義によるものだったが、それはプレハーノフの理論的堕落と衰退の結果であって、彼の理論の本質的現われでもその必然的帰結でもなかった。

トロツキーのプレハーノフ評価

またレヴィは「大半のロシア・マルクス主義者たちが、ナロードニキとの論争のせいで、ロシア社会のいっさいの特殊性を否定しようとして、西ヨーロッパの社会経済的発展とロシアの将来とが似通ったものになると主張した」と書いているが、これもまったくの間違いである。プレハーノフ以来、ロシア・マルクス主義は、メンシェヴィキ的翼もボリシェヴィキ的翼も含めて、その全戦略と戦術をロシア社会の特殊性と資本主義それ自体の一般的法則性との独特の結合と相互作用の分析に置いていた。そもそも、人口的に一割の少数派にすぎないプロレタリアートのヘゲモニーのもとでブルジョア民主主義革命を遂行するという展望そのものが、西欧社会の歴史と根本的に異なるものだった。レヴィともあろうものが、そんな基本的なことにさえ気づかないとは驚きである。問題は、そのような独特の結合と相互作用の範囲をどの程度まで深く掘り下げ、どこまで広げて考えるかという点にあったのであって、ロシアの歴史が西欧社会と同一の発展過程をたどると考えた「大半のロシア・マルクス主義者」と、ロシア社会の特殊性を唯一正しく理解したトロツキーとの対立という単純なものではけっしてなかったのである。

この点をはっきりと理解するためには、何よりもトロツキー自身のプレハーノフ評を読み直す必要がある。トロツキーは一九二二年に『一九〇五年』第二版を出版し、その追加付録としてポクロフスキーに対する批判論文を収録しているが、それはポクロフスキーによるプレハーノフへの過小評価に反論するものでもあった。その中でトロツキーははっきりと次のように述べている。

プレハーノフはまったく正しくも、ナロードニキ的スラブ主義者の図式だけでなく、西方の教条主義者の図式をも退けており、ロシアの「特殊な性質」を、その歴史発展の現実的で物質的に条件づけられた特殊性に帰している。……ロシア・ブルジョアジーの脆弱さ、ロシアのブルジョア民主主義の相続能力のなさは、ロシアの歴史発展のまぎれもない、そしてきわめて重要な特殊性をなしている。しかし、このことから——他の歴史的諸条件を所与とすると——引き出されてくるのはまさに、プロレタリアートによる権力獲得の可能性と必要性なのである。たしかに、プレハーノフはこのような結論を引き出さなかった。しかし、何といっても彼は自分の別の無条件に正しい命題からもかかる結論を引き出さなかったのだ。「ロシアの革命運動は労働者の運動として勝利するか、さもなくばまったく勝利しないかだ」。プレハーノフがナロードニキと俗流マルクス主義者に反対して語ったいっさいを、彼のカデット贔屓や愛国主義といっしょくたにするならば、プレハーノフから学ぶべきものは何もないことになるだろう。しかし、実際にはプレハーノフから学ぶべき多くのことがあるし、彼から繰り返し学ぶことは何ら問題ではない……。[*4]

このようにはっきりとトロツキー自身が、プレハーノフが「まったく正しくも……西方の教条主義者の図式をも退けており、ロシアの『特殊な性質』を、その歴史発展の現実的で物質的に条件づけられた特殊性に帰している」と書いている。これ以上に雄弁な証言があるだろうか？　このトロツキーの評価は直接的には、プレハーノフの最後の大著『ロシア社会思想史』(一九一四～一六年)をめぐってのものだが、[*5]一八八九年のプレハーノフの有名な「ロシアの革命運動は労働者の運動として勝利するか、さもなくばまったく勝利しないかだ」に言及しているように、マルクス主義者になって以降のプレハーノフの基本的立場に対する評価だとみなすべきである。

「永続革命」という用語はいつ登場したのか？

以上の本質的な問題以外にも、レヴィの記述には不正確な点がある。レヴィは「《永続革命》という用語をトロツキーは、一九〇五年一一月の『ノイエ・ツァイト』紙におけるフランツ・メーリングの論文から着想を得た」と書いているが、そのもっと以前に、一九〇五年の三～四月にすでに『イスクラ』において繰り返し「永続革命（Revolution in Permanenz）」という言葉を使って、ロシア革命の展望をめぐる論争がメンシェヴィキのあいだで展開されていた。

たとえば、メンシェヴィキの指導者マルトフは、『イスクラ』第九三号（一九〇五年三月一七日）に掲載された論文「労働者党とわれわれの当面する課題としての『権力獲得』」において次のように述べている。

ロシア革命においてプロレタリアートが現在および将来において果たす大きな役割は、革命のさらなる強化と発展のためのプロレタリアートの闘争が政治権力の直接的獲得のための闘争と一致するような状況を完全に可能としている。このような瞬間の到来は、言うまでもなく、すべての強力なブルジョア革命政党が十分開花せぬうちに咲き終わるようなことになった場合にはなおのこと促進されるだろう。そしてこの場合、プロレタリアートは政治権力を拒否することはできないだろう。しかし、同じく言うまでもないのは、社会的闘争の道程でそのような事態に至ったプロレタリアートは、ブルジョア革命の枠組みの利用に自己を制限することはできない、ということである。もしプロレタリアートが階級として権力を獲得したならば（そしてわれわれは同志T〔トロツキー〕と同じくこのような場合の権力獲得についてのみ語っている）、革命をさらに先に進めないわけにはいかないし、永続革命（Revolution in Permanenz）を、全ブルジョア社会との直接的な闘争を目指さないわけにはいかないだろう。具体的にこのことが意味するのは、パリ・コミューンの新たな繰り返しか、「西方における」社会主義革命の開始とロシアへのその転移であろう。そして、後者の方を目指すのがわれわれの義務である。[*6]

このようにマルトフはすでに一九〇五年三月一七日の時点で「永続革命」という言葉を明確に使って、その可能性を認めている。ただしマルトフにとってこの可能性は結局きわめて低いものであり、そしてロシア革命にとって不幸な展開を意味した。したがって、マルトフはこのような可能性を云々しつつも、結局は、ブルジョア政党が権力を取ってブルジョア民主主義革命（下からの社会民主党の圧力を受けつつ）を遂行する段階革命論の展望を堅持したのである。*7

同じく、同時期にプレハーノフも、『イスクラ』第九六号（一九〇五年四月五日）に掲載された論文「権力獲得の問題によせて——ささやかな歴史的知見」の中で、次のように述べている。

マルクスとエンゲルスが一八五〇年の戦術を是認しなくなったのはただ、資本主義が老いぼれ、したがって社会主義革命が目前に迫っており、小ブルジョア革命はただ社会主義革命の単なる序曲にすぎないという当時の確信にもとづいていたという側面からだけであった。まさにこの確信があったからこそ彼らは連続革命というスローガンを提起したのである。その後、社会主義革命が間近に迫っていると思われなくなったとき、彼らは、小ブルジョア革命を予想していた場合でさえもはや「永続革命（Revolution in Permanenz）」というスローガンを提起しなかった。なぜなら、彼らは、「連続革命」の客観的諸条件が（したがってまた主体的、すなわち心理的諸条件）が存在しないとみなしたからである。プロレタリアートの政治的課題は、［ブルジョア］民主主義体制がかなりの長期間にわたって支配的であろうという予想によってすでに規定されていたと思われる。*8

このように、すでに『イスクラ』紙上で一九〇五年三～四月に「永続革命」という言葉が論争的に使われていたのだから、何も半年以上も先のメーリング論文を待つ必要はいささかもなかったのだ。

われわれは、そろそろプレハーノフを筆頭とするロシア・マルクス主義に対する偏見を払拭しなければならない。レーニンもトロツキーも、プレハーノフの限界と裏切りを十分厳しく批判しつつも、彼がロシアにおいてマルクス主義を確立する上で果たした決定的な役割を高く評価しつづけた。その遺産からわれわれもまた積極的に学ばなければならない。トロツキーが言っているようにである――「実際にはプレハーノフから学ぶべき多くのことがあるし、彼から繰り返し学ぶことは何ら問題ではない」。

注

＊1　原文は以下。Michael Löwy, "Léon Trotsky, prophète de la révolution d· Octobre," *Inprecor*, no. 677-678, http://www.inprecor.fr/article-L%C3%A9on-Trotsky,-proph%C3%A8te-de-la-r%C3%A9volution-d%E2%80%99Octobre?id=2397

＊2　マルクス＆エンゲルス「一八八二年ロシア語版序文」、同『共産党宣言』光文社古典新訳文庫、二〇二〇年、一二八頁。

＊3　Georgii Plekhanov, *Selected Philosophical Works*, Moscow, 1981, Vol.1, p. 454.

＊4　トロツキー「ロシアの歴史発展の特殊性について――M・N・ポクロフスキーへの回答」、『トロツキー研究』第七三号、二〇一九年、二三一～二三二頁。

＊5　日本では序説だけが訳されている。プレハーノフ『ロシア社会思想史序説』未来社、一九六一年。

＊6　ユーリー・マルトフ「労働者党とわれわれの当面する課題としての『権力獲得』」、『トロツキー研究』第四七号、

二〇〇五年、一三六～一三七頁。

＊7　この点については、拙書『トロツキーと永続革命の政治学』（柘植書房新社、二〇二〇年）の第二章を参照せよ。

＊8　ゲオルギー・プレハーノフ「権力獲得の問題によせて――ささやかな歴史的知見」、『トロツキー研究』第四七号、一五三頁。

あとがき

いつもこのシリーズでは「あとがき」を書いていないのだが、今回は、三人の方に特別に感謝をしたいので、「あとがき」を書くことにした。

まず第一に、本書のような売れない本の出版をいつも引き受けてくれている柘植書房新社の社長の上浦英俊さんに感謝申し上げたい。本を出すときはいつも出版社に迷惑にならない程度には売れてほしいと祈っているが、現代の日本ではなかなかこの願いはかなわない。それがわかっていて出してくれる上浦さんにはいくら感謝してもしきれない。

第二に、私は自分の論文のいくつかをAcademiaという論文サイトの自分のアカウントにアップしているのだが、それをよく読んでくれ、そしていつも誤字脱字を見つけてくれる野崎佳伸さんに、第二校のゲラの誤字脱字をチェックしていただいた。今回、以前の本よりも誤字脱字が少なければ、それは野崎さんのおかげである。野崎さんには『科学的社会主義』という雑誌でもお世話になっている。同誌に年に一度か二度寄稿するようになったのも、野崎さんのおかげだ。

最後に、そして最も深い感謝を捧げたいのは、今年五月三日、五〇歳の若さで大腸がんで亡くなられた栗原学さんに対してだ。彼の活動の中心は関西だったので、ずっと以前、まだ若かった頃の彼と数回会ったことがあるだけで、実はほとんど個人的会話を交わしたことはない。しかし、ネットを通じて、ツイッターでのアカウントを通じて、あるいはペンネームでの彼の政治評論を通じて、彼は私にとって身近な人だった。何より、現代左翼を深く分裂させている重要問題（その多くは女性の人権をめぐるものだ。左翼は残念ながら右翼と同じくミソジニーに深く冒されている）をめぐって、彼と自分の意見が一致していることを知ったとき、どれほど嬉しく思ったことか。とくに彼が死の床で書いた、トランスジェンダリズムを批判する論稿は、本当に勇気ある訴えだった。思想家の価値はその全盛期で測られ、運動家の価値はその最後の振る舞いで測られる。栗原さんはその意味で真の運動家だった。本書を謹んで彼に捧げたい。

二〇二一年六月三日

■著者　森田　成也（もりた　せいや）

大学非常勤講師

【主な著作】『資本主義と性差別』（青木書店、1997年）、『資本と剰余価値の理論』（作品社、2008年）『価値と剰余価値の理論』（作品社、2009年）、『家事労働とマルクス剰余価値論』（桜井書店、2014年）、『ラディカルに学ぶ「資本論」』（柘植書房新社、2016年）、『マルクス剰余価値論形成史』（社会評論社、2018年）、『ヘゲモニーと永続革命』『新編マルクス経済学再入門』上下（社会評論社、2019年）、『「資本論」とロシア革命』（柘植書房新社、2019年）、『トロツキーと永続革命の政治学』（柘植書房新社、2020年）

【主な翻訳書】デヴィッド・ハーヴェイ『新自由主義』『< 資本論 > 入門』『資本の < 謎 >』『反乱する都市』『コスモポリタニズム』『< 資本論 > 第二巻・第三巻入門』（いずれも作品社、共訳）、トロツキー『わが生涯』上（岩波文庫）『レーニン』『永続革命論』『ニーチェからスターリンへ』『ロシア革命とは何か』、マルクス『賃労働と資本／賃金・価格・利潤』『「資本論」第一部草稿――直接的生産過程の諸結果』、マルクス＆エンゲルス『共産党宣言』（いずれも光文社古典新訳文庫）、他多数。

『共産党宣言』からパンデミックへ―「歴史の終わり」の弁証法

2021年8月20日第1刷発行　定価2800円＋税

著　者　森田　成也

発　行　柘植書房新社

〒113-0001　東京都文京区白山1-2-10-102

TEL　03（3818）9270　FAX　03（3818）9274

https://tsugeshobo.com

郵便振替 00160-4-113372

印刷・製本　創栄図書印刷株式会社

装　幀　市村繁和（i-Media）

乱丁・落丁はお取り替えいたします。ISBN978-4-8068-0751-3　C0030

ラディカルに学ぶ『資本論』

森田成也著

定価2300円＋税　ISBN978-4-8068-0687-5

変革する武器として―マルクスの『資本論』は歴史上何度目かの復活を遂げつつある。われわれの生きている世界を根底から理解し、それを変革するという意味での「ラディカル」さは、『資本論』そのものに対しても発揮されなければならない。

世界史から見たロシア革命

世界を揺るがした100年間

江田憲治・中村勝己・森田成也著

定価2300円＋税　ISBN978-4-8068-0716-2

世界資本主義がますますその暴力的相貌を明らかにしている今日、ロシア革命の世界史的意義を改めて見直し、その生きた教訓を汲みつくす。

トロツキーと永続革命の政治学

森田成也著

定価3200円+税　ISBN978-4-8068-0740-7

序章　悲劇の革命家と革命論の悲劇
第Ⅰ部　永続革命論の形成
第一章　パルヴス、トロツキー、ロシア革命
第二章　一九〇五年革命と永続革命論の形成
第三章　一九〇五年革命をめぐるバートラム・ウルフの歴史偽造
第Ⅱ部　各国の経験
第四章　トロツキーの第三世界論と永続革命
第五章　中国革命をめぐる三つの論点とトロツキー
第六章　トロツキーとスペイン革命
終章　ロシア革命――〇〇年目の総括と展望